LES BOIS
DE BATTANDIÈRE

DU MÊME AUTEUR

Aux éditions Belfond

L'Inconnue de Peyrolles, 2006
Berill ou la passion en héritage, 2006
Une passion fauve, 2005
Rendez-vous à Kerloc'h, 2004
Le Choix d'une femme libre, 2004
Objet de toutes les convoitises, 2004
Un été de canicule, 2003
Les Années passion, 2003
Un mariage d'amour, 2002
L'Héritage de Clara, 2001
Le Secret de Clara, 2001
La Maison des Aravis, 2000
L'Homme de leur vie, 2000
Les Vendanges de Juillet, 1999, rééd. 2005
Nom de jeune fille, 1999
L'Héritier des Beaulieu, 1998, rééd. 2003
Comme un frère, 1997
Les Sirènes de Saint-Malo, 1997, rééd. 2006
La Camarguaise, 1996, rééd. 2002

Chez d'autres éditeurs

Crinière au vent, éditions France Loisirs, 2000
Terre Indigo, TF1 éditions, 1996
B. M. Blues, Denoël, 1993
Corrida. La fin des légendes
En collaboration avec Pierre Mialane, Denoël, 1992
Mano a mano, Denoël, 1991
Sang et or, La Table Ronde, 1991
De vagues herbes jeunes, Julliard, 1973
Les Soleils mouillés, Julliard, 1972

Vous pouvez consulter le site de l'auteur à l'adresse suivante :
www.francoise-bourdin.com

FRANÇOISE BOURDIN

LES BOIS
DE BATTANDIÈRE

belfond
12, avenue d'Italie
75013 Paris

Si vous souhaitez recevoir notre catalogue
et être tenu au courant de nos publications,
vous pouvez consulter notre site Internet :
www.belfond.fr
ou envoyer vos nom et adresse,
en citant ce livre,
aux Éditions Belfond,
12, avenue d'Italie, 75013 Paris.
Et, pour le Canada,
à Interforum Canada Inc.,
1055, bd René-Lévesque-Est,
Bureau 1100,
Montréal, Québec, H2L 4S5.

ISBN 978-2-7144-4340-3
© Belfond, un département de , 2007.

À Laurent Scalese, avec qui je partage cette irrésistible envie d'écrire qui a fait notre amitié d'auteurs.

1

Tout en s'éloignant de la scierie, Léa résista à l'envie d'accélérer le pas ou, pire, de se boucher les oreilles pour ne plus entendre le bruit suraigu des lames. Qui pourrait encore la prendre au sérieux si elle avait l'air de fuir ? Consciente d'être le point de mire des employés qu'elle venait de rassurer tant bien que mal, elle s'arrêta, se retourna, considéra les bâtiments d'un air pensif. Au moins, elle aimait l'odeur du bois chaud, de la sève, des copeaux. Mais, confrontée au vacarme des machines crachant leurs gerbes d'étincelles, elle ne parvenait toujours pas à se sentir à sa place.

Derrière les grands hangars, des sapins s'étageaient à flanc de colline, formant un paysage vert sombre, presque noir au crépuscule. Léa réprima un frisson, enfonça ses mains glacées dans les poches de son manteau. Elle jeta un regard d'envie vers le chalet situé à une cinquantaine de mètres de la scierie et dont les fenêtres étaient éclairées. Raphaël, l'ingénieur, devait travailler, mais il s'interrompait volontiers pour boire un café et discuter un moment. De leurs conversations, elle retenait le moindre mot, essayant de rattraper le temps perdu.

Si seulement elle avait pu prévoir ! Mais devine-t-on jamais son avenir ? À la période malheureuse de sa jeunesse s'étaient ajoutés des choix désastreux, et aujourd'hui, elle se trouvait dans une impasse. Pour en sortir, elle n'aurait pas seulement besoin de courage ou de force de caractère, cette fois, il allait aussi lui falloir un peu de chance.

Sous ses doigts, son portable se mit à vibrer. L'extirpant de sa poche, elle lut le message envoyé par son frère.

« Ne sois pas en retard, on te prépare un soufflé. Tendresses. »

Pas un mot du rendez-vous à la banque, c'était mauvais signe. Après une dernière hésitation, elle renonça à rejoindre Raphaël, pressée de savoir si son frère avait obtenu un étalement de leurs échéances.

Installée au volant de la grosse Volvo noire, elle boucla sa ceinture, mit le contact. Trop puissante et trop luxueuse, cette voiture était un caprice supplémentaire de son mari, un de ces coups de tête qui le prenaient dès qu'il avait bu. *Il faut donner une impression de prospérité, chérie ! Et puis, nous serons en sécurité. Sur les routes de montagne, quatre roues motrices font toute la différence.* Un discours qui semblait cohérent, mais en réalité, Tristan avait satisfait sa vanité, rien d'autre.

Alors qu'elle démarrait, des cris fusèrent en provenance de la scierie. Dans son rétroviseur, elle aperçut le contremaître qui sortait en trombe et courait vers elle. Inquiète, elle s'arrêta, baissa sa vitre.

— Il y a eu un accident sur la parcelle 22, on vient de me prévenir par téléphone ! Un de vos petits gars s'est méchamment entaillé le bras, on le conduit à l'hôpital de Lons-le-Saunier...

— J'y vais tout de suite, décida-t-elle, je vous tiens au courant.

Elle redémarra sur les chapeaux de roues, excédée par ce nouveau coup du sort. Bon sang, ils n'avaient pas besoin d'un blessé maintenant, en pleine période d'abattage ! Les déclarations d'embauche et les primes d'assurance étaient probablement à jour, vu le sérieux de Raphaël, mais il faudrait engager un autre bûcheron, remplir tout un tas de papiers et...

— Et le gamin, tu y penses ? se reprocha-t-elle à voix haute.

Les soucis la rendaient-ils égoïste à ce point ? Ou était-ce l'approche de la quarantaine ? Quinze ans plus tôt, elle se serait rendue malade pour un événement de ce genre. Elle connaissait les dangers de la forêt, savait à quels risques s'exposaient les hommes qui y travaillaient. Elle l'avait appris à ses dépens, payant un insupportable tribut à ces arbres qui continuaient pourtant de la faire vivre.

Concentrée sur la route, elle refusa de se laisser submerger par les souvenirs, sinon, elle allait se mettre à pleurer. Depuis quelque temps, elle songeait beaucoup trop souvent à son premier mari, au bonheur passé, fracassé sous un mélèze un soir d'automne.

Elle mit son oreillette, appuya sur la fonction « mains libres » du portable et appela son frère. Pas pour le soufflé, qui n'avait plus aucune espèce d'importance, mais parce qu'il était vraiment le seul homme à la comprendre... et à pouvoir la secourir.

Tristan jeta un dernier regard à son croquis avant de le froisser et de l'expédier dans la corbeille. À quoi bon ruminer des projets d'aménagement puisque Léa refusait de changer quoi que ce soit à la maison ! *Sa* maison, elle savait le rappeler, ou plus exactement celle de son premier mari, dont elle avait hérité. Était-ce une raison pour en faire un sanctuaire ? Oh, bien sûr, elle ne parlait plus de Martial, n'y faisait même jamais référence, mais on sentait bien qu'il fallait tout laisser en l'état. Chaque fois que Tristan projetait d'ouvrir les murs, d'abattre des cloisons ou de créer une véranda, Léa le regardait comme s'il était fou.

Avec un petit soupir résigné, il se leva et gagna la cuisine. L'heure de boire un verre était venue, aussi s'octroya-t-il un généreux ballon de vin blanc qu'il but en trois lampées. Le savagnin avait décidément un arrière-goût de noisette dont il raffolait. Il s'en servit un second, qu'il déposa sur le plan de travail tout en réfléchissant au menu du dîner. Pour une soirée « entre hommes », son fils apprécierait sans doute un peu de fantaisie, par exemple une de ces omelettes géantes au morbier et au jambon de montagne dont Tristan avait fait sa spécialité. Rien que des protéines ! De quoi requinquer un adolescent en pleine croissance tel que Jérémie, toujours fatigué et ronchon. Léa prétendait qu'il lui fallait des vitamines, aussi s'obstinait-elle à acheter des légumes et des fruits de saison, sans le moindre succès. Jérémie aimait les hamburgers, les frites et les sodas, c'était de son âge, et les cours de diététique de sa mère le laissaient tout à fait indifférent.

En prenant des œufs dans le réfrigérateur, Tristan sortit la bouteille de vin, hésita puis remplit son verre une troisième fois. Bon, il devait faire attention à ne pas trop boire avant de manger s'il ne voulait pas gâcher le tête-à-tête avec Jérémie. Il allait en profiter pour lui parler un peu de ses études, de ses notes déplorables, des appréciations calamiteuses des professeurs... Mieux valait que ce soit lui qui s'en charge car Léa manquait de tact. Surtout quand elle donnait Virginie en exemple – *Prends modèle sur ta sœur.* –, ce qui rendait Jérémie furieux. D'abord, Virginie était la fille de Martial, personne ne l'oubliait, et même si les deux enfants avaient été élevés ensemble, leurs différences sautaient aux yeux.

Vaguement agacé, Tristan haussa les épaules. Pourquoi penser à Martial ? Il ne pouvait pas être jaloux d'un homme mort depuis plus de quinze ans ! D'ailleurs, ses sentiments pour Léa s'étaient tellement affadis avec le temps qu'il ne risquait plus de se ronger à son sujet. Mais à force de vivre dans la maison de Martial, d'entendre parler de lui par tous les forestiers de la région, à force de recevoir du courrier au nom de l'exploitation forestière Martial Battandier, il y avait de quoi se sentir envieux, dépité, aigri.

Pourtant, à l'époque, Tristan avait été persuadé qu'épouser Léa représentait la chance de sa vie. Une jeune et séduisante veuve – en possession d'un solide héritage, ce qui ne gâchait rien –, avec qui s'offrir un bel avenir. C'est ainsi qu'il avait vu les choses, mettant tout en œuvre pour devenir à la fois le confident, le consolateur, puis le nouveau conjoint de la jolie Léa. Ce mariage lui offrait des perspectives agréables, bien sûr, lui qui se débattait jusque-là dans les difficultés financières de sa scierie, mais il n'était pas devenu le mari de Léa *par intérêt*, ça, il ne permettrait à personne de le dire ! Non, leur couple avait fini par battre de l'aile à cause des frustrations imposées par Léa au fil du temps. D'abord, elle avait voulu conserver son nom de Battandier, sous prétexte que ce serait plus simple pour l'exploitation. Ensuite, elle avait fait établir un contrat de mariage censé « préserver » Virginie. Ainsi, dès le début de leur union, Tristan s'était senti tenu à l'écart, alors qu'il espérait être traité en véritable chef de famille. Prêt à verser dans le pot commun sa propre scierie, il avait cru que Léa le laisserait s'occuper de toutes leurs affaires, mais elle avait refusé. Certes, son entreprise n'était pas vraiment prospère ! À ce moment-là, Tristan était plutôt sur la corde raide entre ses créanciers et ses clients ; cependant, il avait été vexé de rester le parent pauvre de leur mariage.

« Je ne vois pas où est le problème », susurrait le frère de Léa avec une parfaite mauvaise foi. Ce type était odieux sous ses dehors charmeurs, et sa manière d'expliquer qu'il ne faisait que veiller sur sa sœur particulièrement blessante. La croyait-il en danger ? L'amitié qui l'avait lié à Martial ne lui donnait aucun droit, or il se mêlait de tout, sans se priver de regarder Tristan de haut. À quel titre ? Il n'était jamais qu'un vulgaire garagiste – même s'il s'attribuait l'appellation plus ronflante de « concessionnaire » –, et il n'appartenait pas au monde du bois. Rapidement, Tristan s'était mis à le détester. À cause de lui, impossible de convaincre Léa du bien-fondé de telle ou telle décision, puisque le moindre changement dans la marche des affaires semblait nécessiter un conseil de famille !

Heureusement, durant quelque temps, la naissance de Jérémie avait distrait Tristan. La paternité le flattait d'autant plus qu'il s'agissait d'un beau petit garçon en pleine santé, et qu'ainsi le destin de Léa se liait plus solidement au sien. Dans la maison de Martial, il n'y avait plus seulement la veuve de Martial et la fille de Martial, il y avait désormais le papa de Jérémie, plus question de le traiter en quantité négligeable !

À peu près à la même période, la scierie avait frôlé la faillite. Occupé à pouponner et à exhiber son fils devant tous ses amis, Tristan ne s'était d'abord pas trop alarmé. Après tout, Léa restait son meilleur client, lui donnant la majeure partie de ses grumes à débiter, sauf s'il s'agissait d'un travail spécial ou délicat. Hélas, son insupportable frère s'en était mêlé une fois de plus, sous prétexte de négocier des tarifs qu'il jugeait peu avantageux. Comme si, en famille, on ne pouvait pas s'aider les uns les autres ! Furieux, Tristan s'était fâché, et depuis lors les deux hommes ne s'adressaient presque plus la parole. Quand Léa voulait dîner avec son frère, elle allait le voir chez lui, c'était mieux pour tout le monde.

De nouveau, le verre ballon était vide, ce qui surprit Tristan. À quel moment l'avait-il vidé ?

— Salut, p'pa... C'est toi le chef cuistot, ce soir ?

Jérémie se tenait sur le seuil de la cuisine, affichant un air épuisé.

— Ta mère est chez Lucas.

15

— Encore ?

— Oh, tu la connais, si elle ne voit pas son frère pendant trois jours, elle est perdue !

Sa plaisanterie n'arracha pas l'ombre d'un sourire à l'adolescent, et Tristan se hâta de changer de sujet, se souvenant trop tard que leur fils n'aimait pas entendre ses parents se dénigrer l'un l'autre.

— Tu nous fais une omelette, pour changer ? persifla Jérémie. En attendant, je boirais bien quelque chose. Tu me donnes un peu de vin ?

— D'accord, mais juste un verre, histoire de trinquer.

L'alcool avait un côté convivial, et même si Tristan ne tenait pas à ce que son fils y prenne goût, un apéritif partagé était somme toute plus réjouissant que dangereux.

— Tu as fini ton travail ? s'enquit-il en servant l'adolescent.

— Avec le lycée, on n'a jamais fini…

Sauf que, dès qu'il s'enfermait dans sa chambre, Jérémie écoutait de la musique ou dormait, affalé tout habillé en travers de son lit.

— Mon grand, il va falloir que tu t'y mettes sérieusement, cette année. Fini de rigoler, tu n'es plus au collège, et dès le mois de juin tu auras des choix d'orientation à faire. Tout ton avenir en dépendra, penses-y.

— Oh, le mois de juin est loin, p'pa !

Tristan avait espéré une autre réponse à son petit discours moralisateur, et il fut déçu. La scolarité de Virginie avait été facile, sans histoire, pourquoi Jérémie jouait-il au cancre ?

— En tout cas, débrouille-toi comme tu veux, mais rapporte-nous un bon bulletin aux vacances de la Toussaint, conclut-il.

Son fils étouffa un bâillement et se laissa tomber sur l'une des chaises montagnardes qui entouraient la table ronde. Pour les rendre plus confortables, Léa les avait garnies de gros coussins rouge vif bien rembourrés. Persuadée que la cuisine était l'endroit où la famille passait le plus clair de son temps, elle s'était ingéniée à rendre cette pièce aux vastes dimensions aussi douillette qu'un salon. Un grand comptoir de drapier séparait l'espace, avec d'un côté le coin repas, la cheminée flanquée de deux fauteuils bas, une horloge franc-comtoise de très belle facture, des lampes aux abat-jour de couleur ; de l'autre la cuisine proprement dite, avec les fourneaux de fonte noire, l'évier en grès, un imposant réfrigérateur américain. Ce mélange de genres déplaisait à Tristan qui aurait préféré trancher entre l'ultramoderne et le rustique, mais, là comme ailleurs, Léa seule décidait puisqu'elle était dans *sa* maison, la maison de...

— J'en ouvre une autre ? demanda Jérémie en désignant la bouteille.

Ils l'avaient déjà finie ? Ce savagnin était traître, il se buvait comme de l'eau. Tristan passa le tire-bouchon à son fils avant de faire glisser les œufs battus dans la poêle. Maintenant que la question des études avait été évoquée, ils allaient pouvoir passer une bonne soirée à parler de foot ou de filles, et sur ce dernier point, Tristan avait beaucoup de choses à raconter, ayant été lui-même un jeune homme très coureur.

Par chance, la blessure du bûcheron n'était pas trop grave. La tronçonneuse avait d'abord dérapé sur le cuir épais du blouson avant d'entailler superficiellement le bras, et la plaie avait été refermée par une douzaine de points de suture. Le garçon en était quitte pour la peur, et pour un arrêt de travail d'une semaine, après avoir échappé au pire.

Du coup, Léa pouvait profiter de sa soirée. Bien qu'arrivée en retard à cause de son passage à l'hôpital de Lons-le-Saunier, Lucas ne l'avait pas bousculée pour passer à table.

— On prend le temps d'une petite coupe de champagne d'abord, ça va te requinquer et permettre à Malo de finir son coulis de tomates. C'est sa manière d'accommoder ce qui reste du soufflé, tu te rends compte ?

— Je t'entends ! cria Malo depuis la cuisine.

Souriant, Lucas alluma une cigarette et alla entrouvrir la fenêtre.

— Avant tout, une bonne nouvelle, le banquier s'est montré plutôt compréhensif. Il va te préparer un autre échéancier, plus souple, mais il te trouve très gourmande d'avoir voulu acquérir cette parcelle à tout prix.

— C'était l'occasion, Lucas ! Il le sait très bien.

— Sans doute, puisqu'il a cédé. Mais nous avons la chance qu'il connaisse à fond la manière de gérer une exploitation forestière, ce qui ne sera peut-être pas le cas de son successeur.

— Son quoi ?

— Eh oui, il est muté le mois prochain ! Une promotion, d'après lui… De toute façon, nous signerons avant son départ.

Lucas disait toujours « nous » lorsqu'il s'agissait de la société Battandier, ce qui attendrissait Léa à chaque fois. Même s'il y avait mis un peu d'argent du temps de Martial, il n'était pas vraiment concerné, et pourtant les arbres le passionnaient presque autant que les voitures.

Soulagée à l'idée du délai obtenu, Léa se laissa aller dans le profond canapé de velours taupe, observant son frère qui débouchait délicatement la bouteille de champagne. Ils se ressemblaient encore beaucoup tous les deux, avec les mêmes yeux gris, le même sourire, les mêmes boucles blond cendré et le même nez droit. Dans leur petite enfance, on aurait facilement pu les confondre, jusqu'à ce qu'on coupe les cheveux de Lucas et qu'il se mette à grandir deux fois plus vite que sa sœur. Jumeaux, ils s'entendaient à merveille, ayant à peine besoin de se parler pour se comprendre, et leur complicité ne s'était jamais démentie. Dès l'adolescence, Lucas avait pris très à cœur son rôle de protecteur, et tous les garçons qui couraient après Léa étaient soumis à son approbation. « Veille sur ta sœur ! » exigeait leur mère, péremptoire. Mais quand Martial Battandier s'était présenté un soir, un bouquet de fleurs à la main, pour emmener Léa au cinéma, Lucas avait fondu devant lui. À ce moment-là, les jumeaux allaient avoir seize ans. Martial, lui, en avait déjà vingt-trois, il appartenait au monde des adultes. Durant dix-huit mois, il avait fait la cour à Léa, la raccompagnant scrupuleusement chez elle avant minuit, mais affichant clairement son intention de l'épouser au plus vite. Le mariage avait eu lieu une semaine après que Léa eut atteint sa majorité, et Lucas, ravi, avait été leur témoin. Quand Virginie était née l'année suivante, il s'était retrouvé parrain.

— À la tienne, à tes forêts, à tes amours, dit-il en lui tendant une coupe.

Une formule consacrée qui la fit sourire. Lucas était le pilier de son existence, chez lui elle se sentait toujours apaisée.

— Vous buvez en douce pendant que je m'échine en cuisine ? claironna Malo depuis le seuil du séjour.

Il traversa la pièce de sa démarche nonchalante et vint embrasser Léa.

— Ta petite famille va bien ? Ta fille toujours éblouissante, ton fils mignon comme un cœur boudeur, et ton mari bête à manger de la sciure ? Oui ? Alors, tout est en ordre !

Jean et tee-shirt noirs, epaules carrées et silhouette athlétique, Malo resta quelques instants debout devant elle, occupé à la scruter.

— Tu as mauvaise mine, chérie…

Il disait presque toujours ce qu'il pensait, sans se soucier d'être diplomate ; néanmoins, Léa appréciait sa franchise, sa loyauté, sa gentillesse. Entré trois ans auparavant comme vendeur chez Lucas, il était aussi entré dans sa vie quelques semaines plus tard. Léa se souvenait encore des confidences angoissées de son frère à cette époque-là : « C'est la première fois que je tiens à quelqu'un comme ça, je ne sais plus quoi faire ! Tu crois que je devrais lui proposer d'habiter avec moi ? Il a dix ans de moins que moi, je m'embarque dans une de ces galères... » Au bout du compte, Malo s'était installé tout naturellement dans l'appartement de Lucas, au-dessus du garage. Bavard, enjoué, il possédait le sens du commerce et savait convaincre les clients de changer de voiture, mais dans l'intimité, c'était un garçon plein de tendresse, qui cachait sa sensibilité sous un humour grinçant.

Il s'assit en tailleur, à même la moquette, le dos appuyé contre le fauteuil de Lucas.

— Vous parliez d'argent ? Il y a des conversations plus gaies !

— Le chiffre d'affaires de la scierie sera catastrophique cette année, expliqua Léa en soupirant.

— Quoi d'étonnant ? Ton mari s'octroie un salaire de directeur mais il n'est jamais là, ne trouve aucun débouché, ne fait pas rentrer un euro dans ses caisses !

— Tu exagères, Malo.

— À peine... Toi, chérie, tu bosses sur ton exploitation, tu te lèves tôt le matin, tu te donnes un mal de chien, tu as même eu la bonne idée d'embaucher Raphaël pour t'aider, bref, tu luttes. Tristan se contente de picoler, je n'ai pas envie de le plaindre.

Léa ouvrit la bouche pour protester mais ne trouva rien à dire. Effectivement, Tristan se sabordait tout seul, par paresse ou par veulerie, et il trouvait normal que Léa fasse bouillir la marmite. Il participait de moins en moins aux dépenses communes, faisant remarquer avec aigreur que sa femme disposait de beaucoup plus d'argent que lui. L'alcool était-il la cause ou la conséquence de son attitude ? Avait-il changé au fil du temps, ou avait-il joué un rôle au début de leur mariage, alors qu'il offrait l'image d'un Tristan idéal ? Lorsqu'elle

21

l'avait épousé, Léa n'était pas follement amoureuse de lui, mais elle croyait qu'il l'aiderait à surmonter la mort de Martial. Veuve à vingt-quatre ans, traumatisée, elle s'était laissé convaincre par ses paroles apaisantes, ses promesses, l'espoir d'être à nouveau heureuse un jour. Très vite, hélas, elle avait dû déchanter. Tristan *jouait* au grand seigneur, alors qu'il ne possédait ni générosité ni envergure. Il *jouait* au mari protecteur, mais en réalité, il voulait surtout qu'on s'occupe de lui.

Un marché de dupes, voilà à quoi ressemblait leur mariage aujourd'hui.

— Allons dîner, proposa Malo pour rompre le silence.

À la même heure, Raphaël Vilard terminait le steak aux échalotes qu'il s'était soigneusement préparé. Un peu plus tôt, il avait bien songé à sortir, descendre jusqu'à Saint-Claude, ou bien monter à Champagnole, bref, trouver un peu d'animation, voir du monde, mais finalement il y avait renoncé. Le chalet offrait tout le confort possible, et passer la soirée près de la cheminée, avec un bon film à regarder, n'était somme toute pas désagréable.

L'idée d'habiter là s'était imposée dès le premier mois. Les allers-retours à Lons-le-Saunier, sur des routes enneigées une partie de l'année, lui feraient perdre beaucoup de temps, et il avait accepté la proposition de Léa avec reconnaissance. En fait, cette solution arrangeait tout le monde, car, hormis les bureaux aménagés au rez-de-chaussée, le chalet était vide et finissait par se dégrader. Raphaël ne payait pas de loyer mais il se chargeait de tout l'entretien, comme revernir les bois extérieurs, améliorer la plomberie et l'électricité, redonner un coup de peinture ici ou là. Il disposait du premier étage, qui comportait trois chambres ainsi qu'une grande salle de bains, et du sous-sol, où se trouvait une vaste pièce à vivre agrémentée d'une cheminée d'angle. Cet endroit, que les montagnards appelaient « carnotzet », était vraiment l'âme du chalet, et Raphaël en avait soigné l'aménagement. Grand écran mural ultraplat, enceintes hi-fi dernier cri, toute une collection de DVD sur des étagères de chêne brut, et deux gros fauteuils au cuir patiné près de la cheminée.

« Vous redonnez vie à cette maison ! » avait apprécié Tristan en découvrant les transformations. Mais une pointe d'aigreur dans sa voix l'avait trahi. Piètre bricoleur, à l'époque où il habitait lui-même le chalet, il ne s'était pas donné beaucoup de mal pour l'arranger. Il prétendait ne pas supporter le bruit de la scierie toute proche, et son mariage avec Léa lui avait permis de quitter l'endroit sans le moindre regret.

Raphaël fit la vaisselle puis se prépara un café. Demain matin, une longue tournée en forêt l'attendait, il avait prévu de partir dès le lever du jour. En compagnie de Léa, il allait identifier et marquer tous les arbres de la nouvelle parcelle, calculer la valeur de la coupe de la futaie, déterminer la proportion des bois de placage, d'ébénisterie, de menuiserie ou de charpente, établir le plan de gestion des dix années à venir. Un travail passionnant.

Il s'installa dans l'un des fauteuils club, prit la télécommande mais se mit à jouer avec en laissant l'écran éteint. Avait-il vraiment envie de regarder un film ? Le silence lui plaisait bien, à peine troublé par le chuintement de la grosse bûche qui se consumait lentement dans la cheminée. Finalement, il était assez heureux ici, il considérait qu'il avait eu de la chance en répondant à l'annonce de la société d'exploitation forestière Battandier. Sa formation d'ingénieur des Eaux et Forêts lui aurait permis de prétendre à un meilleur poste, mais celui-ci avait l'avantage de se trouver exactement à l'endroit souhaité. D'abord, le Haut-Jura était une région qu'il connaissait à fond, ayant effectué bon nombre de missions dans des forêts domaniales proches comme celles du Mont Noir ou de la Joux. Ensuite, et surtout, il voulait rester à proximité de la maison de retraite très spécialisée où il avait installé sa mère. Peu à peu, celle-ci s'enfonçait dans la solitude et l'oubli de la maladie d'Alzheimer ; des pans entiers de sa mémoire disparaissaient inexorablement. Parfois même, elle ne reconnaissait pas son fils.

Le regard perdu sur les braises, il essaya de ne plus songer à sa mère, à la femme au caractère fort qui avait élevé seule trois enfants. Travaillant dur, elle avait pourtant toujours été prête à rire, à écouter, à dispenser de l'amour, ou à botter les fesses lorsqu'il le fallait. À présent, hélas, Hélène Vilard n'était plus qu'une petite silhouette fragile, une vieille dame au regard affolé. Les rôles s'étaient inversés, Raphaël veillait sur elle, bientôt il serait contraint de la traiter comme une enfant, et cette échéance le faisait frémir. Mais, quoi qu'il arrive, il lui tiendrait la main jusqu'au bout, il le lui devait, il se le devait à lui-même. Un devoir auquel tout le monde s'était pourtant dérobé.

D'abord, la femme qui partageait sa vie à ce moment-là, indignée à l'idée de « tout ce que ça va te coûter ! », ensuite, sa sœur aînée, installée au Canada et qui ne se voyait pas « revenir pour ça ». Raphaël avait quitté sa compagne peu après, sans états d'âme, et il ne donnait pas de nouvelles à sa grande sœur puisqu'elle n'en demandait pas. Restait la cadette, Céline, qui avait proposé son aide financière mais qui, vivant à Paris, ne faisait le voyage que tous les deux ou trois mois. Chaque fois, elle repartait un peu plus désespérée, et sur le quai de la gare Raphaël n'en finissait pas de la consoler. Quoi de pire que ne plus pouvoir communiquer avec ceux qu'on aime ? Hélène perdait peu à peu contact avec le réel et s'enfermait dans un monde parallèle où ses enfants n'avaient pas accès.

Pour ne plus y penser, Raphaël appuya au hasard sur la télécommande. Durant quelques instants, il regarda défiler des images puis, avec un soupir, il éteignit.

À une heure du matin, Léa ne dormait toujours pas. Rentrée vers minuit, elle avait trouvé Tristan en train de ronfler dans leur lit, la bouche ouverte et les bras en croix. Il ne l'attendait jamais lorsqu'elle dînait chez Lucas, ce qui leur évitait d'échanger des réflexions aigres-douces – *Ton frère ceci, ton frère cela, je sais qu'il me déteste, vous devez en dire de belles sur mon compte, j'entends ça d'ici, et bien sûr tu ne prends pas ma défense, je n'existe pas pour toi, tu préfères rire avec tes folles !*

Tes « folles »... Tant de mépris imbécile dans ce mot lâché comme une insulte. S'en prendre à son jumeau revenait à l'attaquer elle-même, et Tristan le savait. Appuyée sur un coude, elle l'observa longuement à la lueur de sa lampe de chevet. Pourquoi continuait-elle de partager son lit ? Après certaines disputes, il lui était déjà arrivé de préférer la chambre d'amis, et elle s'en était bien trouvée.

L'alcool aidant, Tristan s'empâtait et ressemblait de moins en moins à l'homme charmant épousé quinze ans plus tôt. Ses cheveux bruns commençaient à se clairsemer, sa peau à se couperoser, mais surtout il avait un pli amer au coin des lèvres, qui se marquait un peu plus chaque jour. Le changement s'était opéré lentement, insidieusement, de manière si anodine que Léa avait mis beaucoup de temps à comprendre son erreur de jugement. Comment Tristan aurait-il pu la consoler de la perte de Martial, ou lui offrir un nouvel horizon puisque c'était lui qui avait besoin d'aide depuis le début ? Au fil du temps, le masque s'effritant peu à peu, le pseudo-sauveur s'était révélé un homme faible, égoïste et vaniteux.

Mais aussi, pourquoi avait-elle accepté si vite sa demande en mariage ? Parce que son deuil la rendait folle, et qu'elle ne supportait pas d'être seule dans cette grande maison où tout lui rappelait Martial ? Dans ce cas, elle devait s'en prendre à sa propre faiblesse au lieu d'accabler Tristan.

« Je crevais de trouille... Virginie n'avait que trois ans, moi vingt-quatre, je ne voulais pas que ma vie s'arrête là et j'étais prête à écouter le premier chat coiffé. J'ai cru Tristan sur parole, il semblait si concerné, si attentionné ! Et comme je m'imaginais dans l'urgence, je n'ai pas attendu, pas cherché plus loin... »

Pourtant, en disant oui à la mairie, elle avait failli se mettre à pleurer, elle s'en souvenait très bien. Un mauvais pressentiment s'était emparé d'elle, attribué a tort au souvenir de Martial, mais qui n'était que la conviction brutale de s'engager dans un marché de dupes.

« Seulement voilà, quand le vin est tiré, il faut le boire, je n'avais plus le choix. »

La naissance de Jérémie l'avait aidée à tenir bon, elle s'était persuadée qu'avec le temps tout s'arrangerait. Ne venait-elle pas de fonder une nouvelle famille ? D'ailleurs, Tristan se montrait gentil et patient avec Virginie, il ne faisait pas de différence entre elle et Jérémie, bref, les années passaient sans trop de heurts.

Pas de drames, certes, mais y avait-il encore de l'amour, y en avait-il jamais eu ? Déçus l'un par l'autre, Tristan et Léa s'éloignaient inexorablement.

Elle sursauta alors qu'il se retournait dans son sommeil, émettant une série de grognements. Durant quelques instants, elle resta aux aguets, comme s'il allait la prendre en flagrant délit. De quoi ? De le regarder dormir ? De penser du mal de lui ? Sans bruit, elle sortit du lit, enfila sa robe de chambre et quitta la chambre sur la pointe des pieds.

Le jour se levait à peine lorsque Raphaël arrêta son 4 × 4 Mercedes devant la maison. Comme chaque fois qu'il venait, il observa avec intérêt la façade de pierre et de bois. Ancienne ferme de montagne, trapue et imposante, la bâtisse offrait une formidable impression de sécurité, d'hospitalité. Dans le pays, les gens désignaient l'endroit sous le nom de *La Battandière*, une sorte d'hommage à la famille de Martial Battandier, forestiers de père en fils depuis près de deux siècles. En tout cas, jusqu'à ce terrible accident qui avait coûté la vie à Martial, puisqu'il ne laissait alors derrière lui qu'une toute jeune veuve et une fillette de trois ans qui serait la dernière à porter son nom.

Raphaël avait appris l'histoire par bribes, au hasard des conversations, mais Léa n'y faisait pas allusion. Elle disait juste que jamais elle n'aurait pu se résigner à vendre, à partir. Vite remariée avec le propriétaire d'une petite scierie, elle s'était acharnée à poursuivre l'exploitation de ses forêts. « Franchement, je n'y connais pas grand-chose, avait-elle expliqué à Raphaël en l'engageant, et ça va finir par me poser un gros problème. » En réalité, elle n'était pas si nulle qu'elle le croyait, elle avait retenu pas mal de choses de l'époque où elle arpentait les bois aux côtés de son défunt mari. Imprégnée de tout ce qu'il avait dû lui dire, de tout ce qu'elle l'avait vu faire, elle possédait même une sorte d'instinct assez sûr pour le bois. De plus, Martial ayant organisé la plupart de ses parcelles en futaies jardinées où feuillus et résineux de tous âges se côtoyaient, l'avenir était planifié pour vingt ou trente ans, il suffisait juste d'un peu de finesse pour bien choisir les arbres à abattre.

La lourde porte d'entrée s'ouvrit, et Léa apparut en haut du perron. Vêtue chaudement d'une parka matelassée et d'un jean en velours, chaussée de bottes fourrées, elle avait l'air prête à entreprendre une expédition polaire.

— Si vous voulez du café, proposa-t-il tandis qu'elle s'installait à côté de lui, il y a une Thermos à vos pieds.

Hochant la tête, elle dévissa le capuchon qui faisait office de gobelet et se servit.

— Par où voulez-vous commencer ? demanda-t-il en démarrant.

— À cette heure-ci, je ne me sens pas d'attaque pour une escalade, j'aimerais autant qu'on aille se garer tout en haut de la piste.

Les quatre hectares supplémentaires qu'elle venait d'acquérir se situaient le long d'une pente d'environ vingt degrés, ce qui rendrait la coupe et le débardage plus difficiles et donc plus coûteux, comme toujours pour les bois de montagne.

— J'espère n'avoir pas fait une bêtise en achetant cette parcelle, soupira-t-elle. Je compte sur vous, Raphaël...

Surpris par son intonation découragée, il lui jeta un coup d'œil intrigué. Elle était plutôt battante, et elle avait raison d'agrandir son exploitation, pourquoi doutait-elle soudain ? À cause de l'endettement ?

— Nous pouvons la rentabiliser sans délai, rappela-t-il. Vous me payez pour vous conseiller, et je vous répète qu'il s'agit d'un bon investissement. D'ici à ce soir, nous aurons établi la valeur de la coupe, qui sera une bonne surprise, j'en suis persuadé. J'avais minimisé l'estimation, vous pensez bien.

Il engagea le 4 × 4 sur le chemin forestier qui menait vers le sommet et permettait le passage des engins transportant du matériel ou des grumes. Ces voies d'accès, indispensables à l'exploitation des forêts, coûtaient une fortune à mettre en place puis à entretenir. Et c'était précisément pour pouvoir les emprunter sans souci qu'il avait acheté d'occasion ce Classe G allemand aux lignes militaires.

Consultant son altimètre, il ajouta :

— 950 mètres, nous sommes à peine à l'étage montagnard. En bas de la pente, il y a même quelques chênes, et bon nombre de sapins sont à maturité. Pour les hêtres, il faudra se montrer plus prudents. Vous avez pensé au marteau, j'espère ?

Léa se tourna vers lui et esquissa son premier sourire de la matinée.

— Évidemment ! répliqua-t-elle en exhibant le sceau gravé M. B. qui était le seul à pouvoir marquer les arbres destinés à l'abattage. Et j'ai aussi acheté un carnet de toile avec un élastique. Mon... mon premier mari en avait un comme ça, qui ne le quittait pas. Tant pis si c'est démodé !

Le fameux carnet avait longtemps été indispensable aux forestiers, mais il était désormais remplacé par de petits appareils à cristaux liquides qui savaient faire tous les calculs de cubage et conserver les données en mémoire. Raphaël retint de justesse la plaisanterie qu'il s'apprêtait à lancer, réalisant que Léa faisait de son mieux. Sans doute était-elle angoissée d'avoir choisi de s'agrandir plutôt que continuer à gérer paisiblement l'exploitation Battandier. Cependant, à sa manière obstinée d'arpenter ses forêts, à toutes les questions qu'elle posait inlassablement, à sa volonté d'apprendre et de comprendre, il était évident qu'elle ne reviendrait plus en arrière. Quinze ans après la disparition de Martial, elle reprenait enfin le flambeau, même si elle devait se payer les services d'un ingénieur des Eaux et Forêts pour y arriver.

Raphaël gara le 4 × 4 sur le bas-côté, prenant soin de laisser la voie libre à d'autres véhicules, et coupa le contact. Le silence succéda d'abord au bruit du moteur puis, petit à petit, il y eut des chants d'oiseaux, des bruissements, des craquements, toute la vie du sous-bois qui reprenait malgré leur intrusion.

— On boit un café et on se lance ?

Léa acquiesça d'un nouveau sourire enthousiaste. La gaieté lui allait bien, la rendait jolie, mais, décidément, elle n'était pas son genre de femme. Une bonne chose pour lui qui n'aimait pas mélanger le travail et le plaisir. D'ailleurs, Léa n'avait vraiment pas l'air de chercher l'aventure, asphyxiée entre son actuel mari, ses grands enfants, son frère jumeau, l'expansion de son exploitation forestière et ses soucis d'argent !

Ils quittèrent la voiture, un peu surpris par le froid très vif de cette fin novembre. Un timide soleil perçait difficilement la futaie et, durant quelques instants, ils restèrent en lisière, occupés à enfiler leurs gants, à boucler leurs parkas.

— Allons-y, décida enfin Léa, son marteau à la main.

À deux, ils allaient en avoir pour longtemps à « façonner » au mieux la parcelle, définissant et marquant les arbres à supprimer. Une première entaille devait être faite à la base du tronc, le plus près possible du sol. Avec la partie du marteau en forme de hachette, un morceau d'écorce était enlevé, puis, avec

31

le côté poinçon, les initiales apposées sur le bois tendre. Cette première trace tenait lieu de contrôle après l'abattage, mais deux autres étaient imprimées de part et d'autre du tronc, à hauteur d'homme, pour servir de repère aux bûcherons.

— Nous manquerons d'un chemin de débardage sur le côté nord, fit remarquer Raphaël. Il faudra en ouvrir un, tout doit être évacué rapidement pour libérer les semis... Allez-y, marquez celui-ci.

Arrêté devant un hêtre fayard d'environ vingt-cinq mètres de haut, il l'observa tandis qu'elle se penchait pour effectuer son entaille d'un geste assez habile.

— Je l'aurais choisi même si j'avais été seule, dit-elle en se redressant.

— Pourquoi ?

— Il est mûr, et il ne créera qu'un faible vide.

— Bravo. Au fond, vous savez des tas de choses, bientôt vous pourrez vous passer de moi.

Elle éclata de rire, comme s'il avait proféré une absurdité.

— J'aimerais bien ! Votre salaire grève mon budget, Raphaël ; malheureusement, j'ai besoin de vous. Un jour, je saurai estimer, cuber, faire mes relevés de coupe et planifier toute seule l'avenir de mes forêts, mais il n'y a pas que ça, et vous le savez. Pour donner des ordres aux bûcherons ou aux débardeurs, qui regardent toujours la « nana » avec un petit sourire sceptique, il faudra que je me sente très sûre de moi, sûre de ne commettre aucune faute. Jusqu'ici, les anciens ont été gentils avec moi en souvenir de Martial, mais...

Sans achever sa phrase, elle secoua la tête, sa gaieté envolée. Que pouvait-il invoquer pour la rassurer ? Elle avait raison, la forêt ne comptait que des hommes pour exercer tous les métiers du bois, en général des durs à cuire bien incapables d'accorder leur confiance ou leur respect à une femme.

— Les choses changent, les mentalités évoluent, marmonna-t-il en essayant d'être convaincant. Il y a des femmes à l'Office national des forêts, et on les écoute.

— Elles sont ingénieurs ! Bardées de diplômes, mandatées par l'État, et elles utilisent un vocabulaire technologique qui en impose. Je n'ai pas tout ça dans ma besace, je ne suis que la veuve de Battandier pour les plus vieux, et pour les autres l'épouse d'un type qui est en train de couler sa scierie !

Elle n'avait pas élevé le ton, cependant une violence contenue perçait sous les mots. Raphaël ne fit aucun commentaire, persuadé qu'elle n'en attendait pas. Ils reprirent leur chemin, s'arrêtant ensemble chaque fois qu'ils repéraient un arbre bon à être abattu. Leurs bottes s'enfonçaient dans l'épaisse couche d'humus et dérapaient de temps à autre, mais ils restaient le nez en l'air, concentrés sur leur travail. Avant de connaître à fond cette nouvelle parcelle, il faudrait l'avoir arpentée en tous sens et à chaque saison. Du coin de l'œil, Raphaël observait Léa tandis qu'elle prenait des notes sur son carnet neuf. Quoi qu'elle en pense, vingt ans dans les bois avaient déjà fait d'elle un forestier, même si elle n'avait jamais appris le métier, comme lui l'avait fait sur les bancs de l'école. Formé par l'Institut national agronomique Paris-Grignon, il avait servi un temps le ministère de l'Agriculture, accumulant les missions sur le terrain, puis finalement opté pour une carrière civile afin de se sentir plus libre. Il bénéficiait de connaissances approfondies en biologie, en sciences de la terre, en physique ou même en chimie, mais c'était en usant ses semelles sur les chemins des forêts qu'il avait acquis son véritable savoir.

— Raphaël, il est plus de midi et je meurs de faim. Pas vous ?

Elle semblait surtout avoir froid, car la manière dont ils progressaient ne leur avait guère permis de se réchauffer.

— On descend à Bonlieu manger un steak frites ? proposa-t-elle. Je vous invite !

Comme d'habitude, elle préférait ne pas l'emmener chez elle. Il n'y avait dîné qu'une fois, quelques mois plus tôt, et à la fin de la soirée, Tristan s'était mis à dire des bêtises, complètement ivre. Lorsque Raphaël leur avait rendu la politesse, au chalet, la même scène s'était reproduite, et il avait dû aider Léa à faire monter Tristan dans leur voiture.

— D'accord, mais dépêchons-nous, la nuit tombe tôt et nous sommes loin d'avoir fini.

En regagnant le 4 × 4, ils échangèrent leurs premières impressions sur cette nouvelle parcelle, plutôt prometteuse.

— Il n'y a pas assez d'érables, il faudra en planter pour coloniser les éboulis, parce qu'à certains endroits, la pente est raide !

— Vraiment ? répliqua-t-elle en riant, le souffle court.

Elle glissa sur un cône, faillit tomber et se rattrapa de justesse à une branche. Au même instant, la pluie se fit entendre sur le feuillage, au-dessus d'eux.

Le bureau de Lucas était comme une tour de contrôle au milieu du garage. De grandes vitres donnaient d'un côté sur l'atelier mécanique, de l'autre sur le hall d'accueil où se trouvaient les modèles en exposition. Dans un coin de ce vaste hall, Malo avait eu l'idée d'arranger un endroit très convivial avec banquettes de cuir, machine à café et fontaine à eau. C'était là qu'il traitait la plupart des ventes, remplissant ses bons de commande sur une table basse chargée de revues automobiles.

Moins bavard et moins sociable que Malo, Lucas lui abandonnait volontiers les contacts avec la clientèle. Enfermé dans son bureau, il se chargeait de la comptabilité, des rapports avec les constructeurs, des publicités ou promotions, et il supervisait le travail des quatre employés, trois mécanos et une secrétaire. Les affaires marchaient assez bien, et même s'il ne dégageait pas de gros bénéfices, Lucas pouvait être satisfait.

Du coin de l'œil, il vit Malo en train de tourner autour d'une voiture dont il vantait sans aucun doute les mérites à un jeune couple subjugué. Des acheteurs potentiels, qui ne sortiraient pas d'ici sans avoir signé. Lons-le-Saunier comptait à peine vingt mille habitants mais, unique ville de la région, drainait une importante population et pouvait s'intituler capitale du Jura. Théâtre, casino, thermes, musée des Beaux-Arts et musée d'Archéologie, bon nombre de restaurants et boutiques sous les élégantes arcades de la rue du Commerce : rien ne manquait pour se distraire.

Avec une grimace résignée, Lucas tendit la main vers son paquet de cigarettes. En principe, il avait promis à Malo d'arrêter de fumer, cependant il n'y parvenait pas. À l'appartement, il faisait un réel effort pour ne pas le gêner, prenant soin d'ouvrir la fenêtre et de n'allumer une cigarette ni à table ni dans leur chambre, mais, à certains moments, il se rebiffait.

« Ne me culpabilise pas, ne m'infantilise pas, et ne m'empêche pas de vivre comme je veux, je suis chez moi ! »

Cette phrase malheureuse, lancée la veille au soir sur un ton exaspéré, avait profondément choqué Malo. Pourquoi le tabac devenait-il source de disputes entre eux ? N'existait-il pas un autre conflit, moins évident mais plus grave ? À plusieurs reprises, ces derniers mois, Lucas s'était senti un peu agacé par l'attitude de Malo, par sa façon de jouer au parfait compagnon. *Détends-toi, je m'occupe du dîner. Tu devrais mettre ta chemise bleue. As-tu pris rendez-vous avec ton médecin ? Enfile un blouson, tu vas avoir froid.* Trop de conseils, trop d'attentions, trop de... tendresse ? Lucas rejetait l'idée de passer de l'amour à l'affection, du désir à la popote. Que Malo lui fasse couler un bain chaud n'avait d'intérêt que s'il venait le rejoindre dans la baignoire, pas si c'était pour prévenir un rhume !

Il alluma une cigarette, inhala profondément la première bouffée. Avant de vivre avec Malo, il lui arrivait d'aller passer le week-end à Genève où il avait de bons copains prêts à faire la fête. Ces joyeuses virées commençaient à lui manquer, pourtant il ne s'imaginait pas emmenant Malo là-bas.

L'Interphone émit un son bref, puis la voix d'un mécano annonça qu'il y avait un problème de refroidissement sur la S60 de Léa.

— Traitez ça en priorité, ma sœur a besoin de sa voiture ce soir.

En réalité, il pouvait très bien lui en prêter une autre, sauf qu'il devinait les commentaires que ne manquerait pas de faire Tristan sur « ce foutu garage ». Inutile d'envenimer les choses, Noël approchait et il allait falloir se réunir en famille pour le réveillon sans en venir aux mains.

« De toute façon, cet abruti sera ivre à la moitié du dîner, et avec un peu de chance il s'endormira dans un fauteuil... »

À moins que Tristan ne leur serve un de ces discours abscons dont il avait le secret. Par exemple, ses grands projets fumeux pour relancer la scierie, qui ne verraient jamais le jour, bien entendu. Pauvre Léa ! Pourquoi avait-elle lié son sort à celui d'un pareil minable ? Elle s'était laissé prendre au piège, croyant que Tristan était celui qu'il prétendait être. Lucas lui-même avait approuvé le mariage, persuadé que sa sœur retrouverait le bonheur auprès d'un homme aussi gentil.

Gentil, Tristan ne l'était pas, il ne l'avait probablement jamais été mais s'en donnait l'apparence, entourant les épaules de Léa d'un geste protecteur, couvant Virginie d'un regard déjà paternel, écoutant sans sourciller tous les éloges funèbres de Martial Battandier. Il était allé jusqu'à affirmer qu'il aiderait Léa à poursuivre l'œuvre de Martial dans ses forêts. Malheureusement il ne possédait pas les connaissances voulues, sa seule appartenance au monde du bois se limitant à cette petite scierie dont il ne s'occupait guère.

Lucas écrasa sa cigarette et se retint de nettoyer le cendrier. Il n'était pas un gamin pris en faute, Malo en penserait ce qu'il voudrait s'il venait jeter un coup d'œil ici. Ouvrant la porte côté atelier, il descendit les trois marches de fer et chercha du regard la Volvo de Léa. Jamais la passion de la mécanique ne l'avait quitté, il pouvait encore en remontrer à n'importe lequel de ses employés, mais, en principe, il évitait d'intervenir.

— Ce n'est pas grand-chose, j'en ai pour une petite heure ! lui lança un jeune homme en combinaison bleue qui travaillait sur la S60.

Un moteur rugit à huit mille tours, quelque part au fond de l'atelier, tandis que deux mécanos s'invectivaient. Le chahut habituel du garage, qui donnait envie de s'y attarder et d'écouter ronronner un carburateur bien réglé. Du plat de la main, Lucas effleura la carrosserie luisante de la Volvo. Une belle voiture, élégante et fiable, qui pourrait faire deux cent mille kilomètres sur les routes de montagne sans problème, à condition que Tristan ne la malmène pas. Du côté de Léa, rien à craindre, elle conduisait en souplesse, ainsi que Lucas le lui avait appris. D'ailleurs, elle aimait ce qu'il aimait, et inversement. Les passions de l'un devenaient vite familières à l'autre, ils se transmettaient leurs savoirs avec une déconcertante facilité, comme par osmose. Être jumeaux ne présentait pour eux que des avantages, ils se devinaient sans jamais se tromper, s'adoraient sans se juger, étaient toujours disponibles et prêts à tout l'un pour l'autre. Tristan avait pris ombrage de leur dualité, alors que Martial, en son temps, s'en émerveillait ou s'en amusait.

« Mais il n'y avait qu'un Martial sur terre, et il est parti... »

Refusant de s'appesantir, Lucas écarta gentiment le mécano pour jeter un coup d'œil sur la réparation.

Virginie ferma la porte de sa chambre et baissa la voix pour demander :

— Est-ce que Tristan va mieux ?

La question n'était pas très explicite, mais mère et fille se comprenaient très bien.

— Franchement, non, avoua Léa. Nous avons encore reçu plusieurs caisses de vin cette semaine, sous le prétexte habituel de découvrir de petits producteurs. Or malgré toutes ces livraisons, la cave ne se remplit pas, il boit tout au fur et à mesure ! Bon, c'est son problème, je n'y peux rien et j'aimerais autant parler d'autre chose, chérie. Raconte-moi ta semaine, fais-moi rêver...

— Rêver ! Tu plaisantes ?

Sourire aux lèvres, la jeune fille vint s'asseoir près de sa mère qui s'était allongée au pied du lit. Chaque vendredi soir, lorsqu'elle rentrait de Genève pour le week-end, elle passait une bonne heure à bavarder tout en vidant son sac de voyage. Elle triait son linge sale, exhibait un nouveau produit de maquillage ou un flacon de parfum acheté dans la semaine, citait une anecdote, s'énervait parce qu'elle avait oublié un livre de cours dans son studio. Ce moment de complicité entre mère et fille était sacré, même Jérémie ne se risquait pas à l'interrompre, attendant patiemment le dîner avant d'échanger questions et plaisanteries avec sa sœur. Persuadé qu'elle menait une vie de rêve en Suisse, il se désespérait d'avoir encore presque trois ans à tirer au lycée de Lons avant de gagner son indépendance.

— Le garçon dont je t'avais parlé, Éric, eh bien, il m'a invitée dans une pizzeria hier soir ! Il est super sympa, on a discuté jusqu'à minuit, je crois que nous étions les derniers clients…

— Il t'a raccompagnée ?

— Jusqu'au pied de l'immeuble. Pas de panique, maman, je ne me promène pas seule dans les rues la nuit, et je ne fais pas monter les hommes chez moi !

Elle éclata d'un rire si insouciant que, l'espace d'un instant, Léa l'envia d'avoir vingt ans.

— Tu comptes le revoir ? se borna-t-elle à demander.

— De toute façon, nous avons des cours en commun sur le patrimoine bâti.

Après deux années passées à Lausanne, à l'École polytechnique fédérale, Virginie avait enfin pu s'inscrire à l'Institut d'architecture, qui faisait partie de l'université de Genève. Passionnée d'urbanisme, elle se donnait un mal fou pour ses études, bien décidée à obtenir son diplôme en trois ans.

Changeant de sujet, elle annonça d'un air contrit qu'elle avait largement dépassé son forfait, ayant un peu abusé de son téléphone portable ces derniers temps.

— Désolée, maman. Je ferai attention, c'est promis, mais certains soirs je me sens vraiment seule ; alors, quand j'en ai marre de potasser, j'appelle mes copines…

Compréhensive, Léa hocha la tête. Virginie était sérieuse, raisonnable, on pouvait lui faire confiance. Son caractère posé et volontaire rappelait énormément celui de Martial, dont elle tenait aussi un énigmatique regard bleu sombre. En fait, elle était le portrait craché de son père, et parfois, Léa ressentait un pincement au cœur en la regardant ou en l'écoutant.

— Je t'ai fait une poularde aux morilles, annonça-t-elle à mi-voix.

Le plat préféré de Virginie, comme il l'avait été de Martial. Surmontant sa mélancolie, Léa ajouta, plus gaiement :

— Et un belflore en dessert, mais avec des framboises surgelées, bien entendu.

— C'est vrai ? Maman, je t'adore !

Léa se leva et, d'un geste machinal, remonta son jean en le prenant par les passants de la ceinture.

— Tu as maigri ? s'inquiéta Virginie.

— Un peu. J'ai énormément marché ces jours-ci avec Raphaël.

— Promenades romantiques dans les bois avec le beau Raphaël ?

— Ne dis pas de bêtises, il faut marquer toutes les coupes, tu sais bien.

— Je plaisantais, m'man.

— Oui ? Eh bien, pour être franche, un peu de romantisme ne me ferait pas de mal.

Interloquée, Virginie dévisagea sa mère. Elle avait beau savoir que tout n'allait pas pour le mieux avec Tristan, elle ne s'attendait pas à une telle franchise.

— Tu penses à...

— Je ne pense à rien de précis, ma chérie. En tout cas, pas à Raphaël, c'est certain !

Elle se mit à rire en le disant, comme s'il s'agissait d'une idée loufoque. Virginie réalisa alors que, malgré leur complicité, sa mère ne la choisirait sans doute pas pour confidente. Si elle avait des soucis, elle préférerait évidemment en parler avec Lucas plutôt qu'avec ses enfants.

— J'aime beaucoup Tristan, maman, il a toujours été très gentil avec moi, mais je sais qu'il a un problème avec l'alcool. Au cas où tu aurais envie de me dire des trucs, je... Je n'irai pas les répéter à Jérémie, tu peux être tranquille.

Virginie n'était pas la fille de Tristan, elle savait le rappeler à l'occasion. Sa mère la dévisagea, parut sur le point d'ajouter quelque chose, mais finalement resta silencieuse.

— Bon, reprit Virginie, est-ce qu'on verra Lucas, ce week-end ?

— Tu as une crise d'affection pour ton oncle ou une idée derrière la tête ? ironisa Léa.

La promesse de lui dénicher une bonne petite voiture d'occasion avait rendu Virginie folle d'impatience. Tristan s'était braqué, comme chaque fois que Lucas se mêlait de quelque chose, mais Léa avait tranché en faveur de sa fille. À vingt ans, Virginie avait droit à son indépendance. Durant les vacances ou les week-ends, habiter une maison aussi isolée que la leur n'était pas forcément drôle. Jérémie lui-même avait applaudi des deux mains, espérant que sa sœur le conduirait en ville ou chez des copains dès qu'il en aurait envie.

— Descendons dîner, suggéra Léa, je ne tiens pas à retrouver ma poularde brûlée. En ce qui concerne Lucas, on pourra passer au garage demain, on verra bien.

Debout devant le lavabo, Tristan hésitait à prendre un cachet d'aspirine. S'il le faisait, il s'éviterait peut-être la migraine du lendemain, mais, en attendant, il allait s'attirer une réflexion de Léa. Ou même un simple regard méprisant, qui suffirait à provoquer une dispute.

Il tourna la tête vers la douche, où sa femme achevait de se rincer. Elle pouvait parfaitement le voir, la paroi de verre étant transparente et non pas dépolie. Encore une chose qu'il aurait voulu changer mais, comme pour tout le reste, Léa s'y était opposée.

Malgré lui, il la détailla avec un certain plaisir durant quelques secondes. L'alcool endormait le désir qu'il avait d'elle, dommage car elle demeurait très séduisante. Élancée, musclée, ferme, elle était petite mais bien faite. Avec un soupir résigné, il reporta son attention sur le miroir, face à lui, et se contempla. Indiscutablement, il avait grossi ces dernières années. Trop de vin et pas assez d'exercice lui donnaient du ventre. Mais n'était-ce pas le lot de presque tous les hommes à la cinquantaine ? Pourtant, il se jugeait encore capable de plaire aux femmes, même s'il n'en avait plus très envie. À vrai dire, ses seules envies se limitaient à un verre bien frais.

Léa sortit de la douche, enveloppée dans une grande serviette, et se posta devant l'autre lavabo sans même lui jeter un coup d'œil. L'ignorer était devenu sa nouvelle tactique. Vivre côte à côte sans se voir, sans s'adresser la parole. Bon sang, devrait-il supporter son dédain encore longtemps ?

— Succulente, la poularde, articula-t-il.

— Merci.

Une excellente recette, avec le vin jaune de Château-Chalon et les précieuses morilles des sous-bois.

— Tu ne nous fais plus très souvent la cuisine, ajouta-t-il.

Il lui sembla que sa voix était un peu pâteuse, et il espéra qu'elle ne l'avait pas remarqué.

— Je n'ai pas le temps, je travaille !

Piqué au vif, il protesta, d'un ton plus ferme :

— Moi aussi, je travaille, tu n'es pas la seule.

— Ah bon ? Pourtant, il a fallu que j'aille rassurer tes employés, à la scierie, parce qu'ils ne font que t'apercevoir et se sentent un peu livrés à eux-mêmes ! Je ne sais pas à quoi tu occupes tes journées, mais les miennes sont bien remplies, crois-moi. D'ailleurs, je vais me coucher.

Elle passa devant lui la tête haute, ouvrit la porte à la volée et disparut dans le couloir. Quel caractère… Tout ça pour un compliment sur son dîner ! Ne pouvait-il plus ouvrir la bouche sans qu'elle se fâche ? Il avala deux comprimés d'aspirine puis se lava les dents. Partagé entre l'envie de dormir et celle de descendre à la cuisine pour savourer un dernier verre en solitaire, il hésita un moment, puis songea que Virginie et Jérémie étaient peut-être restés en bas pour discuter la moitié de la nuit. À regret, il gagna la chambre où Léa achevait d'enfiler un pyjama.

— Ce que tu peux être désagréable, soupira-t-il en se laissant tomber sur leur lit. Ce serait à moi de me plaindre, tu sais. J'ai de gros soucis avec la scierie, et je n'y suis pas souvent parce que je cherche des clients. Toi, tu t'en fous, tu n'as pas de problème d'argent que je sache...

La position allongée ne l'aidait pas à parler clairement, il butait sur les mots.

— Et tu espères trouver des clients au fond des bouteilles ?

— Léa, je t'en prie...

— Quoi ? Je comprends à peine ce que tu dis, Tristan. Chaque soir, tu te mets dans cet état léthargique ! Tu crois que c'est un spectacle pour ton fils ?

— N'exagère pas...

Ses yeux se fermaient, il ne voulait plus discuter, néanmoins il marmonna :

— Tu ne me fais que des reproches, tu ne m'aimes pas, tu ne m'as jamais aimé...

Il l'entendit chercher quelque chose dans la table de nuit, sans doute un livre puisqu'elle en avait toujours un en cours. Puis il y eut le bruit de la porte, et il se redressa, soudain furieux.

— Tu t'en vas dormir ailleurs ?

— Oui. Quand tu as bu, tu ronfles, tu transpires, je déteste ça.

— C'est moi que tu détestes ! hurla-t-il. Tu vis dans le souvenir de ton Martial depuis dix-sept ans, j'en ai par-dessus la tête !

Cette fois, il était bien réveillé, même si la pièce tanguait un peu autour de lui.

— Ne parle pas de Martial, ne prononce pas son nom, dit-elle d'une voix rauque.

— Pourquoi donc ? Ce n'est pas moi qui l'ai tué !

Content de sa trouvaille, qu'il jugeait drôle, il se mit à ricaner. Enfin il osait aborder le sujet tabou, ce soir il se sentait carrément capable de dire tout ce qu'il avait sur le cœur, mais Léa ne lui en laissa pas le temps. Il reçut le contenu d'un verre d'eau en plein visage. Pendant une seconde, il suffoqua.

— Tu es folle !

Retrouvant un peu de lucidité, il ravala les injures qui se bousculaient dans sa tête. Le verre vide à la main, Léa le toisait, debout au pied du lit. Sous le coup de la colère, ses traits s'étaient creusés, elle paraissait son âge. Où était passée la jeune et jolie veuve qu'il avait épousée en mettant tous ses espoirs dans cette union fructueuse ? Il n'y avait vu alors que des avantages, mais, en vrai gentleman, s'était prétendu très amoureux. Sans doute ne l'était-il pas, ou pas autant qu'il le faisait croire, d'accord, cependant ils auraient pu être heureux, chacun y trouvant son compte, au lieu de quoi leur mariage se révélait un terrible fiasco. À qui la faute ? Pas à lui, en tout cas.

La porte claqua, et il haussa les épaules à plusieurs reprises, exaspéré. Le divorce était-il la solution ? Non, sûrement pas, il avait tout à y perdre d'un point de vue matériel. Retourner dans son petit chalet, à proximité de la scierie qui sombrerait dans la faillite si Léa donnait son bois ailleurs ? Jamais !

46

« Mon Dieu, comment en suis-je arrivé là ? À cause de ce foutu fantôme de Battandier ? Léa ne l'a jamais oublié et ne m'a pas laissé le remplacer. Et comme si ça ne suffisait pas, elle a mis son frère entre nous. L'omniprésent, l'inévitable Lucas, le jumeau asphyxiant ! »

Rageusement, il essuya ses cheveux mouillés avec un coin du drap. C'était la première fois que Léa avait un geste agressif envers lui. Jusqu'ici, leurs disputes se limitaient aux mots, en venir aux mains risquait de les faire glisser sur une pente infernale.

Il éteignit sa lampe de chevet mais la ralluma presque aussitôt. Dans l'obscurité, le vertige le prenait, le lit se mettait à tourner. Peut-être buvait-il trop, oui. Il devait se surveiller et limiter sa consommation, au moins pour son fils. Sur ce point, Léa n'avait pas tort, même si elle exagérait.

La dernière chose qu'il vit, avant de sombrer dans un sommeil lourd, fut le grand pêle-mêle accroché au-dessus de la cheminée. Au milieu des photos de Virginie et de Jérémie, il en subsistait une datant de leur mariage. Ils descendaient les marches de la mairie de Lons, et sur ce cliché, Léa était ravissante, vêtue d'un simple tailleur de shantung ivoire, avec un adorable petit chapeau assorti, posé de biais sur ses boucles. À côté d'elle, un Tristan plus jeune et plus mince éclatait de fierté.

2

En fin de matinée, le samedi, Raphaël et Léa finirent de marquer la parcelle. Comme la pluie ne cessait de tomber, il faisait un peu moins froid que les jours précédents, mais l'humidité avait glacé Léa. Lorsqu'elle descendit du 4 × 4, devant chez elle, elle claquait des dents et prit à peine le temps de souhaiter un bon week-end à Raphaël avant de s'élancer vers le perron.

La maison de Martial… Pourquoi continuait-on à la désigner ainsi ? C'était même devenu *La Battandière* dans l'esprit de beaucoup, à défaut d'un nom gravé au-dessus du portail. Chaque fois que Léa l'entendait, elle avait envie de sourire, mais elle ne détrompait personne. Ouvrant la lourde porte cintrée, elle s'engouffra dans le vestibule où elle reprit son souffle. Appuyée contre l'un des deux gros radiateurs de fonte, elle resta immobile un moment, les yeux dans le vague. Ici, elle était chez elle, à l'abri dans ces épais murs de pierre renforcés de lamelles de bois sur les façades exposées aux assauts du vent, aux tempêtes de neige et aux averses diluviennes de l'automne. Elle se souvenait parfaitement du jour où Martial lui avait fait visiter les lieux, inquiet de son opinion et promettant d'effectuer sur-le-champ toutes les modifications qu'elle pourrait souhaiter. Mais rien ne lui avait paru nécessaire, elle avait adoré la grande bâtisse telle quelle et s'y était sentie bien dès le premier instant. Jeune mariée, jeune maman de Virginie, elle avait été extraordinairement heureuse, trop peut-être, car le prix à payer avait été, lui, exorbitant.

— Maman ? s'exclama Jérémie qui sortait de la cuisine. Qu'est-ce que tu fais là ?

— Je me réchauffe.

— Lucas a téléphoné, il nous invite à déjeuner au *Grand Café* ! Tu viens avec nous ?

— Où est ton père ?

— Parti voir des clients, je crois. Et cet après-midi, il va à une vente de bois, il ne rentrera que ce soir.

Perplexe, Léa secoua la tête. Qu'est-ce que Tristan espérait en allant assister à une vente aux enchères descendantes ? Les forestiers avaient leurs habitudes, leurs scieries attitrées, ils ne se demandaient pas où aller faire débiter les lots achetés ! Mais après tout, si pour une fois son mari se sentait disposé à chercher du travail, elle ne pouvait que s'en réjouir. Quelques jours plus tôt, elle avait entendu Raphaël suggérer à Tristan un certain nombre de débouchés pour les sous-produits de la scierie, citant en exemple la demande en écorces des jardineries, ou celle de sciures pour les fabricants de litières. Ce discours portait-il ses fruits ?

Virginie surgit à son tour dans le vestibule, les yeux brillants d'excitation.

— Lucas a dit qu'il y aurait une surprise !

Elle était ravissante avec ses cheveux d'un blond très clair tombant sur le col de son manteau bleu nuit.

Léa la détailla en souriant, attendrie de la trouver si jolie, si semblable à ce dont elle avait rêvé pour elle en la mettant au monde.

— T'es pas mal comme sœur, constata Jérémie qui la regardait aussi.

— Oh, je suis vraiment flattée ! ironisa-t-elle.

D'un geste affectueux, elle ébouriffa les cheveux du garçon qui se renfrogna aussitôt.

— Arrête, j'ai mis du gel !

— Et moi, je n'aime pas ta tête à picots. Allez, dépêchons-nous, ce n'est pas le bon jour pour faire attendre Lucas.

Trente-cinq kilomètres les séparaient de Lons-le-Saunier, et lorsqu'ils pénétrèrent dans le *Grand Café du Théâtre*, il était une heure passée. Attablé seul, Lucas les accueillit gentiment malgré leur retard, expliqua que Malo était resté au garage où il avait un travail fou, comme tous les samedis, et sans reprendre son souffle annonça à Virginie qu'il lui avait trouvé une petite Honda Civic rouge en parfait état.

— Rouge ? s'émerveilla la jeune fille. Génial !

— Elle appartenait à un retraité qui l'a bichonnée pendant trois ans, et elle a juste quarante mille kilomètres au compteur. Par acquit de conscience, on lui fait une petite révision, mais elle sera prête tout à l'heure.

— Écoute, Lucas, je ne sais pas quoi te dire, c'est tellement merveilleux que… Mais comment ça se passe pour… pour le prix ? Je ne travaille pas encore, je ne pourrai te rembourser que dans longtemps, à moins que maman ne…

– C'est arrangé, trancha son oncle.

51

Il dut subir l'assaut de la jeune fille qui, assise à côté de lui, venait de le prendre par le cou pour l'embrasser goulûment.

— Bien entendu, ajouta-t-il en s'adressant à Jérémie, on en fera autant pour toi quand tu auras ton permis. À condition que tu ne me parles pas d'un scooter entre-temps, parce que ça, il n'en est pas question.

— Pourquoi ?

— Trop dangereux, sur nos routes.

— Papa ne dit pas ça, il serait plutôt pour, bougonna Jérémie.

— Peut-être, seulement ta mère est contre. Et comme tu le sais, je suis toujours d'accord avec Léa...

Une expression de rage crispa le visage de l'adolescent. Sa mère et son oncle formaient un bloc trop soudé pour qu'il puisse s'y attaquer, il n'avait aucun espoir de les fléchir.

— Arrête de bouder. Une voiture à dix-huit ans, je suis sûr que tous tes copains en rêvent ! Alors, soit tu respectes le contrat et je te ferai le même cadeau qu'à ta sœur, soit tu t'accroches à ton idée de scooter, et dans ce cas je ne te dois plus rien.

Jérémie le toisa durant deux ou trois secondes, puis finit par baisser les yeux. Navrée pour lui, Léa changea de sujet en proposant d'aller faire des courses après le déjeuner. Elle savait que son fils acceptait mal l'autorité de Lucas, qui semblait parfois se substituer à Tristan dans le rôle du chef de famille. Elle savait aussi Tristan capable de faire, devant Jérémie, les réflexions les plus désobligeantes au sujet de Lucas. Comment un garçon de quinze ans, en quête de modèles masculins, pouvait-il s'y retrouver ?

Ils quittèrent le *Grand Café* et gagnèrent la rue du Commerce toute proche. Sous les arcades de pierre, Virginie et Jérémie commencèrent à s'attarder devant les vitrines rendues attrayantes par l'approche de Noël. Se tenant par le bras, Léa et Lucas marchaient sans rien regarder, lancés dans une discussion à voix basse.

— Je tiens à participer à l'achat de cette voiture, il n'y a aucune raison pour…

— Toutes les raisons du monde ! Le garagiste, c'est moi, le tonton gâteau aussi, et en plus, je suis son parrain. Toi, tu as plein de soucis pour l'instant, alors on verra plus tard.

— En tout cas, tu fais une heureuse, conclut Léa en jetant un coup d'œil par-dessus son épaule.

Virginie riait aux éclats, arrêtée devant une librairie, tandis que son frère levait les yeux au ciel.

— À mon avis, prophétisa Lucas, elle veut acheter des cartes routières.

— Ou un porte-clefs !

Parvenus au bout des arcades, ils prirent une petite rue, à droite, pour aller terminer leur promenade place de la Comédie.

— Et ton mari, comment va-t-il ?

— On s'accroche de plus en plus souvent. J'ai eu un mouvement d'humeur, hier soir, je lui ai lancé un verre d'eau en pleine figure.

— J'aurais adoré voir ça !

— Non, ce n'est pas drôle, je ne veux pas que nous finissions comme un couple de chiffonniers. L'ivrogne et la harpie… Tu imagines ?

Lucas dégagea son bras et obligea Léa à lui faire face.

— Si vous en êtes là, quitte-le.

— Je ne sais pas. Je voudrais encore lui laisser une chance, et surtout attendre que Jérémie ait atteint sa majorité.

— Lui laisser une chance de quoi ? insista Lucas d'une voix dure.

— De… Eh bien, je me demande parfois si les choses n'ont pas été très difficiles pour lui. Dès le début, tout le monde l'a comparé à Martial, il en a entendu parler sur tous les tons.

— Et alors ? Il le savait quand il a voulu t'épouser, non ? Il aurait dû te laisser le temps de faire ton deuil, mais il était incroyablement pressé, si je me souviens bien ! Je ne l'ai jamais cru ni honnête, ni sincère, et c'était déjà un sacré buveur.

— Pourtant, tu n'as rien fait pour m'empêcher de me remarier, rappela-t-elle d'un ton de reproche.

— Bien sûr que non. Tu prétendais qu'il te consolait, et j'avais si peur que tu n'arrives pas à te remettre de la mort de Martial…

Détournant la tête, elle prit une profonde inspiration. Les dix-sept années écoulées avaient rendu son chagrin moins aigu, mais la plaie ne s'était pas refermée et les larmes n'étaient jamais loin.

— Pardon, murmura Lucas en la serrant contre lui. Je suis stupide d'évoquer le passé.

Néanmoins, il était le seul à pouvoir le faire. Non seulement parce qu'il était son double, mais parce qu'il avait spontanément avoué ressentir une attirance ambiguë pour Martial, au-delà de son affection de beau-frère. La confidence était restée un secret absolu entre les jumeaux, comme tout ce qu'ils partageaient.

— Où sont passés les enfants ? s'inquiéta-t-elle.

— À mon avis, dans une boutique. D'ailleurs, ce ne sont plus des enfants, tu devrais arrêter de les appeler comme ça.

Heureux de lui arracher enfin un sourire, il la tint une seconde à bout de bras, mais son attention fut attirée par un couple qui sortait d'un restaurant, de l'autre côté de la place.

— On dirait Raphaël, non ?

— C'est lui.

— Avec une assez jolie femme, vue d'ici… Et qu'il n'a pas emmenée n'importe où !

Le restaurant *La Comédie* passait pour l'une des meilleures tables de Lons, aussi Lucas ajouta-t-il, amusé :

— Un homme de goût, ton ingénieur des Eaux et Forêts.

Léa suivit le couple des yeux, intriguée par la présence de cette femme au bras de Raphaël.

— Il ne parle pas de sa vie privée, mais je suppose qu'il en a une.

— Tout le monde en a une ! s'esclaffa Lucas. Plus ou moins avouable…

— On va leur dire bonjour ?

— Non, laissons-les tranquilles. Si c'est un week-end d'amoureux, Raphaël n'a sûrement pas envie de discuter avec son employeur.

Reprenant sa sœur par la main, Lucas l'entraîna le long des maisons vigneronnes qui entouraient la place. « Employeur » était un drôle de mot pour désigner Léa qui ne parvenait toujours pas à se voir dans la peau d'un patron. Lorsqu'elle s'adressait aux ouvriers de la scierie, ou aux hommes qui travaillaient dans ses forêts, elle n'était jamais très à l'aise. Pourtant, elle obtenait d'eux ce qu'elle voulait, et son exploitation marchait bien, presque aussi bien que du temps de Martial, ce qu'elle refusait de reconnaître. Raphaël tentait régulièrement quelques plaisanteries à ce sujet, mais elle n'y voyait que de l'ironie.

Elle jeta un dernier regard furtif dans la direction du restaurant, d'où sortaient d'autres clients. Raphaël et l'inconnue avaient disparu. Vaguement contrariée, sans comprendre pourquoi, elle était maintenant impatiente d'aller au garage.

Raphaël et Céline avaient flâné un moment dans les rues du centre avant de reprendre le 4 × 4 pour gagner la gare. Arrivés trop tôt, ils patientaient en laissant le moteur tourner afin de profiter du chauffage.

— Tu habites vraiment au bout du monde, Ralph…

— Tu me le dis chaque fois, remarqua-t-il en souriant. Mais dans trois heures à peine, tu seras à Paris.

— Sauf qu'il n'y a jamais de train direct, que les changements à Dole ou à Bourg-en-Bresse sont souvent acrobatiques, et que je reviens toujours épuisée.

Elle le constatait sans amertume, comme une évidence dont elle s'accommodait.

— En tout cas, merci pour cet excellent déjeuner. J'ai adoré les Saint-Jacques, et le plateau de fromages était royal ! Il n'y a qu'avec toi que j'oublie mon régime.

Le sourire de Raphaël s'accentua, puis il tapota le genou de sa sœur d'un geste plein de tendresse.

— Tu embrasseras mes neveux en arrivant chez toi.
Et tant que j'y pense, si je ne te revois pas avant Noël,
achète-leur quelque chose de ma part, je te rembourserai.

— Tu ne veux vraiment pas venir passer les fêtes
avec nous ?

— Non, je tiens à être près de maman au cas où elle
s'apercevrait que…

Il n'acheva pas sa phrase, découragé. Leur mère
n'avait plus la notion du temps, elle ne savait pas en
quelle année elle vivait. Peut-être, si les infirmières
décoraient les couloirs ou les chambres des malades,
songerait-elle aux Noëls d'antan, ceux de sa lointaine jeunesse ? Le matin même, alors qu'ils étaient
assis de part et d'autre de son lit, lui tenant chacun
une main, elle avait demandé à Céline, d'un ton chagrin : « Tu l'as connu, toi, Raphaël ? » Interloqués,
ils avaient échangé un regard, cherchant une réponse
appropriée, mais déjà leur mère passait à autre
chose, réclamant qu'on lui rende sa télé qui n'avait
pourtant pas quitté sa place. Une heure plus tard,
comme ils s'apprêtaient à partir, elle s'était soudain
exclamée : « Ah, mes enfants, vous êtes là ! » Bref
éclair de lucidité, immédiatement suivi d'une moue
indifférente.

— Ne t'inquiète pas trop, murmura Céline.

Il fit un effort pour se reprendre, pour ne pas lui
laisser voir à quel point il était triste.

— Je reviendrai fin janvier, promit-elle.

Accaparée par son travail de pharmacienne, son
mari, ses deux petits garçons de dix et douze ans, elle
manquait de temps et se culpabilisait.

— Je m'en sors très bien tout seul, et que tu viennes ou pas, pour elle, je ne suis pas sûr que ça fasse une différence.

— Ce n'est pas pour elle, Ralph, c'est pour moi. Elle me manque. Enfin, comme elle était avant... Quand mes enfants sont nés, elle a été si présente, si efficace ! Et puis, en quelques années, elle est devenue une autre personne, quelqu'un qui a son apparence mais qui n'est plus elle...

La voix étranglée, elle dut s'interrompre. Ils restèrent silencieux un moment, jusqu'à ce que Raphaël murmure :

— Il est presque la demie, ne le rate pas. Veux-tu que je t'accompagne jusqu'au quai ?

— Reste là, il pleut, il fait froid.

La nuit était tombée, et sur les trottoirs luisants quelques voyageurs gagnaient la gare d'un pas pressé, frileusement blottis sous leurs parapluies.

— Pour les frais, qu'est-ce qu'on décide ? demanda Céline en saisissant son sac.

— Rien. Mieux vaut attendre encore un peu, ça ne me pose pas de problème.

La main sur la poignée de la portière, elle hésitait à descendre.

— Je te laisse juge, dit-elle enfin. Mais je ne comprends pas pourquoi tu ne veux pas vendre.

— Parce qu'elle y était attachée. Parce qu'il faudrait faire établir toutes sortes de procurations, la mettre sous tutelle, prendre le risque qu'elle comprenne. J'aurais l'impression de la... dépouiller. Je sais que c'est idiot mais je ne perds pas espoir, je me dis que peut-être, un jour, avec les progrès de la médecine... Et puis, à certains moments elle est lucide, et là je n'aurais pas le cœur de lui dire qu'on a tout bazardé. Imagine qu'elle veuille y retourner ?

Céline hocha la tête, scruta une dernière fois le visage de son frère, puis se pencha pour l'embrasser.

— Mais ça n'arrivera pas, Raphaël, chuchota-t-elle à son oreille.

En sortant de la voiture, elle entendit les haut-parleurs de la gare lancer une annonce, incompréhensible comme toujours, qui devait signaler l'arrivée de son train. Quitter son frère la bouleversait, même si elle avait hâte de rentrer chez elle.

Une fois installée à sa place, elle ferma les yeux pour ne plus voir le quai sinistre avec ses néons et ses bancs de fer. Comment Raphaël pouvait-il supporter la vie qu'il menait ? Un chalet isolé, des journées entières dans de sombres forêts, quel que soit le temps, les montagnes alentour qui bouchaient l'horizon, cette ville de province pour unique distraction, et les visites à leur mère, si désespérantes… Mais déjà, en choisissant son métier, il avait par avance renoncé à une existence de citadin, lui qui était né, avait vécu et fait ses études à Paris. Céline n'aurait quitté la capitale pour rien au monde, elle avait besoin du bitume, des lumières, de ce qu'elle appelait le « sirop de la rue ». À la rigueur, elle comprenait mieux sa sœur, partie s'établir à Montréal en quête de plus vastes horizons.

Le train fonçait dans la nuit, et il n'y avait rien à voir au-delà des vitres obscures. « Paysage sublime », disait Raphaël en parlant du Jura. Parvenait-il à être heureux, au-delà du problème posé par leur mère ? La concernant, il avait tout planifié et tout résolu comme si, en tant que seul homme de la famille, cette tâche lui incombait. Pourtant, le sens du devoir n'était pas l'unique raison de son dévouement, il possédait aussi une authentique générosité, il savait aimer sans compter. Durant leur enfance, il s'était montré un formidable grand frère, aussi patient qu'affectueux, et, grâce à lui, les deux filles avaient pu oublier l'absence de leur père. Dans le grand appartement vétuste du boulevard des Batignolles, s'ils vivaient gaiement malgré le manque d'argent, c'était grâce à Raphaël. Combien de petits boulots ingrats avait-il acceptés, en marge de ses études ? Mais le travail ne l'effrayait pas, il conservait son humour, trouvait le moyen de faire rire leur mère, et connaissait mille manières d'accommoder les pâtes...

Bercée par les mouvements réguliers du wagon, Céline referma les yeux. Raphaël avait longtemps été son modèle, son soutien. Plus jeune que lui de cinq ans, elle lui faisait une confiance aveugle et s'était laissé persuader de s'inscrire en fac. Si elle avait un bon métier aujourd'hui, elle le lui devait entièrement.

Frissonnant sous son manteau qu'elle n'avait pas quitté, elle serra ses bras autour d'elle. Vendre le cinq-pièces des Batignolles ne serait pas un sacrilège, elle comprenait mal pourquoi Raphaël s'y refusait. L'appartement était resté en l'état, avec ses papiers peints défraîchis, ses moquettes râpées, tout le fatras de meubles et d'objets accumulés pendant cinquante ans. À condition de le vider d'abord, ils auraient pu au moins le louer, mais là encore, Raphaël protestait, refusant de liquider froidement le passé de leur mère, comme si elle était déjà morte. Et il rappelait que pour la convaincre de se laisser transporter dans un lointain établissement médicalisé, il avait dû lui promettre qu'elle reviendrait un jour chez elle. Une promesse qu'il ne romprait pas de lui-même, évidemment.

Néanmoins, les chiffres étaient éloquents, la retraite de leur mère ne suffisait pas à couvrir ses frais. À la fin de chaque mois, Raphaël ajoutait ce qui manquait, et il semblait le faire d'un cœur léger. « Je suis célibataire, je gagne très bien ma vie, je dispose de mon argent comme je veux. Après tout, je me contente de lui rendre ce qu'elle a donné. » Il faisait allusion à tous ces cours particuliers qu'elle dispensait pour augmenter son salaire de professeur. Durant trente-sept ans, elle avait enseigné le français au lycée Chaptal et reçu chez elle un nombre incalculable d'élèves en perdition. Elle donnait ses leçons sur la table du salon, répétant sans se lasser les mêmes règles de grammaire à des cancres. Pendant ce temps-là, dans la cuisine, à l'autre bout de l'appartement, Raphaël faisait des crêpes ou des gaufres pour ses sœurs, et tous trois riaient comme des fous. Une époque heureuse, en somme…

Avec un grincement affreux, le train se mit à ralentir. Il y avait un changement à Bourg-en-Bresse, qu'il fallait effectuer en quelques minutes. Céline mit son sac sur son épaule et se leva. Rien au monde ne pourrait lui rendre l'insouciance de sa jeunesse, elle le savait. À présent, autant penser à son mari qui l'attendrait sur le quai de la gare de Lyon, tout à l'heure, avec les enfants, et à ce qu'elle allait leur préparer à dîner tout en écoutant les récriminations de chacun.

Léa marchait d'un bon pas, le nez en l'air et les mains dans les poches. Comme tous les lundis matin, elle s'était levée très tôt, mais pas pour accompagner Virginie à la gare, puisque la jeune fille était partie triomphalement au volant de sa petite Honda rouge. En passant par Les Rousses et Saint-Cergue, elle n'avait que quatre-vingts kilomètres à faire pour gagner la Suisse, elle y serait beaucoup plus vite que par le train puisque aucun n'était direct. Le cadeau de Lucas allait lui changer la vie, la rendre vraiment indépendante, et Léa s'en réjouissait. Bien entendu, Tristan avait souligné à quel point la route était difficile, Virginie inexpérimentée, les places de parking introuvables et hors de prix à Genève ; bref, il rendait Lucas responsable de tout ce qui pourrait arriver. Par bonheur, Jérémie avait pris la défense de sa sœur, et finalement, Tristan était monté se coucher, drapé dans sa dignité, maugréant que personne ne tenait jamais compte de son avis.

Un froid soleil de fin d'automne se glissait à travers les hêtres à moitié dépouillés de leur feuillage, sans parvenir à réchauffer la température.

« Les gelées matinales ne tarderont plus, l'hiver arrive… »

Frileuse, Léa cherchait chaque année de nouveaux moyens de se protéger, n'hésitant pas à acheter des vêtements de haute montagne. Raphaël n'allait pas manquer de s'esclaffer quand il la verrait, un jour prochain, en tenue d'alpiniste ! Mais au moins, puisqu'il était payé pour ça, il serait à ses côtés, elle n'aurait plus à affronter seule la forêt, ni à prendre des décisions sans pouvoir en discuter avec personne. Au début de leur mariage, Tristan l'escortait ; toutefois, elle s'était vite rendu compte – d'abord stupéfaite, puis très déçue – qu'il n'y connaissait pas grand-chose. Il évaluait mal l'âge des arbres, l'écosystème forestier ne l'intéressait pas, il raisonnait en termes de profit immédiat. Comme elle avait fini par ne plus l'écouter, il avait peu à peu cessé de l'accompagner.

Elle s'arrêta un instant pour guetter le bruit lointain des tronçonneuses, qui lui servait de point de repère. Les bûcherons devaient être au travail depuis le lever du jour, et sans doute n'apprécieraient-ils pas outre mesure la présence de Léa ; cependant, Raphaël avait été formel, elle avait *l'obligation* d'être là, de se montrer, de superviser. « Vous n'êtes plus une petite femme effacée qui compte sur les initiatives de ses employés, vous êtes celle qui décide. »

Mais saurait-elle, à coup sûr, quoi décider ? À quelques mètres d'elle, un blaireau sortit d'un fourré et s'immobilisa.

— Tu connais sûrement cette forêt mieux que moi, murmura-t-elle, mais je vais te faire rire, il paraît que c'est moi le chef ! Allez, bonne chasse, blaireau…

Les animaux des bois ne l'effrayaient pas, du lynx au renard, Martial les lui ayant rendus familiers en son temps, et Raphaël s'acharnant à les préserver. « Les êtres vivants des bois servent tous à quelque chose. Ils produisent de la matière, ou la consomment, ou la recyclent. »

Elle se remit en route, ignorant le blaireau qui détalait. Le vrombissement des tronçonneuses était tout proche à présent, et la prudence la plus élémentaire consistait à se signaler. Elle quitta le sentier de débardage, dangereux pour elle car ce serait l'axe choisi pour la chute des arbres. Elle s'engagea à travers les pins en mettant ses mains en porte-voix. Une minute plus tard, elle se trouva nez à nez avec Raphaël qui venait à sa rencontre.

— Mettez ça, dit-il en lui tendant un casque jaune à visière.

Pourquoi n'avait-elle pas pensé à prendre le sien, et aussi ses protections d'oreille, alors qu'elle se rendait sur la coupe ? Et comment Raphaël avait-il deviné qu'elle oublierait ? Peut-être prévoyait-il cet acte manqué, puisqu'elle ne voulait pas vraiment surveiller ses bûcherons.

— Je les ai prévenus de la visite de la patronne ! Alors, on vous attendait pour faire tomber celui-là...

Il désignait un magnifique érable au pied duquel deux hommes s'activaient. L'entaille directionnelle était faite, et du côté opposé, le trait d'abattage bien marqué.

— Il devrait se coucher sans dégâts, apprécia-t-elle en détaillant les abords immédiats. Il a un bon couloir.

L'un des hommes se tourna vers eux, guettant l'assentiment de Raphaël, mais ce fut Léa qui hocha la tête avec assurance. La chaîne de la tronçonneuse reprit son vacarme jusqu'à ce que l'arbre frémisse. Débrayant sa machine, le bûcheron recula d'un pas. Il y eut d'abord un long craquement avant que l'érable commence à basculer, pivotant comme prévu dans sa chute, puis s'effondre en faisant trembler la terre.

— Superbe, il n'a rien touché ! s'exclama Léa.

— Ces types sont sérieux, il y a une heure que je les regarde bosser, et je suis assez content.

Ils s'éloignèrent un peu pour échapper au bruit des moteurs qui avait repris, les bûcherons s'attaquant à l'ébranchage.

— Ma voiture n'est pas loin, voulez-vous un café ? C'était vraiment une drôle d'idée de venir ici à pied...

Son air amusé agaça Léa, pourtant elle le suivit, cédant à l'envie de boire quelque chose de chaud. Le Classe G Mercedes était garé à une centaine de mètres parmi d'autres véhicules appartenant aux bûcherons.

— Vous m'avez dit d'arpenter, je le fais, déclara-t-elle en prenant le gobelet fumant qu'il lui tendait. Et quand je suis toute seule, j'observe mieux.

Elle savoura d'abord quelques gorgées, avant d'ajouter :

— Avec vous, j'ai parfois l'impression de retourner à l'école !

— C'est pour ça que vous m'avez engagé, non ? Si je me souviens bien de notre première conversation, vous ne vous sentiez pas capable de diriger seule votre entreprise, or ni votre mari ni votre frère ne peuvent vous y aider efficacement. Vous vouliez aussi tout savoir des méthodes d'aujourd'hui pour vous moderniser et décider des orientations à prendre, parce que vous arrivez au bout de la planification organisée par Martial Battandier. D'après nos accords, Léa, vous n'aurez plus besoin de personne dans quelques mois, mais en attendant, vous devez m'écouter, ou alors vous dépensez votre argent pour rien.

— Bon sang, vous avez une âme de prof !

Elle riait, réchauffant ses doigts sur le gobelet, soudain très heureuse d'être là, à discuter avec un spécialiste de la forêt. Après tout, elle avait effectivement engagé

Raphaël dans ce but précis : s'en sortir seule. Devenir enfin professionnelle, aller de l'avant, assumer son avenir et celui de ses enfants. Ne plus invoquer sans cesse Martial. Elle s'était juré d'y arriver une nuit où elle avait pleuré de désespoir devant Tristan endormi, comprenant qu'elle était en train de gâcher son existence.

— N'y a-t-il pas un proverbe pour affirmer que la vie commence à quarante ans ?

— Je vous le souhaite ! répondit Raphaël avec beaucoup de gentillesse. C'est bientôt votre anniversaire ?

— En février seulement. On va organiser une fête à tout casser, Lucas et moi !

— Vous avez raison, j'aurais dû en faire autant. J'ai changé de décennie il y a deux ans, et ça m'a complètement déprimé.

Elle esquissa un sourire, persuadée qu'il plaisantait. Séduisant, intelligent, la quarantaine lui allait bien, c'était le genre de grand brun aux yeux verts à qui les femmes ne devaient pas résister longtemps. Comme celle aperçue en sa compagnie samedi, devant le restaurant *La Comédie*. Une maîtresse parmi d'autres ? Évidemment, il avait la chance d'être libre, il pouvait faire ce qu'il voulait, il n'était pas empêtré dans un mariage-naufrage, lui !

S'apercevant qu'il semblait un peu dérouté par l'insistance de son regard, elle cessa de le dévisager et termina son café.

— À propos de votre frère, reprit-il, nous avons eu l'occasion de bavarder ensemble la semaine dernière, quand je lui ai confié ma voiture pour une révision. Il est sympathique, ouvert, et il vous ressemble de façon stupéfiante.

— Nous sommes jumeaux, rappela-t-elle, ce qui crée une relation particulière. En réalité, c'est lui l'homme de ma vie.

Aussitôt sa phrase lâchée, elle regretta et se mordit les lèvres. Se plaindre ou critiquer Tristan devant Raphaël n'entrait pas dans ses intentions. Pour masquer son embarras, elle lui rendit le gobelet vide et enchaîna :

— Lucas prend mes soucis très à cœur, je sais que je peux compter sur lui quoi qu'il arrive. Évidemment, c'est réciproque !

— J'avais envie de l'inviter à dîner un de ces soirs, avec vous et Tristan bien sûr, et aussi son épouse, s'il est marié...

— Non, il est célibataire. Ou plutôt, il a un petit copain.

Elle l'annonça simplement, le regardant bien en face, mais il n'eut aucune réaction.

— Je pourrais préparer une raclette, le temps s'y prête, et ce n'est pas un plat trop compliqué pour moi !

— À vrai dire, mon frère et mon mari ne s'entendent pas du tout. Maintenant, si vous n'avez pas peur des disputes à table... Mais ne vous sentez pas obligé de le faire. Même si les soirées d'hiver sont longues, les mondanités ne sont pas indispensables.

Au lieu de protester, il se contenta de hocher la tête avec un petit sourire en coin. Derrière eux, dans les profondeurs de la forêt, il y eut un brusque silence des tronçonneuses, puis le bruit de la chute d'un arbre, au milieu d'une série de craquements.

— Celui-là n'a pas dû tomber exactement où il fallait, estima Raphaël. Allons voir... Vous avez le droit de les engueuler s'ils ont fait une erreur, c'est de votre bois qu'il s'agit !

Il la précéda à travers les pins et les hêtres, en direction de la coupe.

— À propos de la parcelle que nous avons marquée la semaine dernière, le débardage des grumes ne va pas être simple, et je me demande si on ne devrait pas s'adresser à ce type qui possède deux chevaux, lâcha-t-elle d'une voix essoufflée.

Raphaël marchait vite, sans doute pressé de rejoindre les bûcherons pour constater d'éventuels dégâts, mais il s'arrêta net. Se tournant vers elle, il la scruta une seconde.

— Eh bien, dites-moi… Nous avons eu la même idée !

— Vous avez l'air absolument stupéfait que j'aie pu penser à quelque chose, fit-elle remarquer d'un ton aigre

— Non, pas du tout, désolé.

Depuis une bonne quinzaine d'années, l'ONF encourageait le retour à un emploi du cheval sur les terrains difficiles, en particulier dans les pentes ou les coupes étroites. Là où un engin comme un Timberjack avait besoin de deux mètres cinquante, un passage de quatre-vingts centimètres suffisait à l'animal. Au-delà du caractère écologique de la démarche, les forestiers appréciaient les chevaux parce qu'ils ne créaient pas d'ornières et ne causaient que peu de dommages aux arbres ou aux semis. Le seul problème était de trouver un débardeur possédant des bêtes expérimentées et sachant les mener.

— Le type dont je vous parle habite à la sortie de Champagnole, marmonna-t-elle. J'irai le voir.

Elle passa devant lui et se dirigea droit vers les bûcherons qui s'étaient arrêtés de travailler. Ils se tenaient en demi-cercle près du hêtre abattu, qui avait cassé trois jeunes arbres dans sa chute. Visage fermé, Léa examina les dégâts avant d'aller inspecter la souche.

— La charnière n'a pas joué son rôle, déclara l'un des hommes, il s'est complètement vrillé en tombant.

— Je vois...

Jusqu'où devait-elle montrer son mécontentement ? Piquer une colère la ferait passer pour hystérique, mais ignorer l'incident lui ôterait toute crédibilité. Elle se demanda, comme d'habitude, ce qu'aurait fait Martial à sa place, cependant elle ne prit pas vraiment le temps d'y réfléchir.

— Une deuxième connerie de ce genre et je change d'équipe, maugréa-t-elle en se redressant. Maintenant, vous n'avez plus qu'à débiter ceux que vous avez massacrés !

Elle affronta leurs regards hostiles sans ciller, puis eut un geste impatient.

— Allez !

Après quelques instants de flottement, l'un des bûcherons lança le moteur de sa tronçonneuse et s'attaqua à l'ébranchage du hêtre, tandis que deux autres se dirigeaient vers les arbres mutilés. Léa remit son casque puis chercha son carnet dans sa poche. Pas question de rentrer, elle était coincée là pour un moment, sinon elle aurait l'air de leur donner l'absolution.

« Ils doivent me trouver odieuse, incompétente, ridicule à les toiser du haut de mon petit mètre soixante... »

Consciencieusement, elle modifia des chiffres sur une page du carnet, essayant d'estimer le volume supplémentaire du bois de chauffage. Lorsqu'elle releva la tête, elle croisa le regard de Raphaël qui l'observait de loin, avec une expression tout à fait indéchiffrable. Au bout d'une minute, il leva la main en signe d'au revoir, se détourna et s'éloigna à travers les arbres. Il la laissait donc se débrouiller seule, pour superviser comme pour rentrer, c'était complet !

Elle jeta un coup d'œil en direction des bûcherons qui s'activaient en l'ignorant, dans le vacarme de leurs machines.

« Même si je ne fais pas très bien ce métier, je ne connais rien d'autre, je n'ai pas le choix. »

Se redressant, elle rangea son carnet, enfouit ses mains dans ses poches.

« Je reste encore une heure, ensuite je vais trouver ce débardeur à Champagnole. Aucun grumier ne peut monter jusqu'ici, il faut vite régler le problème. »

Perdue dans ses pensées, elle faillit ne pas voir les signes que lui adressait l'un des hommes en s'approchant.

— On va faire une pause et on reprendra dans un quart d'heure ! cria-t-il pour se faire entendre.

Au moins, il l'en avertissait, c'était peut-être une première marque de respect. Tandis qu'il repartait vers les autres, elle s'adossa à un mélèze et en profita pour ôter son casque. Dans le mouvement qu'elle fit pour secouer ses boucles, quelque chose attira son attention et elle se retourna vers le tronc. Bien en évidence, à hauteur d'œil, elle vit la marque de son propre marteau. Cet arbre était le prochain auquel les bûcherons allaient s'attaquer, et elle, comme une

cruche, avait choisi de se planter là pour les surveiller ! Encore une minute et elle aurait fini par
s'asseoir, par prendre ses aises, jusqu'à ce qu'on la
déloge en lui faisant remarquer qu'elle gênait.

Pour se donner une contenance, elle se mit à observer la forêt autour d'elle, comptant mentalement
jusqu'à cent. Ensuite, elle regarda sa montre, puis
s'éloigna sans hâte du mélèze et s'engagea sur le sentier. En passant près des hommes, elle leur adressa
juste un petit signe de tête indifférent, auquel ils ne se
donnèrent pas la peine de répondre.

« J'ignore ce qu'aurait fait Martial dans cette situation, parce qu'il ne s'y serait pas mis ! D'ailleurs, il
aurait serré les mains avant de partir, donné quelques
consignes... Si j'avais pensé à lui, j'aurais pu faire la
même chose, mais justement, je ne veux plus penser à
lui ! Mon Dieu, je n'y arriverai jamais... Quant à
Raphaël, pourquoi le payer si c'est pour qu'il me laisse
me débrouiller ? Cette coupe est la mienne, la première que je décide seule, sur un terrain que j'ai acheté
moi-même, je ne peux pas avoir l'air de Bécassine dans
les bois ! Seulement voilà, je suis une femme, haute
comme trois pommes, alors de toute façon, les gros
machos ne me prennent pas au sérieux. Ils préféraient
encore l'époque où Tristan m'accompagnait malgré les
sottises qu'il proférait. En réalité, tant qu'ils m'ont
tenue pour quantité négligeable, *ma brave petite dame*,
ils se montraient tout disposés à m'aider, mais maintenant que je veux diriger les choses à ma façon, ça ne
passe plus ! »

Elle avançait à grandes enjambées, remâchant sa
colère, et elle ne jeta qu'un rapide regard aux deux

premiers tas de bois, parfaitement rangés, qu'elle dépassa.

« Attends, attends, arrête-toi deux secondes… C'est du beau travail, il faut le reconnaître. »

Savoir empiler les rondins était le propre des bons ouvriers forestiers. Elle s'attarda un moment au bord du chemin, regrettant de s'être emportée.

« Je reviendrai cet après-midi avec la voiture, j'en profiterai pour vérifier tout le bornage de la parcelle, et je retournerai voir mes bûcherons. »

D'ici là, une bonne heure de marche lui serait nécessaire pour rentrer chez elle. D'un pas décidé, elle se remit en route, les mains dans les poches et le nez en l'air selon son habitude, ce qui l'empêcha de voir une souche sur laquelle elle s'étala de tout son long. L'épais tapis de feuilles ayant amorti sa chute, elle se releva indemne, d'abord un peu vexée, puis soudain prise d'un fou rire irrépressible. Dans le silence de la forêt, elle laissa libre cours à sa gaieté jusqu'à en avoir les larmes aux yeux.

Tristan tapota le carreau avec une mimique admirative.

— Du double vitrage, c'est malin ! Quand j'habitais ici, le bruit de la scierie me rendait dingue, vous avez eu bien raison d'installer ça…

Amusé par son attitude, Raphaël le regardait aller et venir dans la grande pièce qui servait de bureau, notant les changements, furetant partout. Il s'arrêta d'abord devant une rangée de classeurs métalliques, puis vint admirer le matériel informatique acheté trois mois plus tôt.

— Je vois que Léa n'a pas hésité à investir pour se moderniser ! Bon, il faut bien vivre avec son temps et je devrai sans doute en passer par là. Malheureusement, je ne dispose pas des mêmes moyens.

Espérait-il se servir de l'ordinateur et des logiciels pour la comptabilité de la scierie ? Raphaël se garda bien de tout commentaire, ignorant la position de Léa à ce sujet. Apparemment déçu par son silence, Tristan reprit :

— La coupe se passe bien, là-haut ?

— Oui, ça suit son cours.

— Ce n'est pas un terrain idéal, hein ?

Son petit sourire ironique était assez exaspérant, comme s'il se réjouissait des difficultés que sa femme allait rencontrer.

— Nous débarderons avec un cheval, déclara Raphaël. Une excellente initiative de Léa qui...

— Qui va augmenter les coûts. Et après, on vient m'expliquer que je suis trop cher, on croit rêver ! Vous connaissez Lucas, le jumeau de ma femme ? Il se mêle de tout, il est odieux. Enfin, il le faisait avant que vous n'arriviez, puisque maintenant, Léa vous écoute au lieu de se fier à cet abruti.

Raphaël comprit qu'ils abordaient un sujet délicat, aussi prit-il son temps pour répondre, d'un ton tout à fait neutre :

— J'ai longuement étudié vos tarifs, et il me semble qu'on pourrait les réduire un peu.

Son titre d'ingénieur et ses nombreuses missions pour l'Office national des forêts empêchèrent Tristan de protester, comme prévu, mais son visage se ferma. Après un court silence, il se contenta de demander :

— Vous n'auriez pas quelque chose à boire ? Je crois bien que c'est l'heure de l'apéritif...

Pour ne pas paraître désagréable, Raphaël acquiesça. Il descendit au carnotzet, inspecta son placard et constata qu'il n'avait qu'une excellente bouteille d'un bordeaux grand cru. A priori, il la conservait pour une occasion mais tant pis, ça ferait l'affaire. Il remonta avec un plateau, deux verres et un tire-bouchon.

— Ah, vous me gâtez ! s'exclama Tristan d'une voix enthousiaste.

Après avoir ouvert et servi le vin, Raphaël le huma puis savoura une première gorgée.

— Il est parfait, constata-t-il avec plaisir.

— Oui, fameux ! répondit distraitement Tristan qui avait déjà vidé son verre.

Était-il incapable d'apprécier la qualité de ce qu'il buvait ? Résigné, Raphaël le resservit.

— En ce qui concerne ma scierie, je ne demande pas mieux que de revoir certains aspects avec vous, si vous avez un moment à me consacrer. Je n'oublie pas que c'est Léa qui vous paye pour l'exploitation forestière, mais les choses sont liées, vous comprenez bien...

À l'évidence, il tâtait le terrain, cherchant à obtenir une collaboration gracieuse.

— Juste une conversation d'homme à homme, précisa-t-il d'un ton léger. Pour ne rien vous cacher, il m'est vraiment difficile de travailler avec Léa. D'abord, c'est une femme, et en plus, c'est la mienne !

S'il s'agissait d'un trait d'humour, Raphaël y fut insensible, malgré le ricanement encourageant de Tristan qui finit par enchaîner :

— Mais surtout, Léa vit dans une sorte de culte du souvenir qui lui ôte tout jugement. N'importe quelle décision, même la plus anodine, doit être soumise à ce qu'en aurait pensé le cher disparu, l'irremplaçable Martial Battandier ! Il faut de la patience pour vivre dans cette ambiance, je vous assure. D'autant plus que, vous savez ce que c'est, on magnifie les morts, on les met sur un piédestal, or rien ne dit que Battandier s'en sortirait bien en ce moment. L'époque a changé et la manière de gérer les forêts aussi. En fait, le problème de Léa tient à son besoin d'avoir des gourous... D'abord son premier mari, maintenant son frère, et malheureusement, ce n'est jamais mon tour !

Il se mit carrément à rire, poussant son verre vide vers Raphaël avec une expression qui se voulait complice.

— Vu de l'extérieur, les gens doivent s'imaginer qu'on s'est bien trouvés, Léa et moi, puisqu'elle avait les bois et moi la scierie, mais hélas, elle ne partage rien. Question de caractère... Sous ses dehors adorables de petite bonne femme qui cherche à bien faire, c'est quelqu'un de dur, et croyez-moi, je ne suis pas toujours à la fête...

Il s'interrompit enfin, peut-être conscient du silence obstiné de Raphaël. Jusqu'où était-il prêt à pousser ses pseudo-confidences, pour peu qu'on l'y aide ? La dernière phrase avait été lâchée du ton humble de celui qui veut se faire plaindre, et le discours dans son entier semblait bien rodé. Servait-il souvent ce numéro à des oreilles complaisantes ? Quoi qu'il en soit, il était un assez piètre manipulateur, et il manquait franchement d'élégance en critiquant sa femme devant un étranger.

Comme Raphaël, agacé, n'était pas disposé à le resservir une quatrième fois, Tristan finit par se lever.

— Il se fait tard, je vais vous laisser, mais j'ai été ravi de bavarder avec vous. Et n'oubliez pas, on parle de la scierie quand vous voulez, il est temps de mettre de l'ordre dans les affaires !

En refermant la porte derrière lui, Raphaël poussa un soupir de soulagement. *De l'ordre dans les affaires…* Celles de qui ? Tristan espérait-il s'être trouvé un comptable à l'œil, un conseiller pour rien ? Certes, la scierie nécessitait une reprise en main, mais tant que le patron ne se mettrait pas lui-même au travail, il n'y aurait pas grand-chose à espérer.

— Bleu électrique et argent, je t'assure que ce sera mortel ! décréta Malo.

Lorsque Virginie avait sonné à l'appartement, il était en train de faire des essais de couleur pour la décoration de son sapin de Noël. Chaque année, il en achetait un dès le premier décembre et passait tout un dimanche à le charger de boules et de nœuds.

— Veux-tu un café ? proposa-t-il à la jeune fille.

— Avec plaisir. À quelle heure doit rentrer Lucas ?

— Aucune idée. Il est parti faire un essai avec un client, au volant d'un monstrueux roadster.

— Monstrueux ?

— Des montées en puissance ébouriffantes, et pourtant je ne suis pas facile à bluffer ! À mon avis, ils vont s'arrêter pour déjeuner, ils ont dû faire cent bornes rien que pour écouter le moteur. En attendant, je vais devoir descendre, le garage rouvre à deux heures. Tu n'as pas d'ennuis avec ta Civic, au moins ?

— Oh non ! Elle est géniale, mes copines ont fait une crise de jalousie en la voyant. Je voulais juste embrasser Lucas et lui dire encore une fois merci.

— Il n'aime pas trop ça, tu le connais...

Disparaissant dans la cuisine, il revint quelques instants plus tard avec deux petits express mousseux.

— J'espère que nous aurons de la neige à Noël, dit-il d'un ton enthousiaste. C'est mauvais pour le commerce, mais tellement romantique !

Son sourire se figea une seconde, puis il haussa les épaules. Virginie sentit que sa gaieté était factice, ce qui ne lui ressemblait pas.

— Tout va bien ? ne put-elle s'empêcher de demander.

— Les affaires marchent, et nous sommes en pleine forme Lucas et moi, répondit-il avec une pointe de dérision. Même pas un rhume, c'est te dire...

— Mais ? Allez, Malo, il y a un truc qui te chiffonne, j'en suis sûre.

Cessant de jouer la comédie, il eut soudain l'air abattu.

— Rien de grave, chérie. En fait, je n'ai pas très envie d'en parler.

Virginie aimait bien Malo, elle appréciait son humour, sa gentillesse, et depuis son arrivée dans la vie de Lucas, on passait toujours de bonnes soirées chez eux, à se régaler tout en riant aux éclats.

— Écoute, si tu as des ennuis, je...

Le bruit de la porte l'interrompit au milieu de sa phrase, et Lucas surgit dans le salon.

— Tiens, la plus belle des nièces ! Comment vas-tu, jeune fille ?

Il la serra contre lui, débordant d'affection comme toujours. Sur son blouson, elle perçut nettement une odeur de tabac blond à peine masquée par l'after-shave.

— Oh mon Dieu ! s'exclama-t-il. Nous sommes déjà dans les préparatifs de Noël ?

D'un regard circulaire, il jaugea le désordre de la pièce puis se tourna vers Malo à qui il adressa un sourire distrait.

— La voiture est absolument géniale, à condition d'oublier toute notion de confort. Je crois que tu peux descendre signer le bon de commande, le client n'arrive plus à s'arracher du siège conducteur, qui d'ailleurs n'est même pas réglable ! Je vais grignoter quelque chose, j'ai l'impression d'avoir fait les Vingt-Quatre Heures du Mans.

Malo s'éclipsa presque aussitôt, tandis que Lucas entraînait Virginie vers la cuisine.

— Les Japonais sont très forts, ils ont tout compris du marché européen, et j'ai eu le nez creux de prendre cette concession Honda, dit-il en ouvrant le frigo. Ta Civic marche bien ?

— Comme une horloge ! J'étais justement passée pour te remercier.

— Encore ? Tu ne comptes pas le faire tous les samedis, chérie ? Je suis certain que tu connais d'autres façons d'occuper tes week-ends...

Il enfourna une barquette dans le four à micro-ondes puis, d'un air réjoui, sortit un paquet de cigarettes de sa poche.

— Je vais m'en griller une, et je vais aussi me servir un verre de vin, en espérant que tu ne me regarderas pas comme un délinquant en puissance.

— Pourquoi dis-tu ça ?

— Parce que nous vivons dans un monde très moralisateur et bien pensant. Même Malo y va de son chapelet de conseils bienveillants, voire d'interdictions pures et dures, c'est vraiment fatigant.

— Tu ne peux pas lui en vouloir de penser à ta santé.

Haussant les épaules avec insouciance, il sortit la barquette du four et vida le contenu sur une assiette.

— Regarde, il y a de la crème là-dedans, je ne devrais pas la manger pour ne pas me boucher les artères...

Il inhala une longue bouffée, puis alla éteindre sa cigarette sous le robinet de l'évier. Lorsqu'il se retourna vers Virginie, il lui adressa un sourire désarmant, très semblable à celui de Léa.

— Quand j'ai rencontré Malo, il était gai, drôle, bien dans sa peau. Malheureusement, depuis quelques temps, il prend tout au tragique. Le soir, sur l'oreiller, il ne me parle pas d'amour mais du PACS !

— Tu es contre ?

— Pas du tout, chérie. Au contraire. Sauf que c'est plutôt une conversation à avoir le matin quand on a les idées claires, et surtout... Eh bien, concernant Malo, je ne sais pas quel sera notre avenir, si toutefois nous en avons un.

Son sourire disparut, et il resta silencieux quelques instants.

— Désolé, soupira-t-il, je ne voulais pas t'embêter avec mes histoires.

— Tu ne m'ennuies pas et je suis flattée que tu te confies, parce que tu es comme maman, tu as du mal à parler de toi.

— Ce n'est pas un scoop, ta mère et moi sommes à peu près pareils.

— Tu n'imagines même pas à quel point. Les yeux, le nez, une fossette, là, quand vous riez... Et question caractère, vous êtes copiés-collés.

— Merci du compliment, mais je crois ta mère plus forte que moi. La manière dont elle vous a élevés, toi et ton frère, son courage à la mort de Martial, sa patience, sa rigueur... Je ne possède pas forcément toutes ces qualités. Par exemple, j'aurais volontiers eu la lâcheté de passer mon homosexualité sous silence quand vous étiez enfants, mais elle en a toujours parlé comme d'une chose normale, banale, et ça ne vous a posé aucun problème.

— Évidemment ! De toute façon, tu étais le tonton séducteur, filles ou garçons, peu importe, on te trouvait génial, Jérémie et moi.

— Maintenant aussi ? Pour Jérémie, mes querelles avec son père doivent le mettre mal à l'aise.

— Il n'est pas abruti, il voit bien que Tristan picole. Nous n'en parlons pas beaucoup, mais je sais que ça l'exaspère. Il n'invite jamais de copains à la maison de peur de tomber sur Tristan ronflant dans un coin, et quand c'est lui qui sort les poubelles, le fracas de toutes les bouteilles vides le rend dingue. Toi, il te voit plutôt dans le rôle d'arbitre, quelque chose comme ça... Il sait que tu soutiens maman et qu'elle en a besoin.

— Si elle le voulait, elle n'aurait besoin de personne. Elle devrait se débarrasser de Tristan une fois pour toutes. Vivre en couple n'est ni une obligation ni une fatalité !

Il l'avait dit avec une telle véhémence que Virginie le dévisagea, intriguée. Parlait-il aussi pour lui ? Pour Malo, dont il semblait se détacher ?

— Profite de ton célibat, dit-il d'une voix radoucie, et surtout, de ta jeunesse...

De nouveau, il lui souriait tendrement. Du plus loin qu'elle se souvienne, il avait toujours été présent, affectueux. D'ailleurs, dans ses plus lointaines images d'enfance, c'était lui qu'elle revoyait aux côtés de sa mère, avant l'arrivée de Tristan. Trop petite pour se rappeler son père, elle ne le connaissait qu'au travers de rares photos, et elle avait grandi sans poser de questions pour ne pas faire pleurer sa mère. Plus tard, lorsqu'elle avait voulu en apprendre davantage, elle s'était tout naturellement adressée à Lucas. Le jour de ses dix ans, il l'avait emmenée sur la tombe de Martial, ensuite ils étaient allés marcher dans la forêt tous les deux, et il lui avait dit tout ce qu'elle désirait savoir sur ce père disparu. Depuis ce moment, ils se parlaient toujours très librement.

— Il n'était pas question d'un certain Éric dans ta vie ces temps-ci ? lança-t-il d'un air malicieux.

— Les nouvelles vont vite !

— Les jumeaux font de la télépathie, affirma-t-il avec une parfaite mauvaise foi.

Quand il s'amusait, de petites rides soulignaient son regard gris pâle, comme Léa.

— Pour l'instant, expliqua-t-elle, c'est le début de l'histoire, le cœur qui bat très fort, et au moins deux heures pour le choix d'une tenue avant chaque rendez-vous !

— Je vois…

Il éclata de rire, apparemment très réjoui de la deviner amoureuse.

— Bon, je dois descendre travailler un peu. Tu fais des courses ?

— Oui, je voudrais trouver des bottes, ce sera la mode cet hiver.

— Alors laisse la Civic à l'atelier, je vais la faire équiper de pneus neige, la météo s'annonce très mauvaise pour la semaine prochaine. Et ne me dis pas merci, ça m'agace !

Lorsqu'il enfila son blouson, elle vit qu'il prenait soin de remettre le paquet de cigarettes dans sa poche.

Assise sur le lit de la chambre d'amis, Léa reprenait difficilement contact avec la réalité. Son rêve avait été si précis, si intense, qu'elle faillit éclater en sanglots. À tâtons, elle chercha l'interrupteur de la lampe de chevet et alluma. Une lumière douce révéla les contours des objets, les rideaux de chintz, le grand pastel figurant un sous-bois en hiver.

Incapable de rester là, elle se leva, s'enveloppa dans sa robe de chambre polaire en frissonnant, puis quitta la pièce. Elle longea la vaste galerie qui servait de bibliothèque, traversa le vestibule et gagna la cuisine. Elle avait encore le visage de Martial devant les yeux, sa voix au creux de son oreille. Dans ce rêve, qui finalement ressemblait à un cauchemar, il était tellement vrai, tellement vivant ! Pourquoi se rappelait-il à elle avec autant de force ? Que voulait-il lui faire comprendre ?

— Je deviens complètement folle, marmonna-t-elle.

Si elle se mettait à croire aux fantômes, elle allait mourir de peur dans cette maison qu'elle adorait.

— Martial est mort depuis longtemps, il est en paix. Moi pas, on dirait…

Mais comment l'aurait-elle pu ? La violence de cette mort l'avait traumatisée à jamais. Sous le tronc du mélèze qui l'avait écrasé, Martial était comme un pantin désarticulé, avec le visage exsangue et les yeux grands ouverts. Il regardait le ciel, du sang autour de la bouche. Un bûcheron avait essayé d'entraîner Léa plus loin, mais elle se débattait tellement qu'il avait dû la porter.

— Assez ! cria-t-elle en donnant un coup de poing sur le comptoir de chêne.

Elle mit plusieurs secondes à se calmer. Inutile de réveiller toute la maison pour un rêve. Le dimanche matin était un moment privilégié, Virginie et Jérémie adorant traîner à la table du petit déjeuner.

La veille au soir, Léa avait préparé une flambée, il n'y aurait plus qu'à gratter une allumette. Longtemps, Tristan s'en était chargé, mais il ne s'occupait plus de ce genre de choses, il buvait son café debout et s'éclipsait vite sans s'attarder près de la cheminée, sans se mêler à des conversations qui ne l'intéressaient pas. Peut-être ne voulait-il pas qu'on puisse voir ses mains trembler ?

Léa desserra ses poings, respira un grand coup. Reléguer Martial tout au fond de sa mémoire, dans cet espace cloisonné qu'elle lui réservait, allait prendre un certain temps. Au fil des heures, ses traits deviendraient plus flous, elle n'aurait plus l'horrible impression de le croire encore à côté d'elle. En attendant, et même s'il était trop tôt, elle pouvait mettre le couvert, sortir les confitures et le miel, préparer une corbeille de fruits. La cuisine, avec son atmosphère douillette, était un endroit qui la rassurait. Lorsqu'elle l'avait entièrement réaménagée, quelques années plus tôt, elle avait cru que Tristan s'y sentirait bien, lui qui prétendait qu'on ne changeait jamais rien dans la maison. Mais il était resté bloqué sur son idée, il s'imaginait toujours vivre dans le décor de Martial. Être victime des gens, des situations, tournait chez lui à l'obsession. Il voulait qu'on le plaigne, ce qui lui évitait de se remettre en question.

« Je finirai par le haïr... Lucas n'a pas tort quand il me suggère de le quitter, de changer d'existence. Pourquoi s'accrocher ? »

— Tu es de plus en plus matinale ! lui lança Tristan depuis le seuil.

Il ne semblait pas très content de la découvrir là. Ses cheveux en bataille et son teint gris accentuaient l'air morose qu'il affichait.

— Bien entendu, tu as dormi en bas dans la chambre d'amis ? Ah, ce n'est pas drôle de se réveiller tout seul chaque matin !

Elle faillit lui demander pourquoi, mais se ravisa. Leurs étreintes étaient rares, leurs gestes de tendresse inexistants, elle savait pertinemment qu'elle ne lui manquait pas.

— Café ? se borna-t-elle à proposer.

— Non, je monte me recoucher. Je voulais juste...

Sans achever, il fit volte-face et disparut. Avait-il espéré trouver la cuisine vide et se servir un verre ? Buvait-il dès le matin ? Léa se refusait à toute surveillance, elle ne contrôlait pas le niveau des bouteilles et n'espionnait pas Tristan. À quoi bon ? S'il cherchait à se détruire, elle n'avait pas assez d'influence sur lui pour l'en empêcher.

Elle choisit une capsule de pur arabica et mit en route la machine à express. Qu'allait-elle faire de ce dimanche qui s'étendait devant elle ? Le jour n'était pas levé, Virginie et Jérémie ne descendraient pas avant dix heures.

« Je vais m'occuper de moi, pour une fois ! »

Emportant sa tasse, elle gagna la salle de bains du rez-de-chaussée. De plus en plus souvent, elle s'installait là, combattant ses insomnies par des bains chauds pleins de mousse, et au fil des mois, elle avait racheté en double la plupart de ses produits de soin ou de maquillage.

« Nous vivons presque séparément, c'est vrai, alors pourquoi insister ? Pour Jérémie ? Est-ce qu'il est plus heureux d'avoir nos désaccords sous les yeux en permanence ? Il faudra que j'arrive à aborder la question avec lui... »

Elle brancha les deux barres infrarouges, alluma tous les spots et alla se planter devant le miroir en pied. Du temps de Martial, était-elle coquette ?

« Je n'en avais pas besoin, j'étais jeune ! »

Et, de toute façon, Martial l'aurait trouvée sublime, même avec les cheveux en brosse ou avec un nez de clown. Du bout des doigts, elle suivit la ligne des rides, au coin des yeux et sur son front. Allait-elle vraiment fêter ses quarante ans en fanfare, ainsi qu'elle l'avait affirmé à Raphaël ?

« J'ai intérêt à me prendre en main d'ici là… »

Résolument, elle ôta sa robe de chambre, son tee-shirt. La silhouette était correcte, petite mais fine et musclée, sans doute grâce à toutes les heures de marche sur les sentiers escarpés des forêts. En revanche, ses mains méritaient un passage chez la manucure, et ses boucles châtain clair avaient grand besoin d'une bonne coupe.

« À partir d'aujourd'hui, je me maquille tous les matins. »

La plupart du temps, elle se contentait d'une touche de mascara appliquée sur les cils à la hâte. Vivre au grand air ne devait pas l'empêcher de rester féminine, de se mettre un peu en valeur.

« Je vais devenir le forestier le plus glamour de la région ! »

L'avoir pensé la fit rire, et se voir rire dans la glace l'amusa pour de bon.

Pour une fois, Raphaël ne se sentait pas trop accablé en quittant l'établissement hospitalier. Sa mère l'avait reconnu assez vite aujourd'hui. Elle s'était même laissé embrasser avec plaisir. Le moment de lucidité avait duré plusieurs minutes avant qu'Hélène ne perde pied puis se mette à regarder son fils sans le voir, comme un parfait étranger. Un peu plus tard, dans le couloir, Raphaël avait pu discuter avec le médecin-chef, qui faisait consciencieusement une petite tournée du service le dimanche matin afin de rencontrer les familles. Les examens d'Hélène n'étaient pas très bons, elle déclinait peu à peu mais ne se rendait compte de rien, réfugiée dans son monde parallèle la plupart du temps. Réfugiée ou prisonnière ? Non, elle ne semblait pas triste, ni malheureuse, elle était ailleurs, voilà tout.

Sur le parking, Raphaël remit son blouson, surpris par le vent glacial qui s'était levé. Dans la chambre de sa mère, il régnait une température de serre, et le contraste était plutôt brutal. Il jeta un coup d'œil vers les allées du parc, parfaitement entretenues, où les résidents pouvaient se promener à volonté. Un infirmier accompagnait toujours Hélène lors de ses sorties, car on l'avait retrouvée un jour près du lac, hagarde et de l'eau jusqu'aux genoux, ne sachant plus qui elle était ni ce qu'elle faisait là.

Levant la tête, il scruta le ciel bleu cobalt que de gros nuages blancs commençaient à envahir. Tout à l'heure, il avait aidé sa mère à manger, et à présent, il avait faim. Peut-être pourrait-il dénicher une auberge sur la route du retour, mais déjeuner seul ne l'enthousiasmait pas. Alors qu'il ouvrait la porte du Classe G, son portable se mit à sonner. Le numéro affiché était celui de Marie-Cécile, sa maîtresse occasionnelle depuis trois mois. Après une brève hésitation, il prit l'appel.

— C'est moi, Raphaël. Je te dérange ? Je me demandais si tu avais des projets, aujourd'hui... Si ça te tente, je viens de mettre un gigot dans le four et je le partagerais volontiers !

Marie-Cécile faisait bien la cuisine, et son deux-pièces face à l'église des Cordeliers, à Lons, était très accueillant. Mais Raphaël n'avait pas envie d'un tête-à-tête avec elle, ni à table ni dans son lit, ensuite. S'il passait l'après-midi là-bas, il lui faudrait inventer un prétexte pour partir le plus vite possible sans la vexer, mentir en promettant de se revoir rapidement.

— Ce sera pour une prochaine fois, Marie. J'ai du travail, des dossiers en retard…

— Mais nous sommes dimanche ! protesta-t-elle d'une voix aiguë.

Entre autres, il n'aimait pas sa voix. D'ailleurs, il n'était pas amoureux d'elle, leur relation épisodique était celle de deux adultes indépendants qui partageaient de temps à autre un bon moment.

— Veux-tu au moins qu'on dîne ensemble un de ces soirs ? suggéra-t-elle froidement, après un court silence.

La question ressemblait un peu à un ultimatum, mais il n'essaya pas de se dérober.

— Je ne sais pas. Je préférerais être tranquille ces temps-ci.

— Tu as rencontré quelqu'un d'autre ? C'est ça ?

— Non.

— Alors, quoi ?

Soudain, il trouva insupportable d'avoir à se justifier, à batailler pour sauver sa journée.

— Écoute, Marie, je crois qu'on va en rester là, ce sera mieux.

— Et tu me l'apprends par téléphone ?

— C'est toi qui m'appelles, fit-il remarquer sans ironie. Je suis sincèrement désolé, mais à quoi bon se raconter des histoires ?

— Pauvre type ! hurla-t-elle avant de couper la communication.

Sans doute méritait-il sa fureur, néanmoins il se sentit soulagé, presque guilleret. Au-dessus de lui, les nuages avaient continué de s'accumuler. cachant le soleil, et il n'y avait plus qu'un minuscule morceau de ciel bleu. Marie-Cécile pouvait être archivée dans la catégorie des souvenirs, rejoignant ainsi des liaisons décevantes, des amours contrariées, des coups de cœur oubliés. Raphaël ne ressentait pas de culpabilité, n'ayant rien promis ; cependant, il regrettait vaguement de ne pas s'être attaché à elle. La réciprocité était donc si rare ? Aimer et être aimé nécessitait finalement une chance folle, une veine d'heureux gagnant au Loto, or il n'avait jamais eu de chance au jeu. Tout ce qu'il avait obtenu dans la vie, il se l'était offert lui-même, sans compter sur le hasard.

Le vent se renforçait, n'annonçant rien de bon. Selon toutes les prévisions, y compris celles des vieux montagnards, l'hiver allait être rude. Raphaël baissa les yeux sur son 4 × 4 dont la silhouette carrée, comme taillée à la hache, évoquait plus un véhicule de guerre qu'une simple voiture tout-terrain. Peu importait, il y était en sécurité sur n'importe quel relief et pourrait affronter sereinement les pires tempêtes de neige. D'ici là, un gros travail restait à accomplir en forêt. Il décida de revoir son planning des jours à venir, certain que Léa serait d'accord avec lui pour fournir un effort supplémentaire avant que le gel ne s'empare des bois.

3

Virginie empoigna son sac de voyage, gagna le palier et dévala l'escalier. La perspective de retrouver son studio à Genève, Éric, ses copains de l'Institut et même ses cours ne lui était pas désagréable, mais elle quittait toujours la maison avec un peu de nostalgie. Comme sa mère, elle adorait *La Battandière* qu'elle jugeait idéale de son point de vue d'architecte : proportions parfaites, exposition judicieuse, ouvertures idéalement placées et grande qualité des matériaux utilisés. Il lui arrivait de se réjouir en songeant que cette bâtisse lui appartiendrait un jour, que personne ne pourrait lui faire vendre le dernier endroit à porter l'empreinte de son père disparu. Une idée un peu égoïste, vis-à-vis de Jérémie, mais comment ignorer que Tristan, de plus en plus imbibé d'alcool, était capable de n'importe quoi ? Il se déplaisait ici et ne s'en cachait pas. S'il avait eu la moindre influence sur Léa, il l'aurait fait déménager depuis longtemps.

En traversant le vestibule, elle vit de la lumière dans le salon et s'arrêta sur le seuil. Jérémie se tenait debout au milieu de la pièce, bras ballants, visage fermé. Il ne tourna pas la tête vers sa sœur, mais désigna le fauteuil sur lequel Tristan dormait tout habillé, dans une position de complet abandon.

— Regarde-le, gronda-t-il entre ses dents. Il se détruit à plaisir, quel spectacle !

Sa voix rauque exprimait une rage désespérée qui bouleversa Virginie. De toutes ses forces, Jérémie voulait que son père soit quelqu'un de bien, mais chaque jour il le voyait s'enfoncer davantage. Durant les dîners de famille, quand Tristan se mettait à parler d'une voix pâteuse, puis à ricaner ou à geindre, selon son humeur, Jérémie se crispait, exaspéré, et parfois même quittait la table sans explication.

— Je n'ai pas envie d'être le fils d'un poivrot, ajouta-t-il durement.

C'était la première fois qu'il osait le dire, utilisant délibérément un mot injurieux.

— Viens, laisse-le dormir, souffla Virginie.

Elle avait promis de déposer Jérémie à l'arrêt du car, en partant pour Genève, mais, d'abord, ils devaient prendre leur petit déjeuner. Et rester là à observer Tristan la mettait très mal à l'aise.

— Viens, répéta-t-elle, je vais te faire du café et des toasts, on n'a plus qu'un quart d'heure...

La maison était silencieuse. Virginie trouva étrange que leur mère ne soit pas encore levée alors qu'elle était toujours la première dans la cuisine, surtout le lundi matin. Mais désormais, grâce à la petite Honda, Léa n'avait plus à les accompagner, et peut-être en profitait-elle pour rattraper un peu de sommeil en retard, elle qui devenait insomniaque ces derniers temps.

— Toi, tu t'en fiches, maugréa Jérémie en la suivant à travers le vestibule, ce n'est pas ton père. Le tien était un type exceptionnel, tout le monde te le dit, tu as bien de la chance.

— Ne me fais pas ce numéro-là, s'il te plaît ! J'aime beaucoup Tristan, et tu le sais. D'ailleurs, je n'ai aucun souvenir de mon père, c'est le tien qui m'a élevée. Ou, du moins, qui était là, qui était gentil avec moi, et…

Elle s'interrompit, à bout d'arguments, attisant sans le vouloir la fureur de Jérémie.

— Et quoi, ma vieille ? Tu cherches mais tu sèches, hein ? Il n'y a rien à dire sur papa, voilà le problème. Gentil, oui, si on veut, en tout cas toujours prêt à trinquer !

Ils n'avaient pas entendu arriver leur mère qui vint se planter entre eux.

— Vous vous disputez ?

Frileusement emmitouflée dans sa robe de chambre, les boucles en désordre, le regard inquiet, elle avait l'air si fragile que les deux jeunes gens la regardèrent sans répondre.

— Mon réveil n'a pas sonné, ajouta-t-elle d'un ton navré.

— Tu n'en avais pas besoin, protesta Virginie, je m'occupe de Jérémie.

— Oui, ma grande, mais je voulais au moins vous dire au revoir…

Elle se passa la main dans les cheveux, ce qui l'ébouriffa davantage, avant de leur adresser un sourire désarmant.

— Couvrez-vous bien tous les deux, il fait très froid.

Jérémie prit le temps de terminer son bol de café puis il leva les yeux vers sa mère.

— Tu l'as vu ? Un de ces quatre, il finira par dormir par terre. Il tombera là où il est, cramponné à une bouteille vide !

Fronçant les sourcils, elle s'approcha de lui, posa les mains sur ses épaules.

— Je ne veux pas t'entendre parler de cette façon. Il s'agit de ton père...

— Justement !

— Quoi que tu puisses dire, tu dois le dire avec un minimum de respect. Je sais qu'il existe un problème, je ne suis pas aveugle, nous pouvons en discuter si tu le souhaites, mais sans colère. D'accord ?

Jérémie secoua la tête, comme s'il refusait toute indulgence, cependant il resta silencieux.

— Il faut y aller, dit gentiment Virginie, tu vas rater ton car.

Léa les embrassa l'un après l'autre et les laissa partir. Elle écouta leurs pas décroître, la grande porte cintrée se fermer bruyamment, puis, quelques instants plus tard, le bruit du moteur de la Honda. Comme chaque lundi matin, le départ de Virginie créait un vide, un manque qui se ferait sentir jusqu'à la fin de la semaine.

Le silence était retombé sur la maison, et Léa resta longtemps immobile, songeuse. Dès qu'il serait majeur, Jérémie n'aurait qu'une hâte : filer s'installer ailleurs. Mais pour l'instant, à quinze ans, il subissait une situation difficile, étant d'une certaine manière seul dans son camp. Virginie, tout comme Léa, pouvait prendre ses distances vis-à-vis de Tristan, alors que Jérémie devait assumer sa filiation. La réaction de rejet qu'il venait d'avoir traduisait bien son malaise et prouvait qu'il avait besoin d'aide.

Elle était dans la galerie lorsqu'elle avait entendu son cri du cœur. *Toi, tu t'en fiches, ce n'est pas ton père. Le tien était un type exceptionnel, tu as bien de la chance.* Cette comparaison risquait de tourner à la rancœur, puis à l'idée fixe.

« Pourtant je sais qu'il aime son père, et toute la journée il va se reprocher de l'avoir mis en accusation. Ce soir, il sera le plus gentil des fils, jusqu'au moment où Tristan commencera à être ivre... Mon Dieu ! »

Pourquoi avait-elle laissé les choses aller si loin ? Chaque fois qu'elle avait abordé le problème, Tristan s'était réfugié dans le déni, considérant qu'il ne buvait pas plus que la plupart des gens. Au début de leur mariage, c'était sans doute vrai, mais, peu à peu, il avait dépassé les doses raisonnables, jusqu'à devenir un alcoolique chronique, jamais tout à fait saoul, mais la parole et le geste ralentis, le discours répétitif, l'air absent. Et il ne se souvenait que très rarement le matin de ce qu'on lui avait dit la veille au soir.

Elle éteignit la cuisine, traversa le vestibule et s'arrêta devant la porte du salon pour observer Tristan toujours endormi.

« Sauve-toi. »

Cette petite voix, qui venait de résonner dans sa tête, à qui appartenait-elle ? À sa propre raison ? Était-ce l'écho de ce que lui répétait Lucas ? Le conseil que lui aurait soufflé Martial ? Mais ce n'était pas à elle de se sauver. Si elle prenait la décision de divorcer, il faudrait que Tristan parte, et Jérémie souffrirait forcément de voir son père chassé de la maison.

La maison de Martial... Oh, bon sang, elle devait se débarrasser de son obsession morbide !

« Pourquoi ? Pourquoi ne pourrait-il pas continuer à veiller sur moi, où qu'il soit ? »

Un long frisson la secoua, et elle resserra machinalement sa robe de chambre autour d'elle. Que lui arrivait-il donc ? Était-ce le début d'une dépression ? L'angoisse de ne pas savoir gérer l'avenir ? Après tout, elle avait réussi à prendre en main l'exploitation forestière, elle allait en faire autant pour son existence. Sans attendre que Jérémie ait eu son bac ou atteint sa majorité, car, ce jour-là, elle se retrouverait prisonnière d'un intolérable tête-à-tête avec Tristan.

« Je ne tiens pas à passer le reste de mes jours à essayer de raisonner un alcoolique. Ni à vieillir sans amour, après avoir renoncé à tout ! »

Dans le mouvement qu'elle fit pour se détourner et sortir, elle crut soudain apercevoir une ombre mouvante, sur le mur. Pétrifiée, elle eut besoin d'une seconde pour comprendre qu'il s'agissait de son propre reflet dans le grand miroir du fond de la pièce. Un brusque afflux d'adrénaline faisait battre son cœur à toute vitesse, et elle s'obligea à respirer profondément. Que s'était-elle donc imaginé l'espace d'un instant ? Voir un fantôme ?

Tristan se mit à bouger et à grogner, la ramenant à la réalité. Il n'allait pas tarder à se réveiller pour de bon, ankylosé et de mauvaise humeur.

—Je vais me doucher, articula-t-elle à mi-voix.

Il faisait encore nuit, mais le temps qu'elle se lave et qu'elle s'habille, le jour serait levé.

« Aucun esprit ne hante cette maison, et si c'était le cas, ce serait fatalement un esprit bienveillant ! J'ai été ridicule d'avoir peur... »

Prête à se moquer d'elle-même, elle ébaucha un sourire avant de quitter le salon. Derrière elle, Tristan ouvrit les yeux et poussa un long soupir.

Un billon de trois mètres, fixé sur son chariot, avançait vers la lame. Lorsqu'il toucha celle-ci, un bruit strident s'éleva et les copeaux se mirent à jaillir. En quelques allers-retours du chariot sur ses rails, le tronc d'arbre ainsi débité en tranches dans le sens de la longueur allait devenir un plateau. Celui-ci serait ensuite dirigé vers la scie de reprise pour enlever les parties non rectilignes, et là seulement, on pourrait juger de la qualité des planches « avivées quatre faces ».

Léa s'éloigna de quelques pas, étourdie par le vacarme malgré ses oreillettes de protection. Le bois lui avait semblé de bonne qualité, présentant peu de nœuds ou autres défauts.

—Je peux vous parler une minute ? lui cria le contremaître avec un geste l'invitant à quitter le hangar.

Elle le suivit à contrecœur, à peu près certaine de ce qu'il allait lui dire. Une fois dehors, ils se firent face tandis que le lourd rideau de plastique se refermait derrière eux.

— Nous avons cinq jours de travail devant nous, déclara l'homme d'un ton inquiet, presque agressif. Après, c'est le vide ! Où est passé le patron ?

— Il cherche des commandes, répondit-elle calmement.

Ajouter à l'anxiété des employés de la scierie ne servirait à rien, mais en réalité, elle ignorait ce que Tristan faisait de ses journées. Sachant qu'elle était en train d'effectuer des coupes, il estimait sans doute inutile de trouver d'autres clients. Qu'arriverait-il si elle décidait de s'adresser ailleurs, comme le suggérait Lucas ?

— Quel volume nous donnerez-vous d'ici à la fin de l'année ? insista le contremaître.

Il voulait obtenir la certitude de ne pas affronter un chômage technique dans les semaines à venir, et il était obligé de s'adresser directement à elle puisque son patron n'était jamais là. Résignée, Léa sortit son carnet de sa poche, énonça des chiffres, des dates. Par son incompétence et sa paresse, Tristan la mettait au pied du mur, elle n'avait pas d'autre choix que lui livrer la totalité de son bois pour alimenter la scierie. Personne ne comprendrait qu'elle ne le fasse pas, ils étaient mariés et défendaient censément les mêmes intérêts.

— Il y a aussi deux lames à changer, elles sont en bout de course. C'est prévu ?

La question prit Léa au dépourvu. Elle ignorait les intentions de Tristan à ce sujet, mais elle savait qu'il rechignait toujours à dépenser de l'argent.

— Je repasserai dans l'après-midi pour vous donner la réponse, affirma-t-elle avec une assurance qu'elle était loin de ressentir.

Discuter avec Tristan la fatiguait d'avance. Il allait se mettre en colère, prétexter qu'il n'avait aucune trésorerie disponible, et au bout du compte, il lui demanderait sans doute d'avancer la somme. Combien de fois l'avait-il piégée de la sorte ? *On ne va pas bêtement donner des intérêts aux banques alors qu'on peut se dépanner entre nous !* Mais cette prétendue solidarité ne fonctionnait que dans un sens, bien entendu. Et dans ce cas précis, si elle refusait, elle serait la première à pâtir de la mauvaise qualité des lames.

Elle adressa un sourire crispé au contremaître et se détourna. La journée s'annonçait tellement mal qu'au lieu de regagner sa voiture, elle se dirigea droit vers le chalet. Raphaël dut l'apercevoir par une fenêtre, car il lui ouvrit avant même qu'elle n'atteigne la porte.

— L'odeur de mon café se répand jusqu'à la scierie ? plaisanta-t-il.

Des dossiers encombraient les deux grands bureaux, et l'écran de l'ordinateur affichait une série de graphiques.

— Je vous dérange, constata Léa.

— Au contraire, j'ai besoin d'une pause. Figurez-vous que j'ai retrouvé un bouquin intitulé *Vade-mecum du forestier*, édité il y a une trentaine d'années par la Société forestière de Franche-Comté, et qui a été l'un de mes bréviaires pendant mes études. Je compare les données de l'époque aux nôtres, c'est absolument passionnant !

Léa se mit à rire, séduite par son enthousiasme. Elle jeta un nouveau coup d'œil à l'écran, avoua qu'elle n'y comprenait rien et se laissa entraîner en bas, au carnotzet.

— Y aurait-il un problème à la scierie ? interrogea-
t-il en sortant deux tasses d'un placard. D'ici, je vous
ai vue discuter avec le contremaître, qui faisait plutôt
grise mine…

— Il a deux lames à changer d'urgence, et il voit
bien que je suis l'unique client de son planning.

— De quoi s'inquiéter, en effet !

— D'autant plus que Tristan ne se démène pas
beaucoup pour arranger les choses.

— Il compte sur vous pour sauver la situation,
non ? À mon avis, et même si vous ne me le demandez
pas, vous devriez prendre vos distances avec la scierie.
Elle est destinée à disparaître, faute de moyens pour se
moderniser. Votre mari a trop de retard à rattraper, et
pas vraiment envie de le faire. Son séchoir devrait être
trois fois plus grand, sans parler de la température à y
maintenir ! Les planches ne gagnent rien à stagner là-
dedans, je suis sûr que vous le savez.

Pour atténuer son propos, il esquissa un sourire
d'excuse et attendit qu'elle réagisse.

— Vous oubliez un détail, finit-elle par répliquer,
c'est la proximité.

— Aucun intérêt. Une fois sur la route, les grumiers
n'en sont pas à quelques kilomètres près ! De toute
façon, la scierie devient une industrie lourde, qui
réclame des investissements énormes, avec un outillage
de plus en plus performant, et les petites structures
archaïques ne s'en sortiront pas.

— Peut-être, mais ce n'est pas moi qui vais aller
l'expliquer aux employés ! Ces types-là travaillent pour
Tristan depuis près de vingt ans, vous vous rendez
compte ? D'ailleurs, je ne partage pas votre analyse, je

pense qu'il y aura toujours de la place pour les petites entreprises, à condition de se battre. Ce que Tristan ne fait pas, c'est vrai…

Découragée, elle repoussa sa tasse de café sans y avoir touché.

— Léa ? dit Raphaël d'une voix douce.

Relevant la tête, elle croisa son regard. Durant quelques instants, ils restèrent silencieux, les yeux dans les yeux, puis Raphaël tendit sa main au-dessus de la table et la posa sur celle de Léa.

— Vous avez beaucoup trop de soucis, vous ne devriez penser qu'à la forêt. Quand vous voyez un beau fayard, vous ne vous demandez pas s'il va finir en marche d'escalier ou en crosse de fusil ?

Il plaisantait, peut-être pour détendre l'atmosphère un peu ambiguë qui venait de s'installer entre eux, cependant il n'avait pas retiré sa main. Elle trouvait ce contact plutôt agréable, en tout cas apaisant, et elle finit par lui sourire.

— C'est quoi notre programme de travail, aujour-d'hui ?

— Il faut qu'on se mette d'accord sur les semis de printemps. Mais pour ça, on doit aller voir sur place.

— Très bien.

À regret, elle se leva, sentant les doigts de Raphaël glisser sur son poignet. Brusquement troublée, et sur-prise de l'être, elle bredouilla :

— Passez me prendre après le déjeuner, disons vers deux heures, ou plutôt une heure et demie, la nuit tombe si vite !

Il l'observait sans bouger, toujours assis, avec cette expression indéchiffrable qu'il affichait parfois.

— Bon, je me sauve, ajouta-t-elle de manière tout à fait superflue.

Son départ ressemblait en effet à une fuite, elle s'en fit le reproche tandis qu'elle gravissait l'escalier puis traversait le bureau. Jamais elle n'avait éprouvé la moindre gêne avec Raphaël, et un simple geste amical n'aurait pas dû l'embarrasser.

« Je viens le déranger pour me plaindre, et parce qu'il me tapote gentiment la main, me voilà comme une collégienne affolée ! J'espère qu'il n'a rien remarqué, sinon je vais mourir de honte. Je dois vraiment être en mal d'affection, c'est pathétique... »

Depuis quand Tristan ne lui avait-il pas adressé un compliment ? Ils ne se touchaient plus, s'observaient en adversaires ou s'évitaient. Combien de temps une femme pouvait-elle se passer de tendresse et de caresses avant de se sentir transparente ? Une irrésistible envie d'aller se réfugier dans les bras de Lucas faillit la précipiter sur la route de Lons, mais elle devait d'abord parler de la scierie à Tristan. L'obliger à chercher une solution, à affronter ses employés. Dans quel état serait-il après sa nuit passée sur un fauteuil du salon ? À cette heure-ci, elle avait une chance de le trouver à peu près sobre, si elle se dépêchait de rentrer chez elle.

Lucas quitta le Musée international de l'automobile avec la tête pleine de voitures de légende. Il avait vu la Jeep du général Patton et la Fiat de Mussolini, une Bugatti de 1924 et une Alfa Romeo de 1939, ainsi qu'une série de belles italiennes racées telles que Ferrari ou Lamborghini. Sa visite improvisée, qui n'était à l'origine qu'un prétexte pour s'évader un peu de Lons, l'avait finalement comblé.

Il récupéra sa Honda au parking et décida de gagner le centre de Genève. Un peu de shopping sur la rive gauche le tentait assez, ensuite il irait boire une bière du côté de la place du Molard, et après il verrait bien.

Pendant un long moment, il déambula devant les vitrines, rue de la Confédération puis rue de la Corraterie, avant d'acheter un blouson en agneau glacé pour Malo et un bracelet pour Léa. Le casse-tête des cadeaux de Noël étant réglé, il s'offrit un pull en cachemire bleu nuit dont il avait envie depuis des mois. À vue de nez, il venait quasiment de vider son compte courant et il décida d'arrêter les frais. Restait à prévoir sa fin de journée. S'il passait la soirée à Genève, il ne la terminerait pas seul, il le savait. Mais n'était-ce pas précisément la raison de sa présence en Suisse ? Il était venu pour *se changer les idées*, une formulation exacte qui avait le mérite de ne blesser personne.

Attablé devant une bière blonde, il essaya de mettre de l'ordre dans ses pensées, ses désirs. S'était-il détaché de Malo ou refusait-il cet attachement ? Rentrer au milieu de la nuit constituerait une provocation. Que cherchait-il donc à déclencher ? Espérait-il trouver la vérité dans une scène de ménage ?

Au beau milieu de ses réflexions moroses, l'idée de Léa s'imposa brusquement à lui. Quand ce phénomène se produisait, c'était comme si le fil mystérieux reliant des jumeaux se trouvait soudain tendu. Sa sœur n'allait pas bien, il en eut la certitude, et si elle avait besoin de lui, il devait rentrer sur-le-champ. À tout hasard, il sortit son portable de sa poche. Léa lui avait laissé un texto assez sibyllin : « Journée mouvementée. Peux-tu dîner avec moi ? » Il l'appela aussitôt et proposa de la rejoindre dans un petit restaurant de Saint-Laurent où ils avaient leurs habitudes.

Sur la route, il rencontra de la neige dès la côte de Nyon, et il eut quelques difficultés à passer Les Rousses. L'hiver arrivait en force, il allait falloir compter avec le froid désormais

Du plat de la main, Malo lissa distraitement le chèque posé sur le coin de la table. Une fiche de paye détaillée, et un chèque correspondant à son salaire et à ses commissions : il n'y avait rien à redire, le patron payait rubis sur l'ongle ! Levant les yeux au ciel, Malo maîtrisa un geste de colère. N'était-il qu'un bon vendeur, le commercial du garage de Lucas ? À chaque fin de mois, les enveloppes étaient prêtes pour la secrétaire, les mécanos et le chef d'atelier, et aussi pour lui, Malo, employé comme un autre.

— Et après ? dit-il à voix haute. Tu préférerais qu'il oublie de te payer ?

Dans le four devenu tiède, un gigot aux airelles attendait pour rien, la sauce se figeant dans le plat. La perspective de l'entamer seul n'avait rien de réjouissant, autant se faire un sandwich et aller grignoter devant la télé.

— C'est ta faute, il n'a pas dit qu'il rentrerait dîner. Se *changer les idées* inclut peut-être un bon restau à Genève !

À condition de ne pas s'absenter ensemble, à cause du garage ouvert six jours sur sept, chacun avait le droit de s'évader de Lons quand l'envie le prenait. Mais Malo ne partait jamais, il était heureux ici, du moins l'avait-il été jusqu'à ce que Lucas commence à changer d'attitude.

— S'il en a marre, le mieux serait qu'il le dise…

Sauf qu'il n'avait aucune envie d'entendre ça. Il ne voulait même pas y penser. Et pas davantage à ce que pouvait bien faire Lucas en ce moment. Dans le salon, il s'installa sur le canapé, ramassa un journal qui traînait, le replia, puis tendit la main vers le cendrier posé sur la table basse. Pourquoi laissait-il cet objet là, tout en faisant la guerre à Lucas à propos de ses cigarettes ?

— Tu devrais lui foutre la paix au lieu de le harceler.

Hélas, il ne pouvait pas s'en empêcher. Son père était mort d'un cancer, et l'idée que Lucas puisse connaître ce genre de fin lui était insupportable.

— Tu te conduis en dame patronnesse, alors ne t'étonne pas s'il va s'amuser ailleurs !

Fumer, boire, draguer, chercher un compagnon occasionnel avec qui il n'y aurait ni discours moralisateur ni interdits. Promeneur anonyme dans une grande ville cosmopolite comme Genève, Lucas était sûrement en train de se faire plaisir, difficile de le lui reprocher.

La sonnerie du téléphone le sortit brutalement de sa morosité, et il se précipita pour décrocher.

— Salut, tu regardais la télé ?

La voix de Lucas semblait assez joyeuse pour hérisser Malo qui, malgré ses bonnes résolutions, répondit sèchement :

— Non, le programme est nul, je vais aller au cinéma.

— Il neige, à Lons ?

S'approchant d'une fenêtre, il écarta les rideaux qu'il avait pris soin de tirer et eut la surprise de voir tourbillonner de gros flocons.

— Oui…

— Je parie que tu n'en savais rien ! s'amusa Lucas. Bon, j'ai trouvé ton cadeau de Noël, et maintenant je dîne avec Léa. À plus tard.

Avant que Malo puisse répondre, la communication fut coupée. Furieux contre lui-même, il jeta rageusement le téléphone sur le canapé. Savoir Lucas en compagnie de sa sœur et apprendre à quoi il avait consacré son après-midi le soulageait vraiment, mais en revanche, ce *à plus tard* avait été d'une telle désinvolture, d'une si effrayante froideur…

— Bon sang, nous ne sommes pas des colocataires ou des copains de régiment !

Il fila à la cuisine et remit le four en route, bien décidé à goûter son gigot avant de foncer au cinéma.

— Ne ris pas comme ça, exigea Léa, je me sens ridicule.

— Oh non, non ! Au contraire, tu es formidable.

106

— À quarante ans !

— Pas tout à fait. Laisse-nous vieux trentenaires encore deux mois. En attendant, il n'y a rien de ridicule dans ce que tu me racontes. Je ris parce que c'est gai, voilà tout. Si ton cœur bat quand un homme te frôle la main, laisse-toi aller.

— Je suis une femme mariée...

— Si peu !

— Une mère de famille.

— Et ça signifierait que tu n'as plus le droit d'exister ? Tes enfants sont grands, ils voleront mieux de leurs propres ailes s'ils te savent épanouie au lieu de t'étioler. Raphaël est *très* séduisant, je te le dis depuis le début. Ses yeux verts, son sourire en coin... j'adore. D'autant plus que, soyons réalistes, tu habites un trou perdu où les rencontres sont rares. Combien y avait-il de probabilités qu'un type comme lui croise ta route ?

— Mais, arrête ! Je ne sais même pas si je l'intéresse, et je ne connais rien de sa vie.

— Eh bien, on va tâcher d'en apprendre davantage puisqu'il nous invite à dîner vendredi. Je m'en réjouis d'avance !

Installés près de la cheminée, ils étaient les derniers clients. Le restaurant, minuscule, ne comptait que huit tables mais servait l'une des meilleures fondues de la région, préparée avec quatre variétés de fromage et accompagnée d'un admirable pain fait maison. Ravis d'avoir découvert l'endroit par hasard un soir de l'hiver précédent, Lucas et Léa ne partageaient cette adresse avec personne, c'était leur rendez-vous secret lorsqu'ils avaient des choses à se dire en tête-à-tête.

— Ne te sens pas coupable, ajouta Lucas. Ne censure pas tes envies, tes pensées ou tes actes, ça ne sert à rien. Tu n'as pas été très heureuse jusqu'ici, prends ta chance si elle passe. C'est ce que j'ai cru faire avec Malo, et je ne le regrette pas.

— Mais tu es déçu ?

— Franchement, je l'ignore. Je suis en pleine confusion ces temps-ci.

Il tourna la tête vers la fenêtre, observa les flocons qui défilaient devant la vitre obscure.

— L'arrivée de l'hiver rend tout le monde mélancolique, soupira-t-il.

— Pas moi. Écoute, dans quelques jours on ira faire du ski de fond tous les deux, tu veux ? Je te rappelle que ce que tu considères comme un « trou perdu » est aussi une somptueuse région de lacs, de cascades, de pentes inexplorées, de…

— D'accord, d'accord ! dit-il en levant la main pour l'interrompre. Ne me fais pas le coup du guide touristique, j'ai usé plusieurs paires de Rossignol autour de chez toi.

Combien de fois Martial les avait-il entraînés dans d'épuisantes randonnées à ski ou en raquettes ? Ils partaient de *La Battandière* au lever du soleil et ne rentraient qu'à la nuit tombée. Martial connaissait chaque sentier, chaque col, il leur faisait découvrir des paysages grandioses, leur réservait des descentes mouvementées. À l'époque, ils l'auraient suivi n'importe où les yeux fermés, ils étaient jeunes, ils s'amusaient comme des fous.

— Je vais t'ouvrir la route, décida Lucas. Pour l'instant, ce n'est qu'un peu de poudreuse, ça ne gèle pas, mais tu feras attention. En ce moment, je m'inquiète pour toi, j'ai tout le temps l'impression que tu es en danger... Tristan n'a jamais l'alcool violent, tu me le jures ?

— Tu serais la première personne à qui j'en aurais parlé ! Non, boire le fait dormir. Il ressasse ses malheurs, ensuite il s'écroule. Je n'ai pas peur de lui, Lucas, je ne risque rien.

— On ne devrait jamais dire des choses pareilles. Tu vis dans une grande maison très isolée, avec un ivrogne et un ado. Je me fais du souci pour toi.

Elle le scruta un moment, intriguée par ce qu'il venait de dire. Leurs intuitions de jumeaux les trompaient rarement, et si Lucas se sentait angoissé pour elle, c'est qu'il y avait quelque chose. Mais quoi ?

— J'ai fait beaucoup de cauchemars ces dernières nuits, avoua-t-elle à contrecœur. Je rêve de Martial, et les réveils sont durs.

Les yeux gris de Lucas restaient plongés dans les siens, la mettant vaguement mal à l'aise.

— Il faut tourner la page, Léa, murmura-t-il enfin avec beaucoup de tendresse. Laisse Martial au fond de ton cœur et sors Tristan de ta vie, tu redeviendras libre. Que ce soit pour Raphaël ou n'importe qui d'autre, saisis ta chance maintenant, après, ce sera trop tard, tu n'auras plus l'énergie.

Était-ce ce qu'elle avait espéré de ce dîner ? En lui offrant son approbation et son soutien, Lucas l'aiderait à faire ce pas qu'elle n'osait pas accomplir : enterrer le passé pour de bon, et bouleverser le présent sans états d'âme.

Ils se levèrent pour aller régler l'addition au comptoir avant de sortir dans le froid de la nuit. Leurs voitures étaient déjà toutes blanches, et la neige crissait sous leurs pas. Debout à côté de sa portière ouverte, Léa frissonna puis tendit les bras à son frère. Tandis qu'il l'étreignait, il lui souffla à l'oreille :

— Courage, ma belette…

Enfants, dès qu'il l'avait dépassée en taille, il s'était gentiment moqué d'elle en lui donnant ce surnom. Il ne l'utilisait plus aujourd'hui que dans les instants d'émotion.

D'un revers de main, Jérémie essuya le sang sur son menton.

— On arrête, on arrête. ., haleta le garçon qui titubait, face à lui.

Aucun surveillant ne se trouvait dans la cour pour l'instant. Néanmoins, on pouvait les voir se battre depuis les fenêtres du bâtiment le plus proche, et aucun des deux n'avait envie d'écoper d'une punition.

— Pauvre con ! gronda Jérémie en se détournant.

Mais il n'était pas sûr de lui, pas du tout sûr d'avoir eu raison. Il s'éloigna à grandes enjambées en direction des toilettes, pressé d'aller se débarbouiller avant la sonnerie. Depuis le début du trimestre, il accumulait les billets de retard et les mauvaises notes. Débarquer dans une salle de classe avec une tête de boxeur ne ferait qu'ajouter à ses problèmes.

La tête penchée au-dessous d'un robinet, il fit couler de l'eau froide sur son nez qui saignait toujours.

L'adolescent qui lui avait cherché querelle était le fils d'un des employés de la scierie, ce qui expliquait son agressivité et justifiait ses paroles pleines de mépris. « Ton père passe plus de temps au bistrot que dans sa boîte, il va foutre tout le monde au chômage, cet ivrogne ! » Le dernier mot avait mis Jérémie hors de lui. À présent, il regrettait d'avoir frappé le premier, comme une brute, au lieu de passer son chemin. Son père était *effectivement* un alcoolique, et à cause de lui, des gens allaient se retrouver sans travail. D'ici peu, tous ses copains de lycée le sauraient, il se sentait malade d'avance rien que d'y penser. En général, quand on lui parlait de ses parents, il éludait le sujet, et il n'invitait jamais personne chez lui. Pourtant, un mois plus tôt, une fille de sa classe lui avait lancé : « Paraît que ta mère est une sacrée nana ? Je le tiens d'un copain de mon frère qui travaille en forêt. Il dit qu'elle n'amuse pas le terrain, je trouve ça génial ! » L'intonation admirative ne laissant aucun doute, Jérémie s'était senti tout fier. Aujourd'hui, il avait honte de lui, honte de sa famille, et ce sentiment insupportable l'étouffait. Voilà pourquoi il s'était stupidement battu. Mais ses poings ne pouvaient rien changer à la réalité. Chaque week-end, ils en discutaient longuement, Virginie et lui, sans entrevoir de solution, aussi inquiets l'un que l'autre pour leur mère. Dans ces moments-là, Jérémie était à la fois très proche de sa sœur et très seul. Il aimait son père, il désirait le défendre, il aurait voulu ne pas le juger, mais il finissait immanquablement par le condamner.

Il se redressa, le visage ruisselant et le col de son pull trempé. Une sonnerie stridente le fit sursauter.

L'intercours était terminé, il avait intérêt à cavaler jusqu'à sa classe en ne pensant à rien d'autre qu'au programme de physique auquel il n'avait rien compris jusque-là.

— Cent quarante millions de mètres cubes de bois, répéta Raphaël. Voilà ce que les tempêtes de 99 ont abattu à travers la France. Ce qui ne représente jamais que trois années d'exploitation normale.

— Vous connaissez toujours la bonne réponse, le chiffre exact, ça me fascine ! Avant que j'en sache autant...

Léa esquissa un sourire puis se remit prudemment en marche. Sur le sentier à flanc de colline, le vent avait durci la neige, rendant la descente hasardeuse. Dans ses bottes imperméables et fourrées, elle avait mis une paire de chaussettes en laine par-dessus une paire en soie, ce qui la protégeait très bien du froid depuis le début de l'après-midi.

— Vu les dégâts, reprit-elle, je croyais qu'il faudrait attendre au moins dix ou quinze ans pour que les cours remontent, mais finalement, les choses se sont stabilisées plus vite que prévu.

— Vous étiez vraiment pessimiste.

— Non, ce n'est pas ma nature, je ne faisais qu'écouter les autres, et à l'époque, je n'osais pas avoir d'opinion tranchée. Maintenant que je vous ai..

Elle s'interrompit, un peu embarrassée par sa tournure de phrase, mais il ne parut pas y prêter attention et enchaîna :

— Avant les grosses chutes de neige, on peut continuer à sortir l'après-midi et travailler au chalet le matin, si ce programme vous convient. En janvier et février, il y aura un creux. Peut-être pourrait-on se pencher sur les problèmes de la scierie à ce moment-là ?

Il marchait à côté d'elle sans la regarder, trop occupé à observer chaque détail de la forêt.

— Franchement, je ne sais pas, répondit-elle d'un ton hésitant.

Voir péricliter l'affaire de Tristan lui fendait le cœur, mais elle n'avait plus envie de s'impliquer. D'ailleurs, il n'y avait pas que la scierie qui mourait à petit feu, son mariage ne valait guère mieux.

— Faites ce que vous voulez, Raphaël. Si vous avez du temps, consacrez-le à Tristan, pourquoi pas ? Je ne vais pas me livrer à un décompte et lui facturer vos heures ! Mais je ne pense pas que vous arriverez à le convaincre de changer quoi que ce soit. Vous l'avez dit vous-même, c'est une question de volonté, qu'il n'a pas.

Il s'arrêta, se tourna vers elle et la dévisagea. Gênée par cet examen, elle crut nécessaire de s'expliquer.

— Vous me trouvez égoïste, indifférente ? Écoutez, je ne vais pas vous raconter ma vie, mais...

— Dommage !

— Quoi ?

— J'aimerais bien que vous m'en disiez davantage sur vous. Des trucs plus personnels. On a beau travailler ensemble depuis un moment, je ne connais pas grand-chose de vous.

— Quel rapport avec la scierie ou la forêt ?

— Absolument aucun.

Désemparée, Léa eut un petit rire qui manquait de conviction.

— Vous voulez tout savoir ? Eh bien, j'étais une enfant plutôt sage, puisque nous nous entendions parfaitement Lucas et moi. Comme tous les jumeaux, nous vivions un peu dans notre bulle, sans nous occuper du monde extérieur. Mon père avait une petite entreprise d'électricité, et ma mère était institutrice.

— C'est vrai ? Alors nous avons un point commun, ma mère était prof de français !

— À Paris ? Croyez-moi, ça n'a rien à voir avec une instit' de campagne. Nous habitions un village où tout le monde se connaissait, j'en garde de bons souvenirs. Et puis, très tôt, il y a eu Martial… Il m'avait repérée au bord du lac de Chalain, un dimanche où nous faisions du pédalo avec Lucas. Il a toujours prétendu qu'il s'agissait d'un coup de foudre, c'était follement romantique, mais je n'avais pas encore seize ans, il a fallu attendre. Je ne sais plus comment j'ai eu mon bac, sûrement par miracle parce que je ne pensais qu'à Martial, j'étais éperdument amoureuse. C'est Lucas qui nous servait de chaperon quand nous sortions, ça rassurait mes parents, sauf qu'il en profitait pour filer de son côté !

— Et vous faisiez les quatre cents coups ?

— Pas exactement. Dès le début, Martial m'a parlé mariage. J'ai vu qu'il était sérieux, responsable, patient, je lui ai donc fait confiance. Ce qui ne nous a pas empêchés de nous amuser ! En réalité, on flirtait à outrance, mais on trouvait aussi le temps de pique-niquer en forêt, d'aller nager ou pêcher dans les lacs.

de visiter des grottes, de faire du ski sauvage, des randonnées en raquettes...

S'en souvenir la rendit songeuse, et elle se tut.

— Continuez, l'encouragea Raphaël, j'adore cette histoire.

— Pourtant, elle finit mal. Quand j'ai eu dix-huit ans, on s'est mariés et je me suis installée dans sa maison. La maison de Martial...

Elle fit une nouvelle pause, esquissa un sourire incroyablement triste, puis enchaîna :

— Il passait beaucoup de temps dehors, il était fou de ses forêts. Il voulait tout m'expliquer et je l'accompagnais souvent, mais l'année suivante, j'étais déjà enceinte de Virginie. Martial a été formidable, comme toujours. Il adorait s'occuper d'elle dès qu'il rentrait, c'était un père très concerné. Je n'ai pas vu passer le temps, je nageais dans le bonheur, tout allait bien. Et puis il y a eu l'accident, tellement improbable, tellement tragique... Martial avait trente ans quand il est mort, moi vingt-trois. Voilà, je vous ai tout raconté.

Sans la quitter des yeux, Raphaël s'était adossé à un arbre tandis qu'elle parlait. Il ne la laissa pas s'attendrir et lui lança :

— Votre vie s'est arrêtée là pour toujours, à vingt-trois ans ?

— Non, mais le reste n'est pas passionnant. D'ailleurs, vous connaissez l'essentiel, je me suis remariée avec Tristan et nous avons eu Jérémie. Seulement je n'avais pas fait mon deuil et j'ai mis longtemps, très longtemps à émerger. Trop, sans doute. Si aujourd'hui je peux reprendre en main mon exploitation, en revanche mon couple est fichu, et j'ai forcément une part de responsabilité là-dedans. Triste bilan, non ?

— Oh, vous n'avez rien à vous reprocher ! Vous avez de beaux enfants, c'est une réussite, et vos forêts sont toujours là.

Il pensait qu'en épousant un homme comme Tristan elle s'était mis une véritable pierre autour du cou, mais il se garda bien de le dire.

— Vous laisserez quelque chose après vous, Léa. Combien d'entre nous peuvent s'en vanter ?

À quelques pas d'eux, un écureuil traversa le sentier en trois bonds et s'élança à l'assaut d'un arbre. Léa le suivit du regard, puis fit de nouveau face à Raphaël.

— Je suis tres bavarde aujourd'hui, et pendant ce temps-là je n'apprends rien de vous. Allez, chacun son tour, c'est le jeu !

Il eut un geste d'impuissance qui la fit rire.

— Votre enfance, d'abord, insista-t-elle, et après, les femmes.

— Bon… Je suis un vrai gamin de Paris, du quartier des Batignolles. J'ai deux sœurs et j'ai plus ou moins aidé ma mère à les élever. Sans être pauvres, nous n'avions pas beaucoup d'argent, alors il fallait de l'imagination. Heureusement, nous n'en manquions pas ! À l'époque, trouver des petits boulots n'était pas difficile, j'ai ainsi été pion, laveur de carreaux, pompiste, livreur de pizzas et déménageur pendant mes études. On habitait un grand appartement, avec des parquets qui craquent et des cheminées en marbre où il nous arrivait de faire du feu malgré l'interdiction, pour épargner la vieille chaudière à gaz. La baignoire perdait son émail par plaques, les miroirs étaient piqués, pourtant on se sentait privilégiés d'avoir autant de place. Chacun sa chambre, on aurait même pu faire du patin à roulettes dans les couloirs !

Léa l'écoutait attentivement, la tête penchée de côté. Elle aussi avait fini par s'adosser à un tronc, et pour une fois, elle ne semblait pas avoir froid.

— Plus tard, l'une de mes sœurs a épousé un Canadien et elle est partie s'établir à Montréal. L'autre, Céline, est pharmacienne à Paris, mariée et mère de deux enfants.

— Et vous ?

— Je n'ai pas eu la chance de rencontrer la femme idéale. Je crois que je les ai assez mal choisies.

— Aucune histoire sérieuse ?

— Rien qui vaille la peine d'être raconté.

— Vous ne trichez pas ?

— Si peu ! Pour l'anecdote, la dernière qui ait compté n'a pas supporté que je veuille m'occuper de ma mère, matériellement et affectivement. Comme si c'était une preuve de faiblesse de prendre en charge un parent malade, voire un manque de virilité. En réalité, c'était l'aspect financier qui la gênait. Par chance, je ne lui avais pas encore demandé sa main, la séparation s'est faite en cinq minutes chrono. Tout ça n'est pas très romantique...

— Vous pourriez l'être ? ironisa Léa.

— Romantique ? Je crois que j'aimerais bien essayer.

En le disant, il eut brutalement conscience de l'attrait que Léa exerçait sur lui. Quand était-ce arrivé ? À quel moment avait-il cessé d'être indifférent ? Il ne s'était rendu compte de rien, hormis le plaisir évident d'être avec elle, mais se promener ensemble dans les bois faisait partie de leur travail, il n'y avait vu aucun danger jusque-là.

— On devrait bouger un peu, proposa-t-il pour prendre une contenance, vous allez avoir froid.

— C'est gentil de vous en soucier, tout le monde me met en boîte parce que je suis frileuse, mais personne ne fait jamais rien pour me réchauffer !

Interloqué, il hésita une seconde puis franchit le pas qui les séparait et lui mit un bras autour des épaules. Son geste, un peu maladroit, pouvait s'interpréter de diverses manières, cependant elle se blottit spontanément contre lui. La sentant trembler, il resserra son étreinte sans rien oser d'autre, et ils restèrent un moment enlacés dans le silence un peu oppressant de la forêt.

— Léa, chuchota-t-il enfin.

Elle s'écarta, comme à regret, évitant de le regarder.

— Léa ?

— Il fait très sombre, bredouilla-t-elle. Vous croyez qu'il va se remettre à neiger ?

— Franchement, ça m'est égal. J'ai bien aimé vous tenir dans mes bras.

Maintenant qu'elle se trouvait à deux mètres de lui, il pouvait la détailler à loisir, petite silhouette menue engoncée dans sa parka et ses bottes fourrées. Il remarqua que ses grands yeux gris formaient deux taches claires au-dessus de ses pommettes marquées de rouge, et aussi qu'elle gardait la bouche entrouverte parce qu'elle respirait vite. Si elle était aussi bouleversée que lui, c'était plutôt bon signe.

— Rentrons, suggéra-t-elle d'une voix mieux assurée.

Il la suivit en silence, bien décidé à ne pas gâcher l'instant d'abandon qu'elle lui avait offert. Autour d'eux, la forêt devenait obscure dans le jour finissant. Combien de temps s'étaient-ils donc attardés ?

En bas de la pente, leurs deux voitures étaient garées l'une derrière l'autre. Léa s'arrêta à hauteur de la sienne et ouvrit tout de suite sa portière, mais Raphaël la rejoignit avant qu'elle ne monte.

— Vous dînez tous chez moi ce soir, vous vous en souvenez ?

Elle le regarda d'abord avec effarement, puis hocha la tête à plusieurs reprises.

— Ah oui... bien sûr ! À quelle heure ?

— Venez quand vous voulez, j'ai vraiment prévu une raclette, je n'aurai pas de cuisine à faire.

Quelques jours plus tôt, cette invitation lui avait semblé une bonne idée, à présent, il en était beaucoup moins sûr.

— Je me dépêche, affirma-t-elle.

De façon tout à fait inattendue, elle tendit la main vers lui, effleura sa joue. Il devina qu'il ne devait rien faire, rien dire, et il la laissa partir.

Malo était contrarié, Lucas ayant refusé de le laisser conduire sous prétexte que la route était pleine de pièges, surtout gelée et de nuit.

— Je ne suis pas un débutant, Lucas !

— Alors, disons que ça me fait plaisir de tester ce petit 4 × 4. Et je peux déjà t'annoncer que je le trouve pataud, son centre de gravité est trop haut perché.

— Ah bon ? En plus, CR-V n'est pas un nom très attractif pour la vente. Les clients préfèrent les mots faciles à retenir. Mais peu importe, je te parie que je le vendrai avant Noël !

Incapable de bouder plus de cinq minutes, Malo cala sa nuque contre l'appuie-tête, apparemment décidé à profiter de la soirée.

— Il est sympa, ce Raphaël ?

— Oui. D'autant plus que Léa le trouve à son goût.

— Magnifique ! J'ai hâte de voir ça.

— Tu ne verras pas grand-chose parce que Tristan sera là aussi, avec les jeunes.

Lucas négocia un virage difficile, grommelant contre la lourdeur de la voiture. Dans la lumière des phares, tout était uniformément blanc, la route comme les bas-côtés, et ce qu'ils apercevaient des arbres semblait fantomatique.

— La montagne, la forêt, la pleine lune, énuméra Malo, ne manque plus qu'un loup-garou ! Passer tout l'hiver dans un coin aussi isolé doit être très oppressant. Léa n'a jamais peur ?

— De quoi ? La maison de Martial pourrait résister à n'importe quelle tempête, c'est une véritable forteresse.

— Je ne parlais pas de ça. Et arrête de dire « la maison de Martial ». La maison de Léa serait plus approprié. Mais je maintiens qu'il faut un certain courage pour habiter cet endroit.

Lucas eut un sourire distrait. Il savait que sa sœur n'aurait déménagé pour rien au monde, et il la comprenait. Néanmoins, il la sentait tendue, nerveuse, mélancolique. Était-ce son intérêt soudain pour

Raphaël qui la perturbait ? Ses cauchemars récurrents pouvaient s'expliquer par sa volonté occulte de ne pas oublier Martial, de ne pas le *remplacer*. Tristan ne comptait pas, n'avait jamais compté, au fond.

De loin, ils virent le chalet dont toutes les fenêtres étaient éclairées, se détachant nettement devant la masse sombre des hangars de la scierie. Raphaël les accueillit sur le perron de bois et se dépêcha de les faire entrer.

— Nous sommes au sous-sol, au carnotzet, ici c'est l'étage des bureaux, expliqua-t-il en les guidant vers l'escalier.

En bas, un grand feu brûlait dans la cheminée d'angle et une table avait été dressée au milieu de la pièce. L'atmosphère semblait joyeuse, avec Léa et Virginie en train de se réchauffer devant les flammes, Tristan qui débouchait une bouteille de champagne, et Jérémie occupé à brancher les deux appareils à raclette.

— Vous êtes courageux d'être venus par ce temps, apprécia Raphaël.

Il tendit un verre à Lucas puis à Malo, avant de lever le sien.

— Bienvenue au chalet, je suis ravi de vous recevoir.

— Eh bien, le décor a changé ! fit remarquer Lucas en regardant autour de lui.

Tristan leva les yeux au ciel, vexé par cette réflexion.

— On ne s'est pas dit bonsoir, je crois, lâcha-t-il d'une voix ironique.

— Ah, beau-frère, je ne t'avais pas vu ! s'excusa Lucas sur le même ton. J'étais en admiration devant cette pièce que je n'aurais jamais imaginée si agréable.

Un vrai carnotzet suisse, où il fait bon vivre les soirs d'hiver. Comme quoi il suffisait d'un peu de goût pour l'arranger…

Ils se mesurèrent du regard une seconde, puis Lucas enchaîna :

— Tes affaires marchent ?

Sa question constituait une véritable provocation, que Tristan balaya d'un geste méprisant.

— On peut passer à table, intervint Raphaël.

Écourter l'apéritif était un bon moyen de limiter la consommation d'alcool, et aussi d'éviter les affrontements inutiles. Il plaça Léa à sa droite, selon l'usage, et laissa les autres se répartir à leur guise. Lucas et Malo s'installèrent face à face, en bout de table, Virginie et Jérémie s'assirent aussitôt à côté d'eux, et Tristan se retrouva à la gauche de Raphaël qui présidait. Deux hautes piles de tranches de fromage voisinaient avec un grand plat de viande des Grisons, une corbeille de pommes de terre fumantes et des bocaux de petits oignons tendres.

— Puisque nous sommes au sous-sol, comment se fait-il qu'il y ait une baie vitrée ? demanda Malo.

— Parce que le chalet est bâti à flanc de colline, expliqua Raphaël en souriant.

— Mon père l'avait fait construire dans les années soixante pour rester à proximité de la scierie, précisa Tristan d'un air important. À l'époque, c'était le signe d'une belle réussite. Mais quand on a grandi dans le bruit des lames, je vous assure qu'on préfère s'éloigner un peu. Aujourd'hui, bien sûr, avec le double vitrage, il n'y a plus ce problème, et Raphaël est comme un coq en pâte !

Léa connaissait ce discours par cœur, et elle savait aussi que Tristan aurait laissé s'effondrer le chalet sans lever le petit doigt, de la même manière qu'il laissait péricliter son affaire. S'il aimait citer son père en exemple, il ne s'était jamais donné la peine de suivre ses traces. Ni, d'ailleurs, de se chercher un autre destin.

Elle récupéra sa tranche de fromage fondu, y ajouta du poivre. Ce qui s'était passé entre elle et Raphaël dans la forêt la mettait mal à l'aise, pourtant elle se sentait gaie, presque heureuse d'être là alors qu'elle n'était venue qu'à contrecœur. Relevant la tête, elle jeta un rapide regard à Tristan. Le blesser ou le trahir n'entrait pas dans ses intentions, mais aujourd'hui elle voulait le quitter pour de bon. Ne plus avoir à le surveiller dès qu'ils étaient devant des tiers, ne plus le retrouver affalé n'importe où dans la maison, ne plus se disputer avec lui pour des riens et subir ensuite la litanie de ses griefs, réels ou imaginaires. Ne plus s'user dans un quotidien devenu lamentable, voilà ce qu'elle voulait.

— De la viande, ma chérie ? dit-il en lui tendant le plat.

Il le proposait gentiment, avec un sourire qu'elle avait aimé quelques années plus tôt.

— Et passe-moi donc cette bouteille que tu monopolises, ajouta-t-il d'un air innocent.

— Je manque à tous mes devoirs, s'interposa Raphaël.

Il se leva et fit le tour de la table pour remplir lui-même les verres, puis il alla chercher une nouvelle bouteille qu'il déposa à côté de Lucas.

— À vous d'officier la prochaine fois.

Léa l'observa tandis qu'il échangeait quelques mots avec son frère. Comment n'avait-elle pas remarqué son charme dès le jour où il s'était présenté ? Elle se rappelait à peine de leur entretien, elle ne l'avait pas vraiment regardé, trop occupée à lire ses références, plutôt éblouissantes, et à se demander pourquoi il voulait absolument travailler dans la région. Le salaire qu'elle offrait n'était pas mirobolant, elle aurait parié qu'il allait refuser, pourtant il avait signé.

Lorsqu'il revint s'asseoir, leurs regards se croisèrent et il lui sourit. Croyait-il que sa ruse pour éloigner les bouteilles allait fonctionner ? Tristan connaissait absolument tous les moyens de boire à sa soif. Entre autres, lorsqu'ils étaient invités hors de chez eux, écluser quelques verres avant de partir. Au début de leur mariage, il disait en riant : « Faisons comme les Américains, chérie ! Ils prennent toujours un petit cocktail pour se mettre en train, et quand ils arrivent chez leurs amis, ils sont déjà gais. » Prétextes, fausses raisons, mauvais exemples : Tristan mentait aux autres autant qu'à lui-même.

Interrogée par Malo, puis par Raphaël, Virginie venait de se lancer dans un discours sur l'architecture et Léa reporta son attention sur elle. Ravissante, enjouée, elle s'exprimait avec aisance mais sans arrogance. Décidément, elle ressemblait de plus en plus à son père.

— Ce trimestre, nous avons passé en revue les théories et techniques de la sauvegarde du patrimoine bâti. C'était intéressant, mais je préfère l'urbanisme.

Léa remarqua que Jérémie écoutait sa sœur bouche bée. Avait-il une idée de ce qu'il entreprendrait comme études, de ce qu'il ferait de sa vie ? Chercherait-il le moyen de s'éloigner au plus vite d'un environnement familial devenu trop pénible ? Dans quelle mesure l'alcoolisme de Tristan pèserait-il sur son avenir ? Elle devait vraiment avoir avec lui cette discussion sans cesse repoussée.

— Vous ne mangez rien, constata Raphaël à mi-voix.

En se tournant vers lui, elle eut l'impression étrange de le voir pour la première fois. Avec ses yeux verts, une ombre de barbe naissante sur ses joues creuses, sa mâchoire volontaire, il lui plaisait de plus en plus. Et, d'instinct, elle savait que c'était réciproque. D'où lui venait cette certitude, elle qui n'avait pas une grande pratique des hommes ? En amour ou au lit, elle n'avait connu que Martial, puis Tristan, et voilà qu'elle se sentait prête à tout faire pour séduire, prête à se lancer gaiement dans une aventure qui risquait de chambouler toute sa vie.

— Léa, fais descendre le poivrier par ici ! s'exclama Lucas à l'autre bout de la table.

Amusée par son intervention, elle lui adressa un petit sourire complice. Trouvait-il son attitude trop révélatrice ? Dans ce cas, il s'inquiétait pour rien : lors de ce genre de dîner, Tristan ne s'intéressait qu'à son verre. Cependant, lorsqu'elle posa les yeux sur lui, elle constata qu'il était en train de l'observer, et son expression, qu'il n'eut pas le temps de modifier, avait quelque chose de méchant qui la glaça.

Autour de la table, tout le monde commençait à caler. Raphaël se leva pour débarrasser, spontanément aidé par Virginie et Jérémie.

— Tu t'amuses bien, chérie ? lâcha soudain Tristan.

Il la regardait toujours, mais de façon plus anodine à présent, presque indifférente.

— C'est une soirée très agréable, se contenta-t-elle de répondre.

— Oui, ça change…

Presque tout de suite, Raphaël revint prendre sa place entre eux, comme s'il ne voulait pas les laisser trop longtemps livrés à eux-mêmes.

— Les jeunes sont formidables, ils s'occupent de tout ! J'ai prévu un moka glacé, j'espère que vous aimez ?

— Ma femme adore le café, affirma Tristan sans laisser à Léa le temps de répondre.

Depuis combien de temps ne se souciait-il plus de ses goûts ou de ses préférences ? Mais il avait profité de l'intermède pour se pencher et saisir une bouteille.

— Je sers quelqu'un ? proposa-t-il. La raclette donne toujours tellement soif ! En tout cas, ce fromage était un délice, bravo, vous l'avez bien choisi. Et croyez-moi, je suis difficile…

Il vida son verre en deux gorgées, puis le remplit aussitôt tout en enchaînant :

— Les bons vins et les bons fromages du Jura se dénichent chez les petits producteurs, il faut être du coin pour les connaître. Pour moi, c'est simple, je suis né ici, comme tout le monde autour de cette table d'ailleurs, à part vous, Raphaël.

— Malo est breton, rappela froidement Lucas.

— Malo ? répéta Tristan avec l'air de se demander de qui il était question. Ah, je ne parlais pas de cidre et de crêpes, j'en étais aux merveilles du Jura !

Lucas préféra ignorer cette provocation, sans doute par égard pour sa sœur ou pour leur hôte, mais Léa éprouva une soudaine bouffée de colère qui lui fit repousser son assiette.

— Vous ne mangez pas de gâteau ?

La voix de Raphaël était calme, apaisante. Percevait-il sa fureur ? Elle s'obligea à avaler quelques bouchées du moka, à écouter la conversation qui avait repris entre ses enfants et son frère.

— Il est très tard, nous allons rentrer, décida Tristan en reculant sa chaise.

Son élocution semblait normale, et même s'il avait beaucoup bu durant le dîner, il devait encore être loin de ses doses habituelles.

Au rez-de-chaussée, ils enfilèrent leurs manteaux tout en prenant congé.

— J'emmène Jérémie finir la soirée chez des copains à Lons, glissa Virginie à l'oreille de sa mère.

Elle était venue avec sa voiture et n'aurait qu'à suivre Lucas sur la route. Léa acquiesça d'un signe de tête, soulagée à l'idée de se retrouver seule avec Tristan. Puisqu'il était lucide, elle n'attendrait pas une heure de plus pour lui parler, pour crever l'abcès.

— Rentrez bien, dit Raphaël en l'embrassant sur la joue.

Il l'avait saisie par les épaules d'un geste amical, mais il la serra très fort contre lui.

— On se voit lundi, réussit-elle à dire.

— Non, je vous appelle avant. Je veux discuter avec vous d'une chose importante.

— Vous n'allez pas vous mettre à travailler le week-end ? railla Tristan.

Debout juste à côté d'eux, il les englobait dans le même regard ironique.

— Heureusement, lança Lucas, il y a des gens à qui le travail ne fait pas peur !

Lorsqu'ils sortirent du chalet, ils eurent tous le souffle coupé par le vent glacial qui s'était levé pendant le dîner et qui sifflait à travers les sapins.

— Je conduis, annonça Léa d'un ton sans réplique.

Tristan haussa les épaules, s'installa sur le siège passager et mit sa ceinture.

— Fais attention, ça va patiner, bougonna-t-il.

Maintenant qu'ils étaient seuls, il ne se sentait plus tenu d'être aimable, mais Léa avait trop souvent subi ce genre de retour silencieux et boudeur pour s'en soucier. Elle laissa partir la voiture de Lucas puis celle de Virginie avant de démarrer. Jetant un coup d'œil dans son rétroviseur, elle vit s'éteindre les lumières du chalet au rez-de-chaussée.

— Tristan ? Je crois que nous ne devrions pas continuer cette comédie…

Elle s'engagea prudemment sur la route, ses phares éclairant un paysage couvert de givre jusqu'à la plus fine branche.

— Nous n'avons plus vraiment envie de rester ensemble, ni l'un ni l'autre, ajouta-t-elle.

— Qu'est-ce que tu racontes ?

— Qu'il serait temps de nous séparer.

Au lieu de protester, il se réfugia dans son mutisme coutumier, et ils roulèrent un moment sans s'adresser la parole.

— Je suis sérieuse, reprit-elle enfin. Notre mariage n'a plus aucune raison d'être, inutile de s'obstiner.

— Pourquoi m'en parles-tu précisément ce soir ?

— Il y a des mois que j'y pense, alors ce soir ou un autre...

Comme elle ne quittait pas la route des yeux, elle ne pouvait pas voir sa réaction, cependant elle le sentit s'agiter sur son siège.

— C'est vrai qu'on ne s'entend plus, que tu ne m'aimes plus...

Il essayait de prendre une voix accablée, mais l'aigreur l'emportait malgré lui et il monta le ton.

— Tu veux quoi, au juste, ma pauvre ? Divorcer, tout foutre en l'air ? Et Jérémie, il ne compte pas ?

— Jérémie n'est pas aveugle, il sait qu'on se dispute, il sait que tu bois.

— Oh, arrête de m'emmerder avec ça ! explosa-t-il. Toi aussi, tu bois, tu n'as pas avalé que de l'eau chez Raphaël. Pourquoi faut-il toujours que tu me regardes de haut, que tu me fasses la morale ? S'il y a bien quelqu'un qui s'acharne à détruire notre couple, c'est toi !

— Nier ton problème d'alcool ne t'avance à rien. Tu devrais te faire aider, tu es sur la mauvaise pente.

— Garde tes conseils pour toi, d'accord ? C'est bien beau d'accuser les autres, mais remets-toi un peu en question. Qui fait chambre à part ? Qui fait la gueule ? Qui m'a jeté un verre d'eau à la tête ? Qui n'est jamais à la maison ? Et ne me parle pas de ton « travail », aller se balader en forêt n'a rien de fatigant. Tu as même les moyens de te payer quelqu'un pour désigner les arbres à abattre parce que tu n'en es pas capable toute seule. Madame s'est offert un ingénieur, rien que ça ! Moi, je n'ai pas ta chance, mon affaire marche mal et mon compte est à sec. Tu t'en soucies ? Non, tu t'en fous ! Tu vas jusqu'à me menacer de me retirer ta clientèle, ce qui s'appelle du chantage.

Les doigts crispés sur le volant, Léa tentait de garder son calme. Avait-elle cru que ce serait facile ? Toutes les discussions avec Tristan se ressemblaient : d'abord il cherchait à la culpabiliser, ensuite à la manipuler. Se posant systématiquement en victime, sa mauvaise foi était sans bornes.

— J'ai investi beaucoup d'argent dans la scierie, rappela-t-elle du bout des lèvres.

— La preuve que tu en as !

— Non. J'ai des forêts et des dettes.

— Tu as surtout la folie des grandeurs. Pourquoi avoir acheté cette parcelle supplémentaire au lieu de m'aider, moi ?

— Quand je t'aide, c'est à fonds perdus, ça ne sert à rien et à personne. Mais quand je préserve mon patrimoine ou quand je l'agrandis, c'est pour mes enfants.

— Quel égoïsme, grands dieux... « Mon » patrimoine, « mes » enfants. À force de ne penser qu'à toi, tu ne t'aperçois pas que tu m'empêches d'exister. Or c'est à cause de toi que je...

Il s'interrompit abruptement, et elle acheva à sa place :

— Que tu bois ? Tu ne me mettras jamais ça sur le dos, Tristan.

Elle rétrograda en seconde pour aborder un virage dangereux. Du grésil tombait dru à présent, comme un tourbillon de poussière blanche dans le halo des phares. C'était toujours elle qui conduisait lorsqu'ils dînaient à l'extérieur. Au début, elle avait trouvé flatteur qu'un homme apprécie sa manière de piloter, et il lui avait fallu du temps pour comprendre que Tristan n'était tout simplement pas en état de prendre le volant. En cas de contrôle, il ne tenait pas à perdre tous les points de son permis.

— Bon, dis-moi carrément où tu veux en venir, lâcha-t-il d'une voix dure. La séparation ?

— Oui.

— Ah, rien que ça ! Tu vas me flanquer dehors ? Je te préviens, il n'en est pas question, je ne me laisserai pas faire.

Elle n'y avait pas encore pensé, en tout cas pas en détail, mais la réponse tombait sous le sens.

— Puisque nous allons divorcer, il faudra bien que ce soit toi qui partes. Je suis chez moi, Tristan.

— Comment l'oublier une seule seconde ! Chez toi, ou plutôt chez Martial Battandier, avec son fantôme entre nous depuis quinze ans. Quand tu seras seule, tu pourras faire tourner les tables et vous aurez des conversations édifiantes. Bon sang, que c'est malsain tout ça !

La Volvo fit une embardée et se mit à chasser sur la route verglacée.

— Tu veux nous tuer ou quoi ? hurla Tristan.

Tétanisée, Léa parvint à reprendre le contrôle de la voiture, comme Lucas le lui avait appris. Pas de coup

131

de frein brutal, pas de coup de volant intempestif. Tout faire en douceur, sans laisser la colère ou la peur provoquer un geste malheureux.

« Dans trois kilomètres, nous serons arrivés. Je répondrai à ce moment-là, pas avant. »

Même si elle y avait songé chaque jour, elle s'était abstenue d'évoquer Martial devant Tristan, surtout au début de leur mariage. Si les gens le citaient souvent, elle n'y pouvait rien. Bien sûr, elle avait conservé son nom, ses forêts, son métier, sa maison. *La maison de Martial...*

Elle immobilisa la voiture devant le perron, coupa le contact et lâcha un long soupir. Le temps qu'elle retire la clef de contact, Tristan était déjà descendu, comme s'il cherchait à fuir la fin de leur discussion. Elle le rattrapa dans le vestibule, mais il fila vers la cuisine en l'ignorant. Résignée, elle ôta sa parka, verrouilla la grande porte, puis elle le rejoignit.

— Puisque tu m'accuses de boire, je vais te donner raison !

Il était en train de déboucher une bouteille, qu'il lui brandit sous le nez.

— Je ne t'en propose pas ?

— J'aimerais qu'on en finisse, dit-elle sans s'énerver.

— Moi aussi ! Mais je ne veux pas que tu m'embobines, je vais me trouver un bon avocat. J'ai vécu quinze ans ici, ce n'est pas rien, et j'ai aussi élevé ta fille. C'est dans *mon* chalet que tu as installé les bureaux de ton exploitation forestière, et c'est là que tu loges ton employé. Alors, si tu crois pouvoir me dépouiller, tu rêves ! Pour partir, il me faudra des compensations financières, je ne m'en irai pas d'ici comme un va-nu-pieds, et n'importe quel juge me donnera gain de cause, tu verras...

Content de lui, il la narguait en agitant la bouteille. Du vin se répandit sur le sol, éclaboussant les boots de Léa.

— Tu vois ce que tu me fais faire, marmonna Tristan.

Contre toute attente, il alla chercher une éponge et nettoya maladroitement les dégâts. Lorsqu'il se redressa, il était rouge, essoufflé, mais ne semblait plus en colère.

— On ne peut pas reparler de tout ça demain ?

Il jeta l'éponge dans l'évier, prit un verre sur une étagère, puis revint s'affaler sur une chaise. Sans regarder Léa, il se servit et but à longs traits, aussi goulûment que s'il se désaltérait avec de l'eau. D'ici peu il serait ivre, et il deviendrait impossible de discuter. Se souviendrait-il seulement de cette scène au réveil ?

— Saoule-toi tant que tu veux, soupira-t-elle, ça ne changera rien. Je t'en reparlerai demain, oui, et tous les jours suivants s'il le faut, mais ma décision est prise. Nous divorçons, Tristan.

Elle se sentait soudain très fatiguée, écœurée, triste. Quels que soient leurs désaccords ou leurs griefs, ils avaient malgré tout connu de bons moments durant ces quinze années partagées. À la naissance de Jérémie, ils n'étaient pas loin du bonheur, pas loin d'avoir réussi ce pari de fonder une nouvelle famille. Hélas, tout s'était effondré avec le temps ; aujourd'hui, il ne restait rien.

— Espèce de mégère ! rugit Tristan derrière elle.

Lancé à travers la cuisine, un verre vint se fracasser sur le chambranle à l'instant où elle franchissait la porte. Abasourdie, elle se retourna et contempla son mari en silence. Il paraissait aussi surpris qu'elle, la bouche ouverte, les yeux ronds. Puis il s'effondra sur la table, laissant tomber sa tête sur ses bras croisés, les épaules secouées de sanglots muets.

4

Toute la journée du samedi, le thermomètre était resté au-dessous de zéro. Dans le courant de la nuit, il descendit jusqu'à moins sept, et le dimanche matin, la vallée se retrouva entièrement gelée. Le passage du chasse-neige avait créé de véritables murs de glace sur les bas-côtés, mais les routes étaient praticables à condition d'être équipé de pneus à clous. Raphaël prit néanmoins la précaution de téléphoner à la station météo la plus proche pour obtenir les prévisions de la journée. Aucun changement notable ne devant se produire durant les prochaines heures, il décida qu'il ne modifierait pas son programme et qu'il irait voir sa mère.

La veille, il avait essayé en vain de joindre Léa et s'était finalement résigné à lui laisser un message laconique. Soit elle ne voulait pas répondre, soit elle avait oublié son portable au fond de son sac et ne l'entendait pas. Tandis qu'il tournait comme un lion en cage dans le chalet, la journée lui avait paru interminable. Il ne parvenait pas à mettre de l'ordre dans ses idées, s'affolait d'être soudain complètement obsédé par cette femme, refusait d'imaginer la suite de l'histoire. Certes, Léa était mal mariée, mais elle était *mariée*. Elle avait aussi de grands enfants, une vie compliquée, un passé trop présent : tout le contraire de la femme qu'il aurait voulu rencontrer s'il s'était posé la question. D'ailleurs, comment avait-il pu la côtoyer durant des mois avec une amicale sympathie, et tout d'un coup éprouver une telle attirance ? Aucun événement n'expliquait ce revirement, il n'y comprenait rien.

S'il partait vers onze heures, il pourrait assister au déjeuner de sa mère, comme chaque dimanche. Après s'être préparé un café, il remonta s'installer à son bureau et essaya de se plonger dans un dossier sur les plaquettes forestières, présentées comme un débouché rémunérateur dans la filière du bois-énergie.

Cinq minutes plus tard, il releva la tête, incapable de s'intéresser à ce qu'il lisait. Son regard erra autour de la pièce et s'arrêta sur l'une des fenêtres à petits carreaux. D'où il était, il pouvait distinguer deux des bâtiments de la scierie, or le premier paraissait allumé. Intrigué, il gagna la fenêtre pour mieux voir. Il ne remarqua aucune voiture, cependant c'étaient bien les néons qui brillaient, visibles à travers une des portes entrebâillée.

Il enfila sa parka en hâte, chaussa ses bottes et sortit. Jamais le contremaître n'aurait laissé les lumières, encore moins les portes ouvertes, et personne ne travaillait à la scierie le dimanche. Alors, même s'il n'y avait rien à voler, autant savoir ce qui se passait. Résolument, il pénétra dans le hangar.

— Holà ! appela-t-il d'une voix forte. Il y a quelqu'un ?

136

Au bout de deux ou trois secondes, une silhouette se détacha d'un des châssis à lames verticales.

— Ce n'est que moi, je suis venu faire un tour...

Tristan s'avança vers lui avec une mimique d'excuse.

— J'aurais dû vous prévenir. Mais je suis content de voir que vous surveillez les lieux, merci.

Il portait un col roulé et une veste de tweed, ce qui semblait très insuffisant pour le froid polaire qui régnait dans le bâtiment.

— Je regardais tout ça en m'interrogeant sur l'avenir. Ces machines ne sont plus rentables, j'en ai peur. Pourtant, il va bien falloir, c'est mon gagne-pain !

Sa voix était normale, il avait l'air à peu près à jeun.

— Vous savez quoi, Raphaël ? Je vais vous en apprendre une bien bonne : Léa veut se débarrasser de moi. Eh oui ! Elle s'imagine qu'elle va me jeter comme un truc hors d'usage, vous vous rendez compte ?

Il éclata d'un rire bruyant et artificiel avant d'ajouter :

— Le problème, c'est vous.

Raphaël éprouva aussitôt une sensation mitigée, faite de gêne mais aussi d'une sorte de jubilation incongrue.

— Moi ? se borna-t-il à dire pour pousser Tristan à s'expliquer davantage.

— Si elle me chasse de sa maison, je serai obligé de revenir habiter mon chalet, et à ce moment-là, où irez-vous ? Enfin, ne vous inquiétez pas, tout ça va prendre du temps, je ne suis pas encore parti de là-bas... Tiens, j'allais dire « de chez moi », c'est idiot, tout le monde appelle cette baraque *la maison de Martial.* Impossible d'y être à l'aise. D'ailleurs Léa n'a jamais rien fait pour que je me sente bien. De vous à moi, c'est une garce. Une garce !

Il le répéta à plusieurs reprises, crachant l'insulte avec une rage croissante.

— On ne devrait pas faire confiance aux femmes, elles sont capables de n'importe quoi, surtout du pire. Pourtant, j'ai été un bon mari, croyez-moi. Quand je l'ai épousée, il a fallu que je la porte à bout de bras, elle était toujours triste, déprimée, un véritable éteignoir. Et au lit, carrément un bout de bois !

— Écoutez, protesta Raphaël, je n'ai pas à savoir…

— Oui, oui, je suis bête de vous ennuyer avec ça, vous vous en foutez et vous avez bien raison. Malheureusement, il y aura des conséquences pour chacun, vous compris.

Il se mit à déambuler le long des rails qui guidaient les chariots vers les lames.

— Elle m'a annoncé sa décision en sortant de chez vous, l'autre soir. Je me suis demandé quelle mouche avait bien pu la piquer ! D'autant plus que nous avions passé un bon moment ensemble, n'est-ce pas ?

Faisant volte-face, il plongea son regard dans celui de Raphaël. Son attitude avait quelque chose d'ambigu, comme certaines de ses phrases à double sens.

— Je dois partir, déclara Raphaël sans baisser les yeux et sans bouger.

Si Tristan avait autre chose à dire, il fallait lui en laisser la possibilité. Le silence se prolongea quelques instants, puis Tristan haussa les épaules et esquissa un sourire narquois.

— Je vais me trouver une auberge pour déjeuner, ça m'évitera une nouvelle scène de ménage.

Il sortit du hangar le premier, et ce fut Raphaël qui éteignit les lumières, referma la porte.

— Bon dimanche ! cria Tristan en s'éloignant.

Ses mocassins dérapaient sur la neige gelée, mais il parvint à gagner le coin du bâtiment et il disparut. Peu après, Raphaël entendit démarrer la Volvo qui était garée hors de vue. Cette rencontre inattendue le laissait embarrassé, perplexe, cependant il ne pouvait s'empêcher de se réjouir. Ainsi, Léa souhaitait divorcer ? En conséquence, dans quelque temps elle serait libre et tout deviendrait possible.

« Tout ? Mais je délire, ma parole ! Tristan va faire de leur séparation un cauchemar, il y est décidé. Par intérêt ou parce qu'il l'aime encore ? »

Réprimant un frisson, il repartit vers le chalet. S'il ne voulait pas rater le déjeuner de sa mère, il avait intérêt à se dépêcher.

— Je suis désolée, mes chéris...

Face à ses enfants, Léa venait d'expliquer sa décision en prenant soin de choisir ses mots. Elle avait préféré invoquer l'usure du temps et l'incompatibilité des caractères plutôt qu'incriminer Tristan. Virginie et Jérémie savaient très bien à quoi s'en tenir, ils n'étaient ni vraiment surpris ni hostiles au choix de leur mère, mais ils ne mesuraient pas encore ce qui allait changer dans leur vie.

— Je voulais laisser passer les fêtes, ne pas vous imposer ça au moment de Noël, et puis j'ai craqué l'autre soir, je n'en pouvais plus.

— Tu n'as pas à te justifier, maman, murmura Virginie.

Ils étaient installés dans la cuisine pour l'habituel petit déjeuner du dimanche qui s'éternisait parfois jusqu'au début de l'après-midi. Préparé par Léa, un grand feu brûlait dans la cheminée, et la table avait été mise avec un soin particulier. Sur les fenêtres, à chaque coin des petits carreaux, du givre s'était formé à l'extérieur, rendant encore plus douillette l'atmosphère de la pièce.

— Qu'est-ce qui va arriver, maintenant ? interrogea Jérémie d'une voix atone.

— Eh bien… Nous devons nous organiser, ton père et moi.

— Où ira-t-il ?

— Je ne sais pas ce qu'il décidera. Peut-être reprendra-t-il le chalet.

Son fils resta bouche bée, ayant sans doute du mal à se faire à l'idée de cette séparation qui allait tout bouleverser.

— Mais s'il vit seul là-bas, il va se saouler du matin au soir ! Tu crois que Raphaël restera avec lui ?

— Oh non, ça m'étonnerait ! répondit-elle un peu vite.

Jérémie la contempla un moment, sourcils froncés, avant de demander :

— Est-ce que tu… Je veux dire, est-ce qu'il y a quelqu'un d'autre qui… C'est pour ça que tu quittes papa ?

Elle ne répondit pas immédiatement, déconcertée par la question. Les enfants avaient donc un sixième sens ? Ne voulant pas lui mentir, mais pas le blesser davantage, elle hésita trop longtemps.

— Alors là, je trouve ça dégueulasse ! s'exclama-t-il rageusement.

Il tenait enfin une bonne raison de prendre la défense de son père, et aussi de quitter la cuisine à grands pas pour aller se réfugier dans sa chambre.

— Je n'ai pourtant rien dit, soupira Léa, et je n'ai rien fait non plus…

Virginie se leva, vint s'asseoir près d'elle et lui prit la main.

— Je suis de ton côté, maman. Ne t'inquiète pas pour Jérémie, il se calmera. Mais je crois que l'autre soir, il avait déjà remarqué de quelle façon tu regardais Raphaël. À mon avis, tout le monde l'a vu.

— Ah bon ?

Stupéfaite, Léa dévisagea sa fille qui souriait.

— Tu es transparente, maman, on devine tout ce que tu penses.

— Je n'ai pas l'habitude de jouer la comédie, se défendit Léa. Et Raphaël me plaît, je ne prétends pas le contraire. Pour l'instant, ça ne va pas plus loin, d'accord ? Il y a cependant une chose que je peux t'avouer, j'avais besoin de cette petite étincelle pour agir enfin… À ton âge, changer de vie est certainement exaltant, au mien, c'est terrifiant. Je voulais me décider depuis longtemps et je n'y arrivais pas. Il a fallu que je me mette à *regarder* un homme, comme tu dis, pour sauter le pas.

Virginie hocha la tête avec beaucoup de sérieux, mais ses yeux semblaient rieurs.

141

— C'est ce qui pouvait t'arriver de mieux, maman. D'autant plus que Raphaël aussi te *regarde*.

Léa sentit son cœur battre plus vite et ses joues devenir chaudes, ce qui lui arracha un petit rire de dérision.

— Mon Dieu, je suis ridicule… Ou folle !

— Bien sûr que non ! Allez, je refais du café et des toasts.

Elle en profita pour ajouter une bûche dans la cheminée, provoquant une magnifique gerbe d'étincelles. À la voir s'affairer, Léa aurait presque pu croire qu'il s'agissait d'un dimanche matin ordinaire, alors que c'était sans doute le dernier en famille. Une famille recomposée suite à un deuil, et qui, cahin-caha, avait franchi les années en s'aimant malgré tout, mais que Léa s'apprêtait à détruire.

— Tu crois que je devrais monter chercher Jérémie ? demanda-t-elle d'une voix étranglée.

— Non, je m'en charge, décida Virginie. Ne bouge pas d'ici, je te le ramène. Demain, je serai à Genève et nous ne pourrons plus parler tous les trois, c'est le moment ou jamais. Tu sais à quelle heure Tristan doit rentrer ?

— Aucune idée. Il est parti tôt, à peine couvert, et en claquant les portes.

Pouvait-elle le lui reprocher ? À défaut d'être malheureux, il était furieux, déstabilisé par cette rupture qu'il n'attendait pas, sûrement très angoissé à l'idée de l'avenir. De quoi vivrait-il s'il était contraint de fermer la scierie ? Il avait pris l'habitude de ne plus beaucoup travailler, comptant sur sa femme pour régler tous les problèmes, et leur divorce allait le mettre aux abois. En le quittant, Léa lui ôtait la béquille sur laquelle il s'appuyait avec insouciance mais de tout son poids.

« Je n'arrive pas à le plaindre, je n'éprouve aucune compassion pour lui, comment est-ce possible ? »

Dans un claquement sec, le grille-pain éjecta les toasts. L'odeur du pain grillé se mêlait à celle du café, le feu ronronnait dans la cheminée, et Léa se laissa aller contre le dossier de sa chaise en fermant les yeux. Si étrange que ce soit, elle était bien. Avoir pris la décision d'en finir lui apportait une sorte d'apaisement inattendu, comme si toute la tension accumulée depuis des mois, voire des années, avait soudain disparu.

« Je rappellerai Lucas dans l'après-midi, il faut qu'il me trouve un avocat. »

La veille, elle lui avait téléphoné à plusieurs reprises et il l'avait réconfortée, encouragée, presque félicitée. Mais elle s'était abstenue de joindre Raphaël, estimant qu'elle ne devait pas le mêler à ce moment de crise. Quel paradoxe !

Rouvrant les yeux, elle quitta sa chaise et s'approcha d'une fenêtre. Dehors, tout était blanc, un vrai paysage de carte postale.

« Les semaines à venir vont être épouvantables. Je pourrais me réfugier chez Lucas, mais je ne veux pas abandonner la maison à Tristan, il serait capable de dire que j'ai quitté le domicile conjugal ! De toute façon, Jérémie ne doit pas rester seul avec son père. »

Elle se détourna, songeuse. Son fils était le principal problème dans cette histoire, il méritait d'être protégé. Durant quelques instants, elle prêta l'oreille aux bruits

de la maison, sans rien percevoir d'autre que les craquements du feu.

« Cette pièce est tellement chaleureuse… Quand
les enfants étaient petits, j'adorais m'asseoir ici avec
eux pour les regarder goûter. Il n'y a pas eu que des
mauvais jours, mais je savais bien que quelque chose
n'allait pas. Des détails que je ne voulais pas voir et
qui se répétaient. L'indifférence progressive de
Tristan, sa fausse gentillesse, ce verre qu'il avait
toujours à la main… Bien sûr que je faisais des
comparaisons avec Martial ! Mais je gardais ça pour
moi, je ne lui en parlais pas, il est malhonnête de
dire qu'il en a souffert. Ce dont il souffrait, en réalité, c'est de son besoin d'être admiré, qui n'était
jamais rassasié. »

Elle eut la vision fugitive de Tristan marchant
devant elle en forêt. Quand avait-elle compris qu'il ne
lui serait d'aucun secours, qu'elle allait devoir tout
prendre en main elle-même ? Combien de déceptions
lui avait-il infligées, combien de constats d'échec ? Un
jour, elle avait découvert qu'il fouillait ses affaires :
relevés bancaires, comptes de l'exploitation, bilans. Au
lieu de lui demander des explications, elle s'était tue,
pour ne pas provoquer un nouvel affrontement et
parce qu'elle savait très bien ce qu'il cherchait, l'argent
ayant toujours été source de disputes entre eux. Dès
qu'elle en avait, il lui en empruntait une partie qu'il ne
lui rendait jamais.

« Que ça peut devenir sordide, une vie de couple…
Mais les torts sont toujours partagés, j'en ai forcément.
Tristan voulait être aimé sans réserve, et je n'en ai pas
été capable. Il se sentait jugé, alors il s'est aigri au lieu

de s'épanouir. Qu'ai-je fait pour nous sauver ? Rien ! Au fond, je ne vaux pas mieux que lui. »

— Il y a encore du café ? bougonna Jérémie en entrant, poussé dans le dos par sa sœur.

Léa regarda l'adolescent bien en face. Il était déjà beaucoup plus grand qu'elle, avec une carrure de rugbyman, trois poils de barbe et deux boutons d'acné. Dans quelques années, il ferait un très bel homme. Comme il ne se décidait pas à avancer, elle lui ouvrit les bras.

Le coiffeur avait dû passer parce que les cheveux blancs d'Hélène étaient joliment arrangés. Assise bien droite dans son lit, elle n'arrêtait pas de parler, et pour une fois, ce qu'elle disait était très sensé.

— Tu ne t'en souviens pas, Ralph ? Tu t'étais déguisé pour amuser tes sœurs, mais c'était moi qui riais le plus fort ! Ce devait être un jour de mardi gras, et avec ta fausse moustache, tu me rappelais de manière irrésistible un collègue du lycée Chaptal que je ne pouvais pas supporter. Ah, tu nous égayais la vie, je t'assure ! Quand je pense que tu te mettais aux fourneaux sans rechigner pendant que je corrigeais des copies ! Bon, franchement, tu ne savais pas cuisiner autre chose que des pâtes ou du risotto, mais enfin, ça se laissait manger, et tes sœurs étaient ravies.

Depuis un quart d'heure qu'elle égrenait des souvenirs, elle affichait un sourire béat, sans quitter son fils des yeux. Ému, il lui rendait son sourire, hochait la tête pour l'encourager, la relançait dès qu'elle hésitait.

— Est-ce que le boulanger de la rue Clapeyron existe toujours ? Ses brioches mousseline sont un tel régal ! De toute façon, il n'y a rien de mieux que les petits commerçants de quartier, je n'ai jamais pu m'habituer à ces nouveaux magasins. Mais à propos, pourquoi ne descends-tu pas nous en acheter une, de brioche ? Prends mon porte-monnaie dans mon sac...

Sa voix se mit à chevroter, son regard devint fixe. Penché vers elle, Raphaël lui pressa doucement la main, espérant par ce contact la ramener vers la réalité. Hélas, le moment de lucidité était passé, les souvenirs taris. Il y eut un long silence, puis la vieille dame examina la chambre d'un air effaré.

— Quel horrible endroit, murmura-t-elle. Je veux rentrer chez moi ! Mon fils m'avait promis, il faut l'appeler...

— Je suis là, maman, dit-il fermement.

Mais elle continua à s'agiter, tournant la tête à droite et à gauche, désespérée de ne rien reconnaître.

— Il faut que je parte, bredouilla-t-elle, mes enfants doivent m'attendre.

Comme elle faisait mine de repousser le drap, il l'en empêcha avec beaucoup de douceur.

— Tu vas avoir froid, reste couchée.

Elle posa ses yeux sur lui, le dévisagea avec indifférence.

— Est-ce un hôpital ? Pourquoi m'a-t-on amenée ici ?

— Tu as été très fatiguée, tu es en convalescence.

La réponse ne parut pas l'intéresser. Il y avait une sorte de résignation en elle, bouleversante, car bien que ne comprenant pas ce qui lui arrivait, elle semblait l'accepter.

— Je veux rentrer chez moi, répéta-t-elle d'un ton maussade, sans conviction.

Devinait-elle que jamais elle ne retournerait dans son appartement des Batignolles ? En se croyant obligé de tout maintenir en l'état, Raphaël se mentait, il le savait. Sa mère ne sortirait plus de cette chambre, la maladie d'Alzheimer n'offrait ni amélioration ni rémission possibles.

Pour dissimuler sa tristesse, il se leva, fit quelques pas. La baie vitrée donnait sur le parc enneigé, qu'il jugea sinistre. Un horizon immaculé, vide, aussi impersonnel qu'une grande photo sous verre accrochée au mur en guise de décoration.

« Elle n'est pas malheureuse. On s'occupe bien d'elle, le personnel soignant est parfait. »

Il se répétait ces phrases à chaque visite, sans arriver à y croire.

— Ralph, tu dois aller chercher de l'argent à la banque, nous allons manquer d'espèces !

S'efforçant de sourire, il revint vers le lit. Combien de fois l'avait-elle envoyé retirer quelques billets au distributeur lorsqu'il était adolescent ? Elle lui faisait répéter le code de sa carte bleue avant de lui confier la liste des courses et le sempiternel cabas.

À un mètre d'elle, il s'arrêta net, horrifié. Pendant qu'il regardait au-dehors, elle s'était mise à jouer avec son plateau-repas. Du bout des doigts, elle étalait un peu partout la sauce de la viande.

— Maman ! Attends, arrête…

Appliquée, elle retourna le pot de yaourt à peine entamé et frappa le monticule blanchâtre du dos de sa cuillère, projetant des éclaboussures autour d'elle. En même temps, elle commença à chantonner d'une voix de petite fille. Raphaël lui retira le plateau, puis alla chercher une serviette dans le cabinet de toilette attenant. Pour rien au monde il n'aurait appelé une aide-soignante, il ne voulait pas d'autre spectateur à ce désastre.

— Laisse-moi arranger ça, maman.

Il lui essuya doucement le visage et les mains, fit plusieurs allées et venues pour rincer la serviette, nettoyer le drap souillé.

— Voilà, c'est mieux.

Mais sa chemise de nuit avait besoin d'être changée, ce qu'il ne pouvait pas faire. Regrettant amèrement l'absence de Céline, il finit par se résoudre à sonner. La jeune femme qui arriva deux minutes plus tard prit la situation en main sans qu'il ait besoin de rien expliquer.

— Allez attendre un moment dans le couloir, suggéra-t-elle, je vous appellerai.

Une fois hors de la chambre, il lâcha un profond soupir et s'éloigna un peu. Sa mère était en train de retomber en enfance, il devait l'accepter au lieu de refuser l'évidence. Un jour prochain, elle n'aurait plus le moindre instant de lucidité, ne reconnaîtrait plus personne et s'enfoncerait définitivement dans cette espèce de démence amnésique si terrifiante pour l'entourage.

« Quand je ne suis pas là, je ne lui manque pas. Ses filles ne lui manquent pas. Son univers est ailleurs, loin dans son passé, ou bien nulle part… »

Tout à l'heure, il avait failli lui parler comme à quelqu'un de normal, failli lui dire qu'il était enfin tombé amoureux. Avant sa maladie, ce genre de déclaration l'aurait amusée, elle se serait récriée gaiement.

— Monsieur Vilard ?

La jeune aide-soignante lui faisait signe de revenir, toujours souriante. Parvenait-elle à être aussi aimable avec tous les patients, tous les jours de la semaine, ou n'était-ce qu'une attitude destinée aux familles en visite le dimanche ? Il se reprocha aussitôt de l'avoir pensé et lui rendit son sourire.

— Vous pouvez entrer maintenant, mais elle s'est endormie.

— Bien, je vais la laisser. Je reviendrai la semaine prochaine.

— Elle est toujours contente de vous voir, elle parle de vous de temps en temps.

— Ah bon ? Alors, elle sait que je viens ?

— Peu importe ce qu'elle sait ou pas, elle a besoin d'affection. En tout cas, soyez tranquille, ce n'est pas une malade difficile, tout le monde l'aime bien dans le service.

Avec un petit signe de tête, il passa devant elle et entra dans la chambre. Si sa mère commençait à jeter de la nourriture contre les murs, est-ce que le personnel continuerait à *bien l'aimer* ?

« Je suis là tous les dimanches, je peux surveiller les choses. »

Il était arrivé trop tard pour voir le médecin, mais il ne se faisait pas d'illusions, sa mère déclinait. Sur la pointe des pieds, il s'approcha d'elle, effleura ses cheveux blancs un peu décoiffés à présent.

— Repose-toi, chuchota-t-il.

L'envie d'être dehors, à l'air libre, fut soudain si forte qu'il ramassa sa parka en hâte et sortit sans se retourner.

— Si, il est magnifique, apprécia Lucas.

Le sapin de Noël, décoré avec soin par Malo, rendait l'atmosphère du salon beaucoup plus chaleureuse.

— J'ai abandonné l'idée du bleu et argent, avec toute cette neige dehors les couleurs vives sont bienvenues ! Crois-tu que nous allons récupérer ta sœur pour le réveillon ?

— Non, le programme reste inchangé, nous irons chez elle.

— Malgré le divorce, les réjouissances ont lieu là-bas ?

— Comment faire autrement ? Laisser Tristan seul ? Impensable pour Jérémie, ce serait trop triste.

— Alors, c'est la trêve ?

— L'espace d'une soirée, oui. Mais il faudra vraiment être diplomate !

Allongé sur le canapé, Lucas réprimait l'envie d'une cigarette depuis des heures.

— Je vais faire du thé, décida-t-il soudain, et en griller une. Tu n'es pas obligé de me suivre à la cuisine.

Malo le laissa sortir sans relever la phrase, apparemment occupé par le faux contact d'une guirlande électrique. Jusque-là, ils avaient passé une journée agréable, une des meilleures depuis bien longtemps, et Lucas ne souhaitait pas qu'elle se termine mal Cependant, l'impression d'être surveillé finissait par l'étouffer. Peut-être n'était-il tout simplement pas fait pour la vie à deux.

— Comme tu me l'as fait remarquer il y a peu, tu es chez toi, tu n'es pas obligé de te réfugier ici pour fumer.

Sur le seuil, Malo hésitait à entrer. Devant le silence de Lucas, il ajouta :

— Je prends la boîte à outils, j'ai besoin d'un tournevis.

Le prétexte était mince, et Lucas haussa les épaules.

— Tu voudras des biscuits, des toasts ? demanda-t-il en allumant tranquillement sa cigarette.

Il inspira une bouffée avec volupté, attendant la réaction du jeune homme.

— Ce que je voudrais, c'est que tu ne me regardes pas comme un ennemi, marmonna Malo.

— À qui la faute ?

— Pas la mienne ! Ou bien, dis-le moi à temps quand je t'emmerde !

L'explosion de fureur prit Lucas de court. Il esquissa un geste d'impuissance puis écrasa sa cigarette. Inutile de se disputer, il allait descendre faire un tour au garage.

— Non, je ne voulais pas que tu l'éteignes, je... Je suis désolé, Lucas.

— Pas grave. J'ai de la compta en retard, je vais travailler un peu en bas.

— Mais ce n'est pas chauffé ! Reste ici, ne sois pas ridicule.

— Écoute, commença Lucas, on devrait mettre les choses au point maintenant.

Une expression d'inquiétude creusa aussitôt le visage de Malo.

— Une mise au point ? Nous en sommes là ?

— Il me semble. À force de ne jamais discuter de ce qui fâche, le malentendu s'est installé.

— Très bien. Vide ton sac, ensuite j'en ferai autant.

Bras croisés, mâchoire serrée, Malo semblait se préparer à tout entendre.

— En ce qui me concerne, c'est tout simple : je n'ai pas envie de vivre comme ces types régentés par leurs femmes et qui n'osent plus rien faire sans l'autorisation de bobonne. J'avais l'habitude de vivre seul, ça m'a sûrement rendu égoïste ou trop indépendant, mais je vais avoir quarante ans, ie crois que je ne changerai plus.

— Pourtant, au début…

— Oui, au début on essaie de se montrer sous son meilleur jour, on est prêt à faire des concessions, voire à mentir. Après, le quotidien reprend le dessus.

— Et les sentiments, dans tout ça ?

— Ils existent, ils sont là

— Alors, je me fous du reste !

Malo franchit la distance qui les séparait et s'abattit contre lui.

— Tu es ma seule famille, Lucas. Tu es tout.

Ces mots étaient aussi inattendus que sa rage cinq minutes plus tôt. Lucas lui ébouriffa les cheveux d'un geste plein de tendresse, mais il savait que rien n'était réglé entre eux. À quelques jours de Noël, il ne voulait pas un drame supplémentaire, le problème de Léa lui suffisait amplement. Comme toujours, sa sœur le préoccupait davantage que ses propres soucis, c'était pour elle qu'il s'inquiétait en ce moment, pas pour lui. Et, tout bien considéré, pas pour Malo non plus.

Léa était prête depuis longtemps. Elle avait tenu à prendre le petit déjeuner avec ses enfants avant qu'ils ne s'en aillent, Virginie devant déposer Jérémie à l'arrêt du car, comme tous les lundis matin. Dans une semaine, ils seraient en vacances l'un comme l'autre, donc à la maison, et à ce moment-là, ils auraient le temps de réfléchir aux décisions à prendre. De lui-même, Jérémie avait proposé d'être pensionnaire pour les deux trimestres à venir, une solution qui lui éviterait de se trouver au milieu des querelles de ses parents.

« Sauf si tu as besoin de moi », avait-il précisé d'un ton grave. Mais, bien entendu, il ne pouvait pas tenir le rôle d'arbitre entre son père et sa mère. D'ailleurs, Léa préférait affronter Tristan seule.

Le jour était en train de se lever sur la vallée, toujours uniformément blanche. D'ici une demi-heure, Raphaël devait passer la prendre pour l'emmener sur la parcelle où le débardage à cheval avait lieu. Descendre les grumes à travers des pentes accidentées jusqu'au layon accessible aux tracteurs allait être un travail de précision pour les deux gros ardennais attelés, et Léa n'aurait manqué le spectacle pour rien au monde. Quelques jours plus tôt, elle avait eu du mal à convaincre le vieil homme qui les guidait, mais finalement, il avait cédé en apprenant qu'elle était la veuve de Martial. Dix-sept ans après sa mort, le nom de Battandier servait toujours de sésame.

Nerveuse, elle jeta un coup d'œil par l'une des fenêtres. Le ciel semblait dégagé, s'il gelait encore à pierre fendre aujourd'hui, au moins il ne neigerait pas. Elle se resservit une tasse de café, puis envoya un texto à Lucas qui exigeait de savoir chaque matin si la nuit n'avait pas été un cauchemar.

« Pas vu Tristan depuis hier soir. J'essaierai de lui parler à l'heure du déjeuner, je te tiens au courant. »

Elle remit son portable dans la poche de son jean et gagna le vestibule. Devant les patères, elle hésita longtemps avant de choisir sa parka la plus chaude, un bonnet de laine et des gants fourrés, tant pis si elle avait l'air d'un ours. Ensuite, elle fouilla les tiroirs de la grosse commode ventrue pour récupérer son appareil photo numérique, bien décidée à garder quelques images du travail des chevaux.

Incapable de tenir en place, elle se mit à faire les cent pas. Jusqu'ici, elle avait évité d'y penser, mais elle était vraiment impatiente de revoir Raphaël. Le souvenir de l'instant où elle s'était blottie dans ses bras lui donnait une folle envie de recommencer, et au lieu de se sentir coupable, elle piaffait.

« Mon Dieu, je ne me reconnais plus, qu'est-ce qui m'arrive ? »

Était-elle à ce point en manque d'homme, en manque d'amour ? Un bruit de moteur la fit sursauter. À toute vitesse, elle changea de parka, troqua son bonnet pour une casquette écossaise.

« Autant essayer d'être jolie, non ? »

Alors qu'elle posait la main sur la porte d'entrée, elle entendit Tristan descendre l'escalier.

— Tu t'en vas déjà ? protesta-t-il d'un ton rogue. Je me suis levé tôt exprès pour avoir une conversation avec toi !

— Il n'est pas spécialement tôt, et je serai rentrée pour déjeuner. J'ai un débardage à surveiller.

Pressée de partir, elle n'attendit pas qu'il réponde et sortit. Une bouffée d'air glacé traversa le vestibule jusqu'aux pieds de Tristan.

— Quel froid de gueux, grommela-t-il en s'engouffrant dans la cuisine.

Il y faisait bon, comme prévu, et la cafetière était à moitié pleine. Léa avait soigneusement rangé la table du petit déjeuner, hormis un bol et une assiette propres.

— Mais n'est-ce pas le devoir d'une épouse de veiller au bien-être de son mari ? ricana-t-il.

Dans peu de temps, cette comédie allait se terminer, or ce n'était pas une perspective si réjouissante que ça.

Le nez contre un carreau, il regarda s'éloigner le gros 4 × 4 de Raphaël. Ils allaient donc *travailler* en forêt tous les deux, parfait ! Pendant ce temps-là, il aurait la maison pour lui seul. Il avait déjà commencé à faire la liste des meubles qu'il voulait récupérer, ceux qui lui appartenaient et ceux qu'il comptait demander à Léa. Puisque cette garce le flanquait dehors, il ne partirait pas les mains vides. Quant à Raphaël, au lieu d'aller se promener dans les bois, il ferait mieux de se chercher un logement.

Il prit un bloc-notes et un stylo, se versa un bol de café et alla s'asseoir devant la grande table ronde.

Tout à l'heure, il s'offrirait un verre, mais c'était encore un peu tôt : en principe, il ne buvait pas avant la fin de la matinée. Il essayait toujours de retarder le moment, parce qu'une fois qu'il avait commencé il ne pouvait plus s'arrêter. L'alcool l'aidait à perdre ses inhibitions, à se débarrasser de ses angoisses, et passé un certain stade, tout lui semblait enfin facile. Mais c'était artificiel, il le savait bien, au moins lorsqu'il était à jeun.

Il dessina grosso modo un plan du chalet. Grâce aux modifications apportées par Raphaël, il devrait pouvoir s'installer à peu près confortablement là-bas. Jérémie aurait sa chambre s'il avait envie de passer un week-end avec son père, il pourrait même inviter des copains à dormir, la place ne manquait pas.

Oui, mais en comparaison de cette maison-ci, le chalet ne serait jamais qu'un pis-aller. Tristan s'était habitué à l'espace, aux murs de pierre, à l'escalier monumental, à la noblesse d'un certain habitat. Quoi qu'il fasse, il se sentirait à l'étroit au chalet, avec l'impression pénible d'une régression sociale.

Bon, il pouvait transformer les bureaux du rez-de-chaussée en salle de séjour, ça aurait une certaine allure... Sauf qu'il n'avait pas le premier sou pour envisager des travaux. Son problème était là, dans ce manque d'argent qui le rendait amer, qui alimentait sa rancune envers Léa. Pourquoi réussissait-elle alors qu'il n'arrivait à rien ? Où trouvait-elle son inépuisable énergie, son désir d'entreprendre ? Tant qu'elle avait géré ses forêts comme une petite rentière, suivant des plans établis qu'elle ne comprenait même pas, il ne s'était pas senti jaloux d'elle. Au contraire, il lui avait proposé son aide. Et puis, insidieusement, elle s'était découvert une âme de battante, jusqu'à décider un beau matin de devenir chef d'entreprise. Aujourd'hui, les banques lui faisaient confiance, elle agrandissait son domaine tandis que Tristan restait sur le bas-côté avec son affaire à moitié en faillite. Il passait pour l'idiot du couple, voire l'incapable.

— Et maintenant, elle me flanque dehors...

Cette idée le faisait bouillir. Bon sang, les gens allaient bien s'amuser, il devinait sans peine leurs commentaires ! « Pauvre Tristan, il n'avait pas la stature pour remplacer Martial... Elle en a eu assez, on la comprend... Avec la scierie qui va fermer, et lui qui traîne dans les bars... » Mais non, il ne laisserait pas les mauvaises langues se déchaîner, il allait prendre les devants en expliquant à tout le monde quel genre de salope était Léa. Une femme froide et sans cœur qui ne pensait qu'au fric. Ou mieux encore : une femme infidèle qui se tapait son ingénieur des Eaux et Forêts entre deux arbres. D'ailleurs, c'était peut-être vrai.

Relevant la tête de son bloc-notes, il resta quelques instants les yeux dans le vague. Raphaël et Léa ? Le doute l'avait effleuré à plusieurs reprises, il s'était même amusé à tester Raphaël l'autre jour pour voir sa réaction. Oui, il devait y avoir quelque chose entre eux, un simple flirt ou carrément un adultère, quelque chose dont Tristan allait pouvoir se servir. En attendant, à tout hasard, il savait déjà comment donner une petite leçon à Léa car il y avait réfléchi une partie de la nuit. Ruminant l'humiliation d'être mis à la porte, il avait conçu un plan de vengeance un peu machiavélique. Si, en plus, il était cocu, il n'aurait aucun scrupule à l'appliquer.

— Hiieuh ! Hiieuh !

Le cri guttural se répercutait sous la voûte des arbres couverts de glace. De loin, on pouvait repérer une sorte de campement provisoire, avec un feu au centre pour fournir une source de chaleur, les réserves d'avoine et de foin nécessaires aux chevaux durant les pauses, du matériel de rechange, quelques outils.

Pierre Hamon conduisait lentement l'un des deux traits ardennais attelé à des grumes d'une dizaine de mètres de long. Sa manière de guider l'animal à la voix dénotait une longue pratique, quasiment une complicité. Ses interjections, les grincements des chaînes et les craquements des troncs glissant sur la terre gelée étaient les seuls bruits de la forêt. Pour une fois, aucun vrombissement de tronçonneuse, aucun moteur de tracteur ne perturbait la nature, et quelques rongeurs montraient même le bout de leur museau.

— Il était vraiment temps de mettre ce bois au sec, fit remarquer Raphaël. Heureusement que vous avez convaincu Hamon...

— Eh bien, à ce propos, je ne suis pas certaine qu'il soit content de nous voir.

— Pourquoi ?

— Peut-être préférerait-il travailler tranquille sans avoir l'impression d'être surveillé. Il sait ce qu'il a à faire, nous ne lui servons à rien.

— Mais on l'admire, lui et ses chevaux !

Léa commençait à trembler de froid, depuis près d'une heure qu'ils étaient là, immobiles, à regarder Hamon et les deux puissants ardennais.

— Vous avez raison, soupira Raphaël, il n'a sans doute pas besoin de spectateurs.

— C'est votre côté parisien, ironisa-t-elle.

De bonne grâce, il se mit à rire, puis se tourna vers elle.

— Ah, d'accord… Vous avez l'air d'un glaçon, retournons vite à la voiture.

Ils s'étaient à peine parlé sur le trajet, aussi embarrassés l'un que l'autre de se retrouver ensemble. Partager une Thermos de café dans le 4 × 4 ou marcher dans la forêt côte à côte, ils en avaient l'habitude, celle de deux forestiers discutant du bois, mais comment passer à un autre registre, plus intime ? Le dîner de vendredi semblait déjà très loin, beaucoup de choses étaient arrivées entre-temps, et Léa n'osait pas être la première à aborder le sujet.

Les semelles des bottes faisaient craquer la terre gelée, et leurs respirations formaient de petits nuages de vapeur tandis qu'ils descendaient prudemment vers le chemin.

— J'ai essayé de vous joindre durant le week-end, finit par déclarer Raphaël. Pas chez vous, sur votre portable…

— Ah oui ? Il est toujours à l'autre bout de la maison, je ne l'entends jamais, s'excusa-t-elle.

— J'avais quelque chose à vous dire, mais maintenant, je n'ai plus le courage. En revanche, ce que je peux vous raconter est que j'ai vu Tristan hier matin à la scierie. Il y errait comme une âme en peine et il m'a annoncé que vous vouliez divorcer. C'est vrai ?

Désemparée par une question aussi directe, elle se contenta de hocher la tête.

— Je considère qu'il s'agit d'une bonne nouvelle, ajouta-t-il d'un ton mesuré.

En l'affirmant, il faisait en quelque sorte le premier pas. Néanmoins, il paraissait aussi gêné qu'elle et regardait obstinément le bout de ses bottes. Si elle l'avait pris jusque-là pour un homme sûr de lui et à l'aise avec les femmes, elle constatait qu'il n'en était rien.

— Tristan et moi n'avons plus aucun sentiment l'un pour l'autre. J'aurais dû me décider il y a des années, mais j'ai patienté à cause des enfants.

Se cantonner à des généralités, énoncées platement, ne les aidait guère. Léa s'arrêta à mi-pente, comme pour reprendre son souffle. Elle n'avait aucune idée de ce qu'il fallait dire ou faire, et elle leva la tête vers la cime du mélèze auquel elle s'accrochait.

— Évidemment, bredouilla-t-elle, ça pose des tas de problèmes, entre autres pour le chalet.

— Je sais, il m'a prévenu. Je vais trouver très vite quelque chose à louer, ne vous inquiétez pas.

— Demandez donc à Lucas, il connaît tout le monde... Où pensez-vous vous installer ?

— Pas loin d'ici. Nous travaillons toujours ensemble, n'est-ce pas ?

Raphaël la regardait avec une sorte d'inquiétude attendrie, comme s'il espérait autre chose d'elle.

— Je ne pourrai pas me passer de vous, répondit-elle d'une voix rauque.

Trois pas les séparait, qu'elle fit résolument. Une fois devant lui, elle posa les mains sur ses épaules et attendit.

— Léa, souffla-t-il.

Elle sentit qu'il la prenait par la taille, l'attirait à lui, mais au même instant, ils perçurent un bruissement, un cliquetis de chaînes, le choc sourd des sabots. L'attelage d'Hamon arrivait sur eux, à dix mètres à peine, silencieux et fantomatique. Ils reculèrent entre les arbres pour le laisser passer, stupéfaits de l'avoir entendu si tard.

Même quand tu te crois seul au monde, il y a toujours des yeux et des oreilles dans la forêt. Martial l'affirmait en riant, et bien sûr il avait raison. Léa se promit d'être sur ses gardes désormais. Quoi qu'il puisse arriver entre elle et Raphaël, personne ne devait l'apprendre.

— J'ai vraiment froid, allons-y, dit-elle seulement.

Virginie avait retrouvé Éric place du Bourg-de-Four, dans la vieille ville, mais il faisait trop froid pour se promener et ils étaient entrés au *Mortimer*. Installés devant le bar en zinc, ils sirotaient une bière en se racontant leur week-end, ce qu'ils n'avaient pas eu le temps de faire dans les couloirs de l'Institut d'architecture.

— Elle n'aurait pas pu attendre, ta mère ? Décider de divorcer en plein mois de décembre…

— Tu crois qu'il y a une saison pour ça ? riposta aigrement la jeune fille.

161

— Non, mais Noël…

— Précisément. Se faire des cadeaux, décorer joyeusement la maison, se souhaiter une bonne année le trente et un à minuit en s'embrassant, et puis s'asséner la nouvelle le premier janvier au réveil ? Ce serait d'une hypocrisie !

— Peut-être, mais pense à ton beau-père.

— Pourquoi devrais-je y penser ? Et toi, pourquoi prends-tu sa défense ? Parce que c'est un homme ?

— Solidarité masculine, si tu veux.

Elle ouvrit la bouche pour protester, mais s'aperçut juste à temps qu'il se moquait gentiment d'elle.

— Puisque tu fais du mauvais esprit, tu payes une deuxième tournée.

— Non, c'est toi qui régales cette fois, et ensuite je t'emmène manger une pizza.

Virginie aimait sortir, et c'était le genre d'invitation qu'elle ne savait pas refuser. Cependant, elle avait un exposé à faire le lendemain, qui nécessitait encore quelques heures de travail.

— Je prends la parole sur le projet du paysage demain, rappela-t-elle avec une moue déçue.

— Tu n'es pas prête ?

— J'en ai pour jusqu'au milieu de la nuit.

— Peut-être, mais tu ne peux pas bosser le ventre vide !

La gentillesse d'Éric la fit céder. Avec lui elle se sentait en confiance, jamais il ne cherchait à s'imposer quand elle ne voulait pas le faire monter chez elle. Mais ces derniers temps, ils avaient beaucoup flirté, et lorsqu'ils étaient ensemble ils n'arrivaient plus à se séparer. Aurait-elle le courage de le repousser tout à l'heure, lorsqu'il la raccompagnerait au pied de son immeuble et se mettrait à l'embrasser ?

— Écoute, dit-elle à regret, on se fera un restau demain soir, c'est plus raisonnable.

— Demain ? D'accord, mon invitation est valable jusque-là. Seulement il me faudra une petite compensation…

Il quitta son tabouret et vint se poster derrière elle.

— J'aurai droit au dernier verre dans ton studio ?

Du bout des doigts, il effleura sa nuque, son dos. Avec un soupir, elle se retourna, lui saisit la main.

— Marché conclu, accepta-t-elle en plongeant son regard dans celui du garçon.

Ils restèrent à se scruter quelques instants, sachant exactement à quoi ils venaient de s'engager.

— Vraiment, ça vous plaît ? insista Raphaël.

L'agent immobilier attendait dans l'entrée, près du compteur électrique, pressé d'éteindre et de finir sa journée.

— Oui, c'est bien, se dépêcha de répondre Léa.

Située sur une étroite départementale, à la sortie de Bonlieu en direction du lac, la maison de deux pièces qu'ils venaient de visiter était une ancienne ferme, d'abord transformée en gîte puis louée à l'année.

— Alors, je la prends.

— Vous ne vous sentirez pas à l'étroit ?

— Je me sentirai près de vous, ça me suffit.

Léa eut aussitôt les joues brûlantes et elle se détourna, faisant semblant de s'intéresser aux placards de la cuisine. Raphaël avait tenu à ce qu'elle l'accompagne dans ses visites, mais elle ne savait quel rôle elle était censée tenir devant l'agent immobilier. Par chance, il s'agissait d'un ami de Lucas, qui s'était démené pour leur dénicher deux locations possibles dans le périmètre exigé par Raphaël.

— Je passerai à l'agence demain matin signer tous les papiers, dit-il à l'agent en lui serrant la main.

Ils se séparèrent devant les voitures, mais Raphaël attendit que l'autre s'en aille sans démarrer.

— Elle est mignonne, cette petite ferme, même un Parisien comme moi y sera bien. Je ne voulais pas avoir de route à faire.

— Oui, c'est une sage décision, les hivers sont vraiment durs ici... Et puis, je vais rapporter chez moi tout ce qui concerne l'exploitation forestière : les dossiers, les classeurs, la comptabilité et le matériel informatique. Je referai un bureau à la maison, où nous pourrons travailler.

Raphaël mit le contact afin de brancher le chauffage et la lumière du tableau de bord. De nouveau, comme chaque fois qu'ils s'étaient retrouvés seuls depuis le matin, la gêne revint s'installer entre eux. Au-delà du pare-brise, l'obscurité était totale, presque inquiétante.

— Je vais vous raccompagner, mais avant...

Il buta sur la suite, renonça, soupira. Après un long silence embarrassant, il finit par marmonner :

— J'ai un problème avec vous, Léa, vous avez dû vous en rendre compte. Vous me plaisez infiniment. Voilà, je l'ai dit.

Elle eut l'impression de recevoir un coup à la hauteur de l'estomac, puis une bouffée de joie la fit déboucler sa ceinture pour se pencher vers lui.

— J'ai le même problème que vous.

Ce fut elle qui l'embrassa, avec une fougue dont elle ne se serait jamais crue capable. Elle le fit sans le moindre remords, sans crainte ni pudeur, se livrant totalement. Quand elle s'écarta de lui, à bout de souffle, elle s'aperçut qu'elle avait glissé ses mains sous le blouson, sous le pull, pour pouvoir le toucher.

— Eh bien…, je crois que je vous ai sauté dessus !

— J'en rêvais, répondit-il avec un sourire irrésistible. Mais notre problème s'aggrave.

Elle recula encore, s'adossa contre la portière, toujours tournée vers lui.

— Heureusement que nous sommes au milieu de nulle part, et qu'en principe personne ne nous a vus ! Je ne peux vraiment pas m'offrir ça en ce moment. Oh, pas pour le qu'en-dira-t-on, je m'en fiche pas mal, mais Tristan ne raterait pas l'occasion de compliquer le divorce ou d'en tirer parti. Il va y avoir quelques mois difficiles.

— Ce n'est pas grave, Léa, je suis quelqu'un de très patient.

Tous ceux qui vivaient de la forêt apprenaient forcément la patience, car planter un arbre revenait à faire un très long pari sur l'avenir. Si Raphaël était capable d'attendre, c'était exactement ce qu'espérait Léa.

— Un petit acompte me suffira, ajouta-t-il en la prenant délicatement par la nuque.

Il l'obligea à se rapprocher de lui, l'embrassa sur la tempe, la pommette, la joue, avant de s'arrêter sur sa bouche. Leur second baiser fut plus suave, plus profond et beaucoup plus charnel.

— Raphaël, chuchota Léa.

Elle répéta deux ou trois fois son prénom, comme si elle l'apprenait.

— Et maintenant, vous allez me dire que vous voulez rentrer chez vous, n'est-ce pas ?

— Oui...

Tristan n'était pas revenu à l'heure du déjeuner, et ils n'avaient toujours pas eu la discussion indispensable qui allait leur permettre de prendre des mesures concrètes. Malheureusement, en fin de journée, il serait sans doute trop imbibé d'alcool pour décider de quoi que ce soit. La perspective de la soirée à venir révulsa Léa, cependant elle n'avait pas le choix.

— Allons-y, soupira-t-elle.

Docile, Raphaël démarra enfin, mais il ne souriait plus.

Jérémie avait quitté la table dès la dernière bouchée avalée, sous prétexte d'un devoir à terminer. En fait, il ne comptait pas vraiment travailler et il s'arrêta sur le palier du premier étage. De dimensions vastes, l'endroit avait été aménagé avec un vieux canapé et une petite télévision. Souvent, en montant se coucher, Virginie et lui s'installaient là pour bavarder ou regarder un film. Leurs deux chambres se situaient de part et d'autre, alors que celle de Tristan et Léa était plus loin, au bout d'un couloir.

Avachi sur le canapé, il avait pris la précaution de se munir d'un livre de maths, mais il écoutait la télé en sourdine. D'où il était, il ne pouvait pas entendre ce qui se disait en bas, dans la cuisine, mais en cas de dispute, il percevrait obligatoirement les éclats de voix. Et à voir la tête de ses parents, il y avait de la querelle dans l'air ! Dans ce cas, devrait-il intervenir ? Il se sentait rebuté à l'idée de s'interposer entre eux, mais avant qu'ils ne se mettent à casser la vaisselle ou à se taper dessus…

Au fond, même si la décision de sa mère le bouleversait, il ne pouvait pas lui donner tort. Vivre avec un alcoolique était une épreuve, il le savait bien. En rentrant du lycée, à six heures et demie, il avait trouvé son père avec un verre à la main. Pas encore ivre mais déjà l'articulation un peu pâteuse, les gestes ralentis. Par chance, sa mère était arrivée presque tout de suite et avait préparé le dîner en vitesse. La bouteille de vin n'avait pas été vidée entièrement à table, preuve que son père faisait un effort.

Il étouffa un bâillement, ouvrit son livre de maths et le feuilleta distraitement. Personne ne lui en voudrait d'avoir de mauvaises notes ce trimestre, il rattraperait son retard à la rentrée de janvier.

« La pension, ce sera comment ? »

Un de ses meilleurs copains s'y trouvait depuis le mois de septembre et en disait du bien, vantant les installations sportives, le joyeux chahut des chambrées, la délicieuse promiscuité avec les filles.

« De toute façon, ici, quelle galère… »

167

Pourquoi Lucas lui refusait-il ce scooter qui lui aurait permis de s'évader ? Certes, les routes étaient impraticables en ce moment, mais au printemps, ce serait génial de pouvoir se balader seul sans avoir à solliciter la bonne volonté de sa sœur. D'ailleurs, il faudrait bien qu'il puisse aller de la maison jusqu'au chalet où son père comptait s'installer.

Évoquer le chalet lui fit penser à Raphaël. Était-il concevable que sa mère ait un… amant ?

« Elle est encore très bien, dès qu'elle s'arrange un peu. Pas dans sa tenue hivernale de yéti, d'accord, mais avec un jean bien coupé, un chemisier à la mode… Dommage qu'elle soit si frileuse ! »

Frileuse mais raisonnable, la maison n'étant pas surchauffée, tant s'en fallait.

« Elle empile les pulls sans se soucier de son apparence, elle se donne la peine d'aller chercher des bûches et de faire du feu. Pendant ce temps-là, papa débouche les bouteilles. Lui n'a pas froid, l'alcool lui sert de poêle. »

Il s'en voulait de ce genre de réflexion sarcastique à propos de son père, pourtant ce n'était que la vérité.

« Bon, alors maman… Maman refaisant sa vie une troisième fois, à quarante ans ? »

Comme tous les adolescents, la quarantaine lui semblait un âge canonique, peu propice aux histoires d'amour.

« Enfin, ils ne vont tout de même pas jouer au jeu des chaises musicales ? Papa quitte la maison, reprend son chalet, et Raphaël va où ? Ici, occuper la place vide ? Ah non ! »

Quel que soit le jugement qu'il portait sur son père, il ne pourrait pas admettre qu'un homme le remplace dans le lit de sa mère. Ni à la table de la cuisine, ni nulle part ailleurs ! La place de Raphaël était dans les forêts, point barre.

« Et pourquoi donc ? Virginie va sauter au plafond si je lui dis ça. Je l'entends déjà me traiter de petit con… Mais pour elle, c'est différent, elle raisonne en fille, et il ne s'agit pas de son père. »

Il coupa le son de la télé, gagné par la somnolence. Il n'avait qu'à rester là, si une dispute éclatait en bas il se réveillerait forcément. Avant de s'endormir, il essaya de penser à Raphaël sans colère. Ce type n'y était pour rien, après tout, et jusque-là Jérémie l'avait trouvé plutôt sympathique. Réservé, absorbé par son travail, sûrement très compétent à en croire les résultats des derniers mois. Il parlait bien des arbres, des essences, de l'écosystème forestier. En l'écoutant, à deux ou trois reprises, Jérémie s'était même demandé s'il ne devrait pas s'intéresser un peu aux forêts de sa mère. Qui donc reprendrait l'exploitation après elle ? Malheureusement, il ne s'imaginait pas dans les bois du matin au soir, son avenir était ailleurs, quelque part au milieu des lumières d'une ville. Pourquoi pas le garage de Lucas ? Pas avec cette stupide concession japonaise, non, quelque chose de plus ronflant. Et puis, Lons-le-Saunier n'avait rien d'exaltant, autant penser à…

Il sursauta et se redressa d'un bond. Après le claquement sec qui venait de le tirer du sommeil, un grand bruit de verre brisé lui fit dévaler l'escalier. En bas, le vestibule était éteint, la cuisine aussi, et il fila vers la galerie-bibliothèque où il apercevait de la lumière. La première porte, grande ouverte, était celle du bureau. Personne n'y allait jamais, hormis sa mère, et il la trouva là, les bras ballants, regardant fixement la fenêtre qui battait au vent. Les volets intérieurs, brutalement repoussés, avaient fait tomber deux statuettes de terre cuite qui gisaient sur le parquet de chêne, en miettes. Plus surprenant encore, un grand sous-verre s'était décroché et brisé au sol.

— Maman ! Qu'est-ce qui se passe ?

Le froid s'engouffrait dans la pièce, et Jérémie commença par aller fermer la fenêtre, puis les volets intérieurs. Quand il se retourna vers sa mère, elle était livide.

— Un courant d'air ? suggéra-t-il.

— Courant d'air avec quoi ? Tout est fermé, voyons ! Et puis ces fenêtres sont prévues pour résister aux tempêtes, c'est du double vitrage, heureusement incassable…

Elle se baissa pour ramasser des papiers qui avaient volé partout.

— Attends, je vais t'aider…

— Laisse ! dit-elle d'un ton sans réplique en se saisissant d'une photo qu'elle retourna aussitôt.

— Écoute, maman, tu rangeras demain, il est tard. Papa est monté se coucher ?

— Oui.

— Et vous avez pu parler ?

— Pas vraiment. Il s'est vite braqué, puis il a dit qu'il était fatigué. J'attendrai demain matin, il ira mieux, ça ne sert à rien de discuter avec lui le soir. Monte vite te coucher, mon grand.

— Et toi ?

— Je ne tarderai pas, promis.

Elle le regarda sortir en souriant, mais dès qu'elle se retrouva seule, son sourire s'effaça. La photo qu'elle tenait toujours contre elle lui brûlait les doigts, et elle la posa sur le bureau. Depuis bien des années, elle s'interdisait de regarder les quelques photos de Martial qu'elle possédait. Elle les avait montrées à Virginie lorsqu'elle était enfant, puis adolescente, et les avait rangées dans une enveloppe à son intention. La seule qu'elle avait conservée pour elle, en souvenir, était celle-ci. En principe, elle aurait dû se trouver dans le vieux sous-main de cuir, coincée par le buvard hors d'âge qui la dissimulait. Un *courant d'air* ne l'avait pas projetée hors de sa cachette.

Après tout, c'était possible. Depuis que le chalet servait de bureau, Léa ne venait plus que très rarement dans cette pièce. Ce soir, elle y était entrée avec l'idée de mettre un peu d'ordre en prévision des changements. Si elle voulait pouvoir travailler ici avec Raphaël, elle devait s'organiser. Et d'abord faire vérifier la crémone de cette fichue fenêtre ! Ensuite, elle dégagerait le mur du fond pour y installer les classeurs métalliques. Elle trierait aussi tous les traités, revues et autres publications professionnelles accumulés par Martial.

— Je vais acheter une grande planche que je mettrai sur deux tréteaux.

« Acheter » une planche ? Elle éclata de rire tant l'idée était stupide. Des planches, elle en produisait, elle en vendait !

Elle reprit la photo mais, avant de la ranger, la considéra attentivement quelques instants. Les traits de Martial ne s'étaient jamais effacés de sa mémoire, elle se souvenait du moindre détail comme ce grain de beauté sur la joue ou cette ride d'expression qui lui barrait le front. Un bel homme au regard bleu azur, figé à trente ans pour l'éternité. Elle l'avait passionnément aimé et n'avait pas pu l'oublier jusqu'ici, malgré tous ses efforts. Raphaël allait-il changer les choses ? Pour la première fois depuis la mort de Martial, elle avait enfin senti son cœur battre, *vraiment* battre très fort.

— Tu m'en voudrais d'être heureuse sans toi ? murmura-t-elle à la photo.

Mais là où était Martial, il n'y avait sans doute ni jalousie ni rancune. Rien d'autre que la paix.

Plongée dans sa contemplation, elle sursauta en entendant craquer le plancher. Ou un meuble, une porte. Tous les bois de la maison jouaient à longueur d'année avec les différences de température. D'ailleurs, il faisait froid dans cette pièce dont les radiateurs étaient réglés au minimum. Elle replaça la photo à l'intérieur du sous-main, remit celui-ci entre la pendulette et le pot à crayons.

— Je vais ranger tout ça au fond d'un placard pour faire de la place à l'ordinateur et à tout le bazar informatique.

Contrairement à ce que croyait Tristan, elle n'avait aucun scrupule à bouleverser l'ordre des objets, à changer la décoration de la maison. Ce bureau n'était pas un sanctuaire, même si elle n'y mettait pas souvent les pieds, et elle comptait le modifier de fond en comble.

172

Parcourue d'un frisson, elle resserra son gilet autour d'elle, puis prêta l'oreille aux bruits de la maison. Au bout d'une minute, elle eut la quasi-certitude que quelqu'un marchait dans la galerie. Tristan ? Non, il devait déjà dormir et ronfler, il ne venait certainement pas chercher un livre ! Ouvrant la porte, elle appela :

— Jérémie ?

Mais il n'y avait personne, la galerie était plongée dans le silence et l'obscurité. Léa attendit un peu puis, à pas de loup, traversa le vestibule et monta l'escalier. Dans leur chambre, Tristan était étalé en travers du lit, comme prévu. Elle redescendit sans bruit, parcourut le rez-de-chaussée en allumant tout sur son passage. Cette maison, elle la connaissait par cœur, et elle avait bien entendu des pas, elle ne pouvait pas confondre avec un autre bruit. Par acquit de conscience, elle vérifia que les portes étaient verrouillées et qu'aucune autre fenêtre ne s'était ouverte. Lorsqu'elle repassa devant le bureau pour gagner la chambre d'amis où elle dormait désormais, elle s'arrêta un instant.

— Bon sang, maugréa-t-elle entre ses dents, je ne vais pas me mettre à avoir peur chez moi. Qu'est-ce que ce sera au mois de janvier !

Une fois Tristan parti et Jérémie en pension, elle serait bien obligée d'affronter seule les longues nuits d'hiver dans cette grande bâtisse. Même après la mort de Martial, elle avait eu la compagnie de Virginie, qui n'était bien sûr qu'une enfant de trois ans mais qui accaparait alors toute son attention. Et puis, Lucas était là très souvent, il avait dormi durant des mois dans la chambre d'amis pour aider sa sœur à surmonter son deuil. Aujourd'hui, pas question de lui demander la même chose, il avait Malo dans sa vie.

D'un geste décidé, elle ralluma la lumière du bureau, jeta un coup d'œil circulaire. Par terre, l'aquarelle qui s'était décrochée du mur gisait au milieu des éclats de verre et des débris des statuettes.

— Quel chantier…

Elle alla récupérer la fragile peinture et l'examina. Offerte à Martial pour leur premier anniversaire de mariage, l'aquarelle représentait une colline couverte d'épicéas. L'artiste était inconnu, évidemment, mais le paysage dégageait du charme, de l'authenticité. Elle se souvenait encore de ses hésitations avant de l'acheter, dans une petite boutique de Lons, rebutée par le prix pourtant modique. Elle décida de le porter chez un encadreur dès le lendemain, ensuite elle lui trouverait une autre place, peut-être dans sa chambre, face au lit. *Sa* chambre, qu'elle allait redécorer aussi.

« Vivement qu'il parte, qu'il arrête de cuver entre ces murs, qu'il s'en aille ! »

Elle ne voulait plus voir Tristan, plus penser à Martial non plus, elle voulait changer d'existence à présent. Tourner la page, essayer de construire autre chose, revivre.

« Je l'ai fait pour mes forêts, je le ferai pour moi. »

Soudain la fenêtre se rouvrit violemment, lui arrachant l'aquarelle des doigts, et elle resta figée de terreur.

— Non, je ne vois rien du tout, maugréa Tristan. Peut-être que ta divine maison se déglingue ? Fais venir un menuisier, moi ça me dépasse.

De très mauvaise humeur, comme souvent au réveil, il n'avait pas pu échapper à Léa qui l'attendait de pied ferme dans la cuisine.

— Bon, laisse tomber, referme cette fenêtre.

À peine levée, elle était venue balayer le parquet du bureau et l'avait ciré avant de préparer le petit déjeuner.

— C'est casse-gueule, ton truc, fit remarquer Tristan qui s'amusait à glisser sur ses chaussons.

— Eh bien, allons boire un café, il fera plus chaud près de la cheminée !

Elle ne l'avait traîné devant la fenêtre que pour avoir son avis, mais bien sûr, il s'en fichait.

Ils retournèrent s'asseoir à la grande table de la cuisine, s'observant en chiens de faïence.

— Si tu as les idées claires, commença-t-elle, j'aimerais que nous...

— J'ai *toujours* les idées claires ! Ne sois pas systématiquement agressive.

Ignorant la provocation, Léa se força à sourire.

— Bien, essayons d'être raisonnables tous les deux. Nous pouvons nous séparer sans devenir des ennemis.

— Tout dépendra de la manière dont tu me jettes !

Exaspérée, Léa prit le temps de servir le café et de mettre du pain à griller.

— Le chalet sera libre dès la fin de la semaine, déclara-t-elle enfin.

— Raphaël a trouvé où se loger ?

— Il a loué un truc pas très loin d'ici.

— Pas loin ? Formidable… C'est quoi, un « truc » ?

— Une petite maison, je crois.

Pourquoi ajoutait-elle « je crois » ? Pour ne pas dire qu'elle avait accompagné Raphaël dans ses recherches ?

— Bref, il s'en va. Tu peux commencer à organiser ton déménagement.

— Avant Noël ? Nous sommes déjà le 18, j'espère que tu plaisantes. Je ferai ça tranquillement en début d'année.

— Non ! répliqua-t-elle d'une voix contenue.

Elle se leva pour rapporter les toasts, sortit le beurre du réfrigérateur.

— Aucun déménageur ne sera libre avant, Léa. Tu es donc si pressée de me voir partir ? Nous avons mille questions à régler d'abord. Je vais consulter un avocat, je ne veux pas que tu puisses m'accuser d'avoir abandonné le domicile conjugal !

— Tu vas néanmoins t'en aller, articula-t-elle en détachant les syllabes. Il me semble que nous nous portons réciproquement sur les nerfs, et continuer à cohabiter deviendra vite intolérable, tu le sais très bien. Je ne tiens pas à ce que nous jouions à la guerre des tranchées ou qu'on finisse par se taper dessus. Et j'en ai assez de dormir dans la chambre d'amis, je veux récupérer la mienne.

— S'il n'y a que ça qui t'embête, on peut changer, ironisa-t-il.

À l'évidence, il allait tout faire pour s'attarder, la pousser à bout, compliquer la situation à plaisir.

— Tu devrais te montrer plus franche, Léa, et m'expliquer pourquoi c'est si important pour toi que je parte.

Narquois, il la toisait, certain d'avoir l'avantage, mais elle riposta d'une traite :

— Parce que j'en ai assez, voilà. Assez de te voir picoler, traîner, bâiller, cuver. Assez de te voir vautré au chaud à ne rien faire d'autre que boire du matin au soir, alors que je m'échine dehors. Assez que tu m'empruntes de l'argent parce que tu as la flemme d'en gagner. Assez de ta mauvaise humeur, de ton indifférence à tout ce qui ne vient pas de toi. C'est suffisant ?

— Peut-être, mais ça ne crée pas l'urgence !

— Oh, que si ! s'écria-t-elle en tapant du poing sur la table.

Après cet éclat, le silence retomba entre eux. Au bout d'un long moment, Tristan fouilla dans la poche de sa robe de chambre et en sortit un papier plié en quatre.

— Tu es bien nerveuse, marmonna-t-il. C'est cette histoire de fenêtre qui t'a fait passer une mauvaise nuit ? Je dois dire qu'il y a de quoi avoir la trouille, toute seule en bas... Cette baraque est trop grande, en plus elle est sinistre. Contrairement à ce que tu crois, je ne vais pas m'accrocher plus longtemps que nécessaire. Tiens, je t'ai préparé une liste des choses que je compte emporter.

Il poussa la feuille vers elle et attendit. Interloquée, elle le dévisagea avant de s'intéresser à sa liste. Depuis quand trouvait-il la maison *sinistre* ? Et d'où lui venait cette sorte de sollicitude pour les angoisses nocturnes de sa femme ? Sa pseudo-compassion devait avoir un motif plus prosaïque, mais lequel ? Baissant les yeux sur le papier, elle l'examina enfin.

— Tu plaisantes, Tristan ? Tu récupères tes meubles, c'est normal, tu prends de la vaisselle et du linge, d'accord, et même tous nos cadeaux de mariage si tu veux, mais là, tu as écrit *la commode de l'entrée* ? Voyons, elle appartenait à Martial !

— Elle ferait très bien dans le chalet.

— Pas question. Tout ce qui me vient de Martial restera ici, jusqu'à la dernière petite cuillère.

— Tu n'es pas très arrangeante, dit-il d'un ton plaintif. À ce compte-là, notre séparation va traîner des mois...

— C'est du chantage ?

— Non, mais je ne peux pas m'en aller sans rien. D'autant que je n'ai pas les moyens d'acheter quoi que ce soit en ce moment. Même les déménageurs, je ne pourrai pas les payer, il faudra que tu m'aides.

Dans quel piège était-il en train de la faire tomber ? D'une manière ou d'une autre, il allait s'arranger pour lui soutirer de l'argent, et surtout lui mettre des bâtons dans les roues.

— La liberté coûte cher, Léa, ajouta-t-il froidement.

Si elle se mettait en colère, la discussion risquait de s'arrêter là, or rien n'était réglé. Après un nouveau silence, elle reprit la parole avec prudence.

— Voilà ce que je te propose, et je te préviens que ce ne sera pas négociable. Nous allons consulter *ensemble* un avocat, cette semaine, pour établir notre séparation sans qu'aucun de nous deux ne soit lésé. Je prendrai en charge ses honoraires. En ce qui concerne ton déménagement, tu peux louer un petit camion et demander à Jérémie de t'aider pendant les vacances de Noël. Quant au réveillon, vis-à-vis des enfants, ce serait mieux qu'on le fasse tous ensemble, comme d'habitude, si ça te va.

— Si ça me va ? explosa-t-il. Tu es une vraie teigne ! Tu brises, tu tranches, tu me proposes des choses inacceptables et je devrais te dire merci ? Tu m'as toujours considéré comme le parent pauvre, je vois que ça continue, mais tes aumônes ne m'intéressent pas, j'aurai ma part du gâteau !

Les derniers mots lui avaient échappé bien malgré lui, et il mit sa main devant sa bouche, dans un geste totalement puéril. Atterrée, Léa finit par hausser les épaules.

— Nous sommes mariés sous le régime de la séparation de biens, rappela-t-elle à tout hasard. Et il n'y a aucun « gâteau » à se partager.

— C'est ce que tu crois, parce que tu es mal renseignée. En me mettant dehors, tu me fais changer de train de vie, tu me laisses sans ressources, et je peux prétendre à une indemnité compensatoire ou à une pension alimentaire. Tu l'ignorais ? Tu vois, ce ne sera pas si facile de te débarrasser de moi. D'ailleurs, tu es vraiment trop pressée, Léa. On dirait que... Je ne sais pas, moi, on dirait que tu as un amant !

Il l'avait énoncé en la regardant bien en face, cette fois, comme un avertissement, peut-être même une menace.

— Un amant ? répéta-t-elle. Non... Mais c'est une bonne idée, j'aurais dû en prendre un depuis longtemps au lieu de me croire moche parce que tu ne me touches plus. J'ai à peine quarante ans, et il y a des années que je n'ai pas fait l'amour.

Elle pouvait l'affirmer sans rougir, sans mentir. Tristan avait beau la scruter, elle ne baisserait pas les yeux, ne se laisserait ni effrayer ni culpabiliser.

— Allons, Tristan, à quoi bon faire de ce divorce un désastre ? On ne s'entend plus, chacun reprend ses billes et on se sépare, basta. Ne jetons pas d'huile sur le feu et on arrivera à rester en bons termes, ce serait tellement mieux pour Jérémie !

À cet argument-là, il n'avait rien à répondre. Il se leva, voulut finir sa tasse de café, mais ses mains tremblaient, comme souvent le matin, et il la reposa maladroitement. La manière dont il quitta ensuite la cuisine ressemblait à une fuite. Toujours assise, Léa resta sans bouger. Pourquoi ne parvenait-elle pas à être émue par cet homme avec qui elle avait passé quinze ans de sa vie ? Pourquoi ne subsistait-il rien d'autre entre eux qu'une rancune réciproque, prête à se transformer en haine ?

Elle essaya de se souvenir des propos échangés, qui ne débouchaient pas sur grand-chose de concret pour l'instant. Tristan voulait de l'argent, sa « part du gâteau », et pour ça, il était prêt à tous les coups bas. Il n'hésiterait pas à pleurer misère devant un juge, déposer son bilan et se décréter chômeur. Heureusement, il possédait le chalet, Léa ne passerait pas pour un monstre en l'obligeant à s'en aller d'ici.

La liste était toujours devant elle, et elle la parcourut jusqu'au bout. Saisissant un stylo qui traînait sur la table, elle biffa trois lignes. La paire de chandeliers d'argent, superbe, était un cadeau de Lucas à Léa pour ses trente ans, et le fauteuil cabriolet, tout comme la commode de l'entrée, avaient appartenu à Martial.

— À part ça, qu'il prenne ce qu'il veut, je m'en moque !

Est-ce que dorénavant chaque phrase échangée serait obligatoirement sordide ? Tristan allait-il compter les draps, les verres ? Devrait-elle riposter en additionnant tous les chèques qu'elle lui avait faits ? Non, impossible de tomber si bas, de se battre pour un meuble ou un objet, de se jeter des sommes d'argent à la tête. D'avance, elle refusait d'entrer dans ce cercle infernal.

Découragée, elle mit ses coudes sur la table et son menton dans ses mains. En ce moment, son unique raison de se sentir heureuse s'appelait Raphaël. Penser à lui aurait pu l'apaiser un peu si, malheureusement, il n'avait pas représenté un danger supplémentaire. Les allusions de Tristan étaient limpides. S'il les surprenait ensemble, il ferait prononcer le divorce aux torts de Léa.

— Quel guêpier…, soupira-t-elle.

Et dans moins d'une semaine, le réveillon aurait lieu. Chaque année, depuis la naissance de Jérémie, elle s'était attachée à faire de ces fêtes de Noël des moments exceptionnels, or cette fois, rien n'était prêt, d'ailleurs personne n'aurait envie de s'amuser.

Le mouvement du balancier de l'horloge franc-comtoise était le seul bruit perceptible de la maison. Là-haut, Tristan devait attendre impatiemment que sa femme ait quitté la cuisine pour venir se servir son premier verre de la journée. Si elle restait là, il finirait par aller boire au bistrot du village voisin où il avait ses habitudes.

Lorsqu'elle se leva pour éteindre les lumières, elle constata qu'il neigeait. La matinée était déjà bien entamée, néanmoins elle décida d'aller donner un coup de main à Raphaël qui devait être en train d'emballer les dossiers et le matériel informatique au chalet. Toute la semaine, ils passaient leurs journées ensemble à travailler, autant ne rien changer à ce programme établi, sinon ce serait suspect. Avant de partir, elle fit halte devant le miroir du vestibule et se regarda longuement. Comme Tristan ne lui faisait jamais le moindre compliment, elle avait plus ou moins cessé d'être coquette. Le redevenir était assez réjouissant, aussi arrangea-t-elle soigneusement les boucles qui dépassaient de son bonnet. Elle avait le droit de se trouver jolie, le droit de vouloir plaire.

La commode émit un petit craquement sec qui la fit se détourner du miroir. Ce genre de bruit ne se produisait donc pas uniquement la nuit, mais dans la journée on n'y prêtait pas attention, voilà tout. Et les fenêtres n'étaient pas hantées, elles avaient seulement de trop vieilles huisseries. Au souvenir de ses terreurs nocturnes, Léa haussa les épaules avec insouciance.

5

Lucas avait confié le garage à Malo pour l'après-midi, et il était venu aider Raphaël à décharger sa camionnette de location. Hormis le lit et les deux gros fauteuils club, il n'y avait rien de très volumineux. Des étagères en chêne brut, faciles à démonter ou remonter, un écran plasma, une microchaîne stéréo, quelques cartons de livres et de films constituaient l'essentiel du déménagement.

— Elle est mignonne, cette fermette ! lança Lucas en ouvrant la boîte à outils qu'il avait eu la bonne idée d'apporter.

Le séjour comportait une cheminée de briques, trois petites fenêtres, et des poutres vernies, très anciennes, ornaient le plafond bas et l'un des murs.

— Mignonne et pratique, approuva Raphaël. Comme elle a été louée en gîte pendant un certain temps, la cuisine est entièrement aménagée, je n'aurai rien à acheter.

Contre le mur du fond, il déplia deux tréteaux d'acier, posa par-dessus la plaque de verre trempé.

— Voilà pour mon bureau, c'est vite installé !

— Et pour manger, tu as une table ?

— Pas encore, mais je trouverai. Il doit bien y avoir des marchands de meubles, à Lons ?

— Inutile, j'en ai une dans ma cave dont je ne fais rien. Ronde, pas trop grande et en pin, avec des tabourets assortis. Tu la veux ?

— Tu parles !

Lucas acheva de visser l'une des étagères et passa à la suivante. Comme ils avaient mis en route la chaudière à bois dès qu'ils étaient arrivés, il commençait à faire bon.

— Branche-nous une lampe, suggéra-t-il, on n'y voit plus rien.

Efficace, bon bricoleur, Lucas se révélait d'une aide précieuse. Sans lui, Raphaël aurait été obligé de plus ou moins camper pour la première nuit.

— Si tu veux, proposa Lucas, on peut manger un morceau à Pont-de-Poitte ce soir, il y a une petite auberge sympa. Ce n'est qu'à une quinzaine de kilomètres d'ici et ça me rapprochera de Lons pour le retour.

— À une condition, c'est moi qui invite !

Raphaël faillit proposer que Malo les rejoigne, mais il s'en abstint, de peur d'embarrasser Lucas. Même s'ils en étaient venus facilement au tutoiement, ils ne se connaissaient pas encore assez bien pour être familiers.

Toute la fin de l'après-midi, Raphaël continua à déballer et à ranger tandis que Lucas se chargeait d'aller rendre la camionnette de location puis de ramener le 4 × 4. À sept heures et demie, tout était en place, et à huit heures précises, ils s'installèrent enfin à une table de l'*Hôtel-Restaurant de l'Ain*, où ils comman-

dèrent un pot-au-feu de chèvre salée avec une bouteille de vin d'Arbois.

— Maintenant, il faut que je te parle de Léa, déclara
Lucas sans autre préambule.

Aussitôt sur la défensive, Raphaël acquiesça d'un
sourire crispé.

— Léa n'est pas seulement ma sœur, c'est ma
jumelle, mon double. Une partie de moi, si c'est plus
clair pour toi comme ça, et ce ne sont pas des mots en
l'air. Alors tu comprends, tout ce qui la concerne a
une importance considérable à mes yeux. Bien sûr, elle
fait ce qu'elle veut, je ne prétends pas lui dicter sa
conduite, mais quand je peux lui éviter des ennuis, je
m'y emploie. C'est d'ailleurs réciproque, elle est toujours là pour moi.

— Oui, elle me l'a un peu expliqué, se borna à
répondre prudemment Raphaël.

— Bon, tu connais Tristan, tu imagines dans quelle
piètre considération je le tiens ? Alcoolique, manipulateur, égocentrique, j'en passe et des meilleures. Je sais
depuis longtemps que Léa en a par-dessus la tête, elle
a beaucoup trop attendu pour divorcer. Un type
comme ça n'est qu'un boulet dans une vie. Un vrai
boulet !

Raphaël écoutait Lucas et soutenait son regard. Il ne
pouvait s'empêcher de constater que Léa avait exactement les mêmes yeux gris clair, et aussi le même nez,
la même fossette. Leur ressemblance était extraordi-
naire, jusque dans leur manière de s'exprimer en bou-
geant les mains.

— Je pense qu'elle avait besoin d'une étincelle pour
arriver à mettre le feu aux poudres, c'est humain. Tu

représentes cette étincelle, Raphaël, et je m'en réjouis, crois-moi. Seulement, je ne sais pas qui tu es ni ce que tu attends de Léa.

Comme la serveuse arrivait avec leurs plats, Raphaël ne répondit pas immédiatement. Il but une gorgée de vin d'Arbois et patienta jusqu'à ce que la jeune femme s'éloigne après leur avoir souhaité bon appétit.

— C'est très simple, Lucas. Durant plusieurs mois, j'ai travaillé avec ta sœur en parfaite harmonie et sans aucune ambiguïté. Elle me payait pour que je lui apprenne le métier à fond, elle n'était pas mauvaise élève, tout allait bien. Et puis un beau jour, ça m'a pris par surprise. Nous étions en forêt, comme tous les jours ou presque, elle marchait à côté de moi, et tout à coup, j'ai réalisé que j'étais tombé amoureux d'elle. C'est le truc le plus insensé qui me soit arrivé ! Je n'ai jamais éprouvé quelque chose de comparable. C'est fou, je me sens absolument prêt à tout. Mais je me sens très bête, aussi. À tel point que je n'ai pas encore osé lui dire ce que je viens de t'avouer, du moins pas dans ces termes. Je suppose que tu le lui répéteras ?

— Sûrement...

— Quant à ce que j'attends d'elle, ça me paraît évident. Je voudrais bien qu'elle divorce vite, et surtout qu'elle m'aime.

— Dans cet ordre-là ?

— Quel autre ?

— Un divorce peut prendre beaucoup de temps. Tristan va traîner les pieds, j'en suis certain, et créer un tas d'ennuis. Il n'a aucune envie de quitter la maison de Martial, enfin, *La Battandière*... À ce propos, tu as fatalement remarqué que, malgré tous nos efforts, il est souvent question de Martial dans la famille ?

Cette fois, Lucas paraissait plus soucieux que lorsqu'il évoquait Tristan.

— Léa m'a parlé de lui. Je comprends très bien qu'elle parle encore de ses années de jeunesse et de bonheur, pourquoi n'aurait-elle pas le droit d'y penser ? En tout cas, d'un point de vue professionnel, Battandier a dû être un sacré forestier. Léa a pu tenir un bon moment sans toucher à rien parce qu'il avait planifié l'avenir de ses bois de façon exemplaire. Et puis, c'était sans doute une forte personnalité, du genre qu'on n'oublie pas.

— Oui.

Baissant la tête sur cette réponse laconique, Lucas se mit à manger. Au bout de quelques minutes, il s'interrompit, repoussa son assiette et replongea son regard dans celui de Raphaël.

— Je vais te donner une clef, déclara-t-il. Je connais ma sœur mieux que quiconque et je peux te dire que lorsqu'elle a épousé Tristan, c'était précisé ment dans le but d'oublier. On ne vit pas sur ses souvenirs, pas plus à vingt-quatre ans qu'à quarante. Si cet abruti avait été à la hauteur... Tu crois que tu le seras, toi ?

— Est-ce que ça signifie que tu me donnes aussi ta bénédiction ?

Surpris par la question, Lucas laissa échapper un rire très spontané.

— Bien sûr ! Mais pour l'instant, vous êtes coincés.

Raphaël éclata de rire à son tour et, l'espace d'une seconde, ils partagèrent une vraie complicité.

— Je sais tout ça, reprit Raphaël, et le reste, je le devine. Évidemment, je n'ai pas le beau rôle, mais je m'en fous. J'essaie de faciliter les choses pour Léa, c'est tout. Et franchement, je ne me sens pas immoral.

À la manière dont Lucas hocha lentement la tête, Raphaël comprit qu'il venait de marquer un point. Pourtant, il ne cherchait pas à gagner les bonnes grâces de Lucas, il se contentait d'être sincère. Non, il n'avait pas l'impression de commettre une mauvaise action en voulant conquérir Léa ; non, il ne plaignait pas Tristan, et personne ne lui ferait croire qu'à cause de lui un couple s'était brisé. Ce couple-là n'existait plus depuis longtemps, il n'en était pas responsable.

— Tu as de la famille, Raphaël ?

— Deux sœurs, une à Paris, l'autre au Canada, et aussi ma mère, qui est dans un établissement spécialisé pas très loin d'ici. Elle est atteinte de la maladie d'Alzheimer.

— Oh, désolé… Et tu es proche de tes sœurs ?

— De Céline, oui, la Parisienne. Elle vient de temps en temps voir maman, et nous passons la journée ensemble.

— Je crois l'avoir aperçue une fois à Lons, sortant d'un restaurant avec toi. *La Comédie*, il me semble.

— Tu es très observateur ! s'esclaffa Raphaël.

— Ce n'était pas moi qui t'observais, c'était Léa.

Ils échangèrent un nouveau regard amusé, assez satisfaits l'un de l'autre, presque certains à présent qu'ils allaient pouvoir devenir des amis.

Le repas s'acheva avec un bleu de Gex à la pâte bien persillée, arrosé d'un doigt d'eau-de-vie de gentiane offerte par la serveuse. À l'évidence, elle trouvait les deux hommes à son goût et elle leur recommanda la prudence pour rentrer chez eux. Ils comprirent ce que ce conseil signifiait en voyant leurs voitures couvertes d'une épaisse couche de neige.

— Et dire qu'il y en a pour des mois, ronchonna Lucas. Tu as déjà passé un hiver entier dans le Jura ? Tu verras, c'est long !

Il adressa un dernier signe amical à Raphaël avant de s'engouffrer dans sa Honda. Tout le long de la route jusqu'à Lons, il réfléchit au sujet de Raphaël, qui lui semblait décidément capable d'assumer la situation. À aucun prix Léa ne devait subir une nouvelle déception, elle venait de traverser des années difficiles et méritait de trouver enfin un homme bien. Mais les gens bien ne courent pas les rues, encore moins les montagnes ! Raphaël avait l'air franc, solide, déterminé, amoureux. Et il était séduisant, indiscutablement. Comme toujours, les hommes qui plaisaient à Léa plaisaient aussi à Lucas, il n'y avait eu que Tristan pour faire exception.

En arrivant chez lui, il fut un peu surpris de trouver l'appartement éteint. Malo ne se couchait jamais très tôt, il regardait la télévision, lisait ou bricolait en attendant que Lucas rentre. Mais la chambre était aussi déserte que le séjour, et le lit pas défait. Dans la cuisine, sur le tableau blanc qui servait de pense-bête, Malo avait simplement écrit : « Ne m'attends pas. Je t'embrasse. »

Ne pas l'attendre jusqu'à quand ? Était-il allé dîner en ville avec des amis ? Ou au cinéma ? Haussant les épaules, contrarié, Lucas alluma une cigarette et constata que son paquet était presque vide. Il avait beaucoup fumé au restaurant, Raphaël n'y voyant aucune objection.

Après quelques bouffées, il éteignit sa cigarette sous un filet d'eau, jeta le mégot à la poubelle et décida de prendre sa douche. Malo avait le droit de s'amuser de son côté, bien entendu, pourtant quelque chose n'était pas normal dans ce petit mot trop vague. « Je t'embrasse », au lieu d'une de ces formules tendres dont il avait le secret, et « Ne m'attends pas », plutôt que signaler son heure de retour. Pourquoi ?

Pris d'un doute, Lucas sortit de la salle de bains en hâte et alla jeter un coup d'œil dans les placards de leur chambre. Non, Malo n'avait pas fait ses valises en douce, toutes ses affaires étaient là. Mais enfin, à minuit, un jour de semaine à Lons, et sous une véritable tempête de neige, que pouvait-il faire ? Le plus simple étant encore de lui poser la question par un texto sur son portable. Au bout d'une demi-heure, sans réponse, il l'appela directement, tomba sur la messagerie et raccrocha rageusement.

— Après tout, je m'en fous, s'il préfère être injoignable, ça le regarde !

Pourtant, une fois sous sa couette avec un roman policier à la main, Lucas comprit qu'il n'arriverait pas à s'endormir tant que Malo ne serait pas rentré. Et ce n'était pas l'inquiétude qui le tenait éveillé, mais une sourde colère.

À la même heure, Léa n'avait pas non plus trouvé le sommeil. Fatiguée de se retourner sans cesse dans son lit, elle avait fini par se lever et était allée se confectionner un sandwich.

Jérémie ayant décidé de passer la nuit chez un copain, à Lons, Tristan et Léa s'étaient retrouvés seuls pour le dîner. Un face-à-face sinistre, durant lequel les bruits de couverts leur avaient tenu lieu de conversation. Tristan boudait ostensiblement, et il en profitait pour boire. Dès la dernière bouchée avalée, il était monté se coucher sans lui avoir adressé la parole. Combien de jours encore faudrait-il supporter cette ambiance délétère ?

Léa emporta son sandwich et un verre de lait dans le bureau. Hormis quelques dossiers qui restaient à trier, tout était en ordre à présent. D'abord, elle alla vérifier la fenêtre, ce qu'elle faisait machinalement dès qu'elle pénétrait dans cette pièce, puis elle s'assit et regarda autour d'elle. Ce serait vraiment agréable de travailler ici désormais, elle commençait à s'approprier l'endroit. Longtemps, elle l'avait considéré comme le bureau de Martial, n'y venant qu'avec réticence parce qu'il était trop chargé de souvenirs, mais c'était fini. D'ici quelques jours, ces murs entendraient à nouveau parler de cubage estimatif des arbres sur pied, d'évaluation des houppiers, de volumes en grumes. Raphaël avait encore un million de choses à lui apprendre, elle se sentait très impatiente.

Une fois son sandwich terminé, elle se concentra sur quelques détails. Laisser le tapis au milieu ? Il réchauffait le sol de pierre, mais serait plus douillet sous le bureau. Quant au paysage de la colline d'épicéas récupéré le matin même chez l'encadreur, il avait retrouvé sa place et n'en bougerait plus. Levant les yeux sur l'aquarelle, Léa constata qu'elle l'avait raccrochée de travers. Elle s'en approcha et, pour la remettre droite, effleura le bord inférieur. Une fraction de seconde plus tard, le sous-verre dégringola et se fracassa à ses pieds. Saisie, Léa recula machinalement. Un éclat lui avait coupé la cheville, elle saignait, mais elle était trop choquée pour réagir. Il lui fallut quelques minutes pour se calmer, puis elle se pencha pour examiner le dos du sous-verre. L'attache semblait intacte, c'était le clou qui avait cédé.

— Et la prochaine fois, ce sera quoi ? Le mur ?

Elle saisit l'aquarelle, vérifia qu'elle n'était pas déchirée, puis la débarrassa avec précaution des derniers morceaux de verre. De nouveau, il fallait tout nettoyer, et d'abord désinfecter la coupure, trouver un sparadrap.

— Qu'est-ce qui se passe, ici ? articula-t-elle lentement.

Elle ramassa le clou qu'elle mit dans la poche de sa robe de chambre.

— Il ne se passe rien, c'est une coïncidence, on appelle ça la loi des séries !

Parler à haute voix la rassurait, aussi poursuivit-elle son monologue jusqu'à la salle de bains.

— Je vais retourner chez l'encadreur qui me prendra pour une folle. Tant pis. Ensuite, je scellerai cette fichue aquarelle avec des boulons ! Et, bien sûr, il n'y a plus d'alcool…

Elle se servit de son parfum pour nettoyer la coupure, puis posa un pansement.

— Voilà, c'est guéri, marmonna-t-elle comme elle le faisait pour ses enfants lorsqu'ils étaient petits.

Dormir maintenant était inenvisageable, elle n'essaya même pas de se recoucher. Résolument, elle retourna dans le bureau pour balayer les débris de verre.

— Je ne vais pas faire ça toutes les nuits, oh non ! Entre le tableau qui n'arrête pas de tomber, la photo de Martial qui s'échappe du sous-main, et la fenêtre qui s'ouvre à tout bout de champ... Ma parole, quelqu'un veut m'effrayer !

Mais qui ? Tristan n'était pas en état de faire des blagues, il s'effondrait systématiquement en début de soi-rée. Avait-il bu autant que d'habitude ce soir ? Elle ne s'en souvenait pas, elle ne surveillait plus le contenu des verres depuis belle lurette. Pour en avoir le cœur net, elle monta vérifier et le trouva effectivement endormi, bouche ouverte et bras en croix. Elle s'attarda un peu sur le seuil de la chambre, songeuse. Quelle drôle de vie ils avaient mené tous deux ces derniers temps. Elle n'arrivait plus à se souvenir de la dernière fois où ils avaient été bien ensemble. De colère rentrée en dispute qui éclatait pour des riens, ils étaient devenus des adver-saires. Pourtant, même à ce moment-là, Léa n'avait pas eu le courage de mettre un point final à leur histoire. Elle s'était réfugiée dans la chambre d'amis, s'était mise à marcher sur la pointe des pieds dans sa propre mai-son, occupant ses insomnies à pleurer en silence. Pour-quoi tant de lâcheté ? Pourquoi avoir obstinément négligé l'héritage laissé par Martial ? *La Battandière*, d'abord, maison-refuge que toutes les neiges du Haut-Jura ne parviendraient jamais à ensevelir, et des hectares de forêts si savamment entretenues qu'elle en avait vécu comme une rentière jusqu'ici. Or qu'avait-elle retiré de ce legs magnifique ? Un ivrogne était installé dans le lit de Martial ; quant aux forêts, Léa les avait parcourues en touriste, et il lui avait fallu près de quinze ans pour s'y intéresser enfin !

Elle referma doucement la porte. Demain et tous les jours suivants, elle continuerait à se battre pour que Tristan s'en aille. Sans concessions ni états d'âme, elle allait terminer ce qu'elle avait commencé. Et tant pis si les objets avaient l'air de se révolter, rien ne la détournerait plus de son but. Satisfaite de sa résolution, elle descendit enfin se coucher.

Le vent s'était levé et soufflait à travers les arbres, cassant sur son passage des branches raidies de givre. Un vent surprenant, anormal pour le mois de décembre, qui s'infiltrait partout et qui avait fait chuter la température de dix degrés. Par moins quinze, il n'y avait strictement rien à faire en forêt.

Léa était passée payer Pierre Hamon chez lui. Le débardage s'était terminé dans les délais prévus, sans le moindre incident, et Léa avait apporté en cadeau un sac de carottes destiné aux deux ardennais. Elle fut obligée d'accepter une goutte de liqueur de sapin avant de pouvoir quitter le vieil homme, lui faisant promettre de retravailler pour elle à l'occasion.

Perdue dans ses pensées, elle conduisit très lentement jusqu'à la petite ferme de Raphaël, le chauffage de la voiture ouvert à fond. Être amoureuse ne devait pas la rendre imprudente, elle se l'était promis. Le plus sage serait que Raphaël vienne chez elle le matin. Voir son 4 × 4 devant *La Battandière* n'aurait rien d'anormal, il était son ingénieur et travaillait pour elle. À l'inverse, si des gens apercevaient trop souvent la Volvo dans cet endroit perdu, il y aurait fatalement des commérages.

Dès qu'il lui ouvrit la porte, elle se sentit fondre de bonheur, de gratitude, d'allégresse, une série d'émotions dont elle avait tout oublié.

— Vous êtes le plus joli bonhomme de neige de la vallée ! plaisanta-t-il en l'attirant à l'intérieur.

Il la prit dans ses bras, la serra trop fort, puis la lâcha immédiatement.

— Et vous m'avez manqué plus que je ne saurais le dire. Café ?

Il partit aussitôt vers la cuisine, et elle en profita pour se débarrasser de sa parka tout en regardant autour d'elle avec curiosité.

— Vous êtes bien installé, vous avez fait vite !

— Votre frère m'a considérablement aidé, je n'y serais pas arrivé tout seul. Mais je suis heureux que ce soit fini, Tristan va pouvoir récupérer son chalet, et surtout, nous allons enfin nous remettre au travail.

— Le bureau est prêt, j'ai même réussi à brancher l'ordinateur et l'imprimante ! Vous n'aurez qu'à venir chez moi demain matin.

— Chez vous ?

Il paraissait surpris, embarrassé, peut-être contrarié.

— Il n'y a pas d'autre solution, Raphaël. Qu'est-ce qui vous ennuie ?

— L'idée de croiser Tristan et de lui jouer la comédie, répondit-il spontanément. Il est encore votre mari, et moi, je suis amoureux de vous.

— Ah ! Eh bien, c'est vraiment, euh... vraiment bien, oui. Amoureux, vous êtes sûr ? Pas seulement attiré ou...

Empêtrée dans sa phrase, elle le vit sourire et s'interrompit. Durant près d'une minute, ils se regardèrent en silence, chacun se noyant avec délices dans les yeux de l'autre.

— Comme je n'ai qu'une parole, soupira-t-il, je ne vais rien faire pour l'instant, rien du tout. Mais si je m'écoutais, je me jetterais sur vous, ensuite je vous jetterais sur mon lit.

— Ouah ! Là, c'est cru.

— Vous seriez contre ?

— Je ne pense pas.

— Vous voyez.

Nouveau silence, nouvel échange de regards, puis Raphaël lui tendit la main.

— Venez vous asseoir, j'ai allumé cette flambée pour vous.

Il la conduisit jusqu'à l'un des deux gros fauteuils club et s'installa dans l'autre. Les tasses qu'il avait posées au bord du socle de la cheminée fumaient encore.

— Le bon côté des choses est que l'attente peut se révéler un grand plaisir aussi. Autrefois, les hommes devaient prendre le temps de faire la cour aux femmes, le temps de se connaître et de s'apprécier. Je trouve ça très sage.

— Non, protesta-t-elle, à l'époque, c'était juste une question de convenances ! D'ailleurs, je ne vous ai pas rencontré hier, il y a des mois que nous nous promenons ensemble. Mais je suis d'accord avec vous, l'attente a du bon.

Elle but son café à petites gorgées, très heureuse d'être là.

— Je pourrais prendre un congé de quelques jours, suggéra-t-il. Quand Tristan aura déménagé, je viendrai travailler chez vous. De toute façon, j'ai droit à des vacances, c'est dans mon contrat.

— Très bien. Laissons passer les fêtes, vous avez raison.

— Nous mettrons les bouchées doubles après, c'est promis. En commençant par l'informatique, parce que vous devez absolument apprendre à vous servir des nouveaux logiciels. Celui qui permet de visualiser la croissance des arbres en fonction des opérations sylvicoles pratiquées est génial ! Vous pouvez optimiser vos choix en envisageant tous les scénarios possibles, ce qui évite des expérimentations hasardeuses. Vous verrez, vous allez adorer...

— Je croyais que rien ne remplaçait l'observation sur le terrain !

— C'est complémentaire, Léa. En ce moment, il n'y a pas grand-chose à observer, tout est gelé, mais il y a des rapports passionnants à lire, ceux des chercheurs sur la diversité génétique et les meilleures sources de semence, ceux.. Vous ne m'écoutez pas, n'est-ce pas ?

— Non, pas ce matin, admit-elle en riant. Auriez-vous encore un peu de ce merveilleux café ?

Il fila à la cuisine et revint avec la Thermos dont il se servait en forêt.

— La cheminée tire bien, fit-il remarquer, ce sera agréable de rester au coin du feu avec un bon film ou un bouquin.

— La solitude ne vous a jamais fait peur ? demanda-t-elle en se laissant aller dans le fond de son fauteuil.

— Si c'était le cas, j'aurais choisi un autre métier ! Il m'est arrivé de passer des semaines entières dans des cabanes de fortune sans voir personne. Je me souviens d'une mission très solitaire, en montagne, qui a duré deux mois et qui m'a passionné. Mais j'avoue avoir été content de retrouver la civilisation avant de finir en homme des bois.

— Et comment vous est venue la passion des arbres ?

— À force d'emmener mes sœurs au square des Batignolles et au parc Monceau. Avant ça, j'étais parti une fois en classe de neige, une véritable révélation puisque les sapins m'avaient fasciné bien davantage que les descentes à ski ! Mais si je rêvais de forêts et de montagnes, le moindre marronnier me passionnait aussi. Chaque fois que les employés de la Ville de Paris élaguaient, soignaient, grillageaient ou abattaient un arbre, je pouvais passer des heures à les regarder. J'ai toujours su que je ferais quelque chose avec la nature, alors je me suis renseigné très tôt sur les carrières possibles. Grignon était un choix ambitieux, ma mère m'a beaucoup aidé…

S'en souvenir lui fit ébaucher un sourire nostalgique que Léa jugea irrésistiblement émouvant.

— Vos études ont été laborieuses ?

— Oh, pas du tout ! Dès le premier trimestre, j'ai compris que je ne m'étais pas trompé. Ensuite, je me suis montré plutôt bon élève. Mais c'était si facile, si évident !

Il souriait toujours, et Léa se mit à rire devant son air béat.

— Vous me trouvez prétentieux ?

— Non, je ris parce que dès que vous parlez de votre métier vous êtes tellement enthousiaste ! C'est très motivant pour moi.

— Vous êtes motivée, avec ou sans moi.

— Pour les forêts, sans aucun doute, mais pour le reste, je préférerais avec vous.

Quittant son fauteuil, il vint se planter devant elle et la dévisagea en silence.

— Vous devriez partir maintenant, dit-il enfin. Je ne vais pas résister beaucoup plus longtemps.

Elle se leva à regret, retrouvant brusquement tous ses soucis.

— Je vous appellerai ce soir ou demain, bredouilla-t-elle.

— Aussi souvent que vous voulez. Tenez-moi au courant de ce qui se passe, sinon je me sentirai très à l'écart.

— Oui… oui, bien sûr.

Il l'aida à remettre sa parka, lui tendit ses gants.

— Léa ? Regardez-moi. Pourquoi êtes-vous inquiète ?

— Tout me paraît compliqué, angoissant, et ce Noël qui arrive !

Impuissante à endiguer les larmes qui lui montaient aux yeux, elle baissa la tête.

— Voulez-vous que nous déjeunions ensemble demain ? proposa-t-il d'une voix très tendre. Nous pouvons aller au restaurant, à Lons, ça n'aura rien de suspect. Je suis toujours votre ingénieur, j'ai signé jusqu'au 30 mars prochain, vous vous en souvenez ? À partir du premier avril, je serai libre, vous ne devrez plus compter sur moi comme employé ni comme prof, il nous faudra trouver une autre formule de coopération. Mais ce sera le printemps, nous aurons sûrement des idées…

— Je vous retrouverai à midi et demi au *Relais des Salines*, décida-t-elle en se redressant.

La perspective de le revoir vite lui redonnait du courage, et elle en avait vraiment besoin.

— À demain, Raphaël !

Sans lui laisser le temps d'esquisser un seul geste, elle sortit en hâte et courut jusqu'à sa voiture.

— Avouez qu'on se croirait dans un univers de science-fiction, non ? C'est un tableau de bord de vaisseau spatial !

Penché à la portière, Malo observait les réactions de son client.

— Honnêtement, le constructeur a accompli des efforts futuristes pour cette huitième génération Ce qui fait que ça s'appelle toujours une Civic, mais ça n'a plus rien à voir. Boîte six vitesses sur toutes les versions, ligne sportive, coffre généreux : un bijou ! D'ailleurs, mon carnet de commandes s'allonge, et les délais aussi.

— Celle-ci n'est pas disponible ? s'enquit l'homme en caressant le volant d'un air gourmand.

— Je ne sais pas si je peux enlever le modèle de démonstration de ma vitrine.

— Allez, quoi…

— Il faut que je demande au patron.

Malo se détourna et se retrouva nez à nez avec Lucas.

— Oh, tu étais là ? Qu'en penses-tu ? Monsieur voudrait la Civic tout de suite.

— Impossible, répondit Lucas d'une voix glaciale.

Le client s'extirpa hors de l'habitacle pour venir plaider sa cause lui-même.

— C'est un cadeau que je destine à ma femme le soir de Noël. Écoutez, je paie la voiture comptant et je ne vous demande même pas de ristourne !

Devant le visage fermé de Lucas, Malo leva les yeux au ciel.

— On peut sûrement s'arranger, marmonna-t-il. Excusez-nous deux minutes, le temps de passer un petit coup de fil à l'importateur

Il prit Lucas par l'épaule et le poussa vers le fond du hall.

— Qu'est-ce qui te prend ? On ira en chercher une autre à Besançon ou à Dijon chez un confrère, la vitrine ne restera pas vide longtemps, tu le sais très bien !

— Où étais-tu cette nuit ? répliqua Lucas entre ses dents.

— Tiens, tu t'es aperçu que je n'étais pas là ? J'ai joué au poker chez les Calvet. Et comme ils prennent les parties très au sérieux, tous les portables étaient obligatoirement coupés. Quand je suis rentré, à quatre heures, tu dormais profondément. C'est tout, Lucas, il n'y a rien d'autre.

C'était facile à vérifier, Charles et Valérie Calvet faisant partie de leurs meilleurs amis.

— Tu t'inquiétais ? demanda Malo d'un ton plein d'espoir.

Pour le contrarier, Lucas faillit répliquer qu'il s'en moquait, mais à quoi bon mentir ? Oui, il s'était fait du souci, avait éprouvé de la jalousie, de la colère, et aussi du soulagement, un quart d'heure plus tôt, lorsqu'il avait découvert Malo en train de baratiner un client au beau milieu du hall d'exposition.

— Ne joue plus à ça avec moi, dit-il doucement.

Malo lui adressa un sourire radieux avant de lancer :

— Maintenant je peux la vendre, cette voiture ?

Léa contempla avec effarement les nombreuses caisses ouvertes et à moitié pleines qui encombraient le sol de la cuisine. Juché sur un tabouret, Tristan était en train de vider un placard.

— Déjà de retour ? grogna-t-il en descendant une pile d'assiettes.

— Remets ça en place ! s'écria Léa.

— Mais on ne s'en sert jamais !

— Tu es aveugle ou quoi ?

Il fit semblant d'examiner le dessus de la pile et haussa les épaules.

— Je n'avais pas fait attention. Encore un truc intouchable, si je comprends bien !

Chaque pièce du service de porcelaine était marquée des initiales L et M entrecroisées dans un grand B. Par délicatesse vis-à-vis de Tristan, Léa ne l'utilisait pas et l'avait soigneusement rangé tout en haut du placard. Comme par hasard, c'était sur lui que Tristan avait jeté son dévolu, choisissant ainsi la plus belle vaisselle de la maison et un souvenir très personnel de Léa.

— Alors, à quoi ai-je droit ? De quoi vas-tu me faire l'aumône ? Quelques vieilleries dépareillées ?

— Prends le service bleu à fleurs, je crois que tu l'aimes bien, et il est complet.

Il n'avait rien à rétorquer à cela. De mauvaise grâce, il rangea les assiettes, puis descendit de son tabouret.

— Je ne suis pas encore parti, tu sais ! Tout ça ne peut pas se régler en cinq minutes.

— Jérémie est en vacances ce soir, il t'aidera dès demain.

Elle recula, buta sur une caisse pleine de casseroles et de poêles. Si Tristan en avait fait autant dans chaque pièce, la maison entière devait être en chantier. Allait-il en profiter chaque fois qu'elle s'absenterait pour prendre les objets auxquels elle tenait ? Combien d'affrontements et de scènes avant qu'il ait enfin déménagé ?

— Tu ne m'as toujours pas dit si tu serais là pour le réveillon.

— Et où veux-tu que j'aille ? Tout seul au chalet, comme un con ? Merci bien ! Non, n'y compte pas, tu m'auras sur le dos et tu verras, ce sera un Noël formidable !

— On va essayer de faire bonne figure, Tristan. Pour Jérémie, pour Virginie…

— Pour ton frère aussi, peut-être ? Ah, il doit se frotter les mains ! Il m'a *toujours* détesté, d'ailleurs il a eu une influence lamentable sur toi, et je peux même te dire qu'il est en grande partie responsable de ce divorce de merde !

Très énervé, Tristan ouvrit la porte du réfrigérateur à la volée et en sortit une bouteille de vin blanc.

— Tu as prévu d'autres invités pour cette belle fête ? Notre cher Raphaël ne sera pas là ?

Immédiatement sur ses gardes, Léa eut un geste vague.

— Non, je pense qu'il doit être en famille, comme tout le monde. Et à ce propos, il a déménagé, tu peux commencer à porter tes meubles ou tes cartons au chalet, il est vide.

— À la tienne ! répliqua-t-il en levant son verre dans sa direction.

Il la regardait avec une telle méchanceté qu'elle se détourna.

— Qu'est-ce qu'on mange à midi ? cria-t-il avant qu'elle ne sorte.

— Ce que tu veux, le frigo est plein, mais ne compte pas sur moi pour te servir.

— Charmant... Quelle ambiance ! Allez, ne sois pas si hargneuse, ce sont nos derniers jours. Tiens, je nous prépare une omelette, d'accord ?

Elle fit volte-face, découvrit que son expression avait changé, qu'il affichait à présent un sourire très artificiel.

— Vas-y, accepta-t-elle par curiosité.

Déjeuner avec lui dans la cuisine dévastée ne l'enthousiasmait pas, mais elle était curieuse de savoir pourquoi il y tenait.

— Virginie reste à Genève ce soir, elle ne rentrera que demain, annonça-t-elle tandis qu'il s'affairait avec les œufs. J'en profite pour dîner chez Lucas.

Il acquiesça d'un petit hochement de tête et enchaîna :

— À propos de garage, que fait-on pour la Volvo ?

Ils possédaient deux voitures, la seconde étant un vieux break Volkswagen.

— J'ai payé la Volvo, répondit-elle fermement, je la garde. De toute façon, elle est déclarée comme véhicule de l'exploitation.

— Je suis vraiment le dindon de la farce, hein ?

— Où est le problème ? Le break est à toi, que je sache.

— Ce machin hors d'âge !

— Il a été révisé il y a deux mois, il est en parfait état.

Elle le savait d'autant mieux qu'elle avait réglé la facture, une fois de plus.

— Bon, admettons, je te laisse la Volvo, mais en contrepartie, j'ai quelque chose à te demander.

— Quoi donc ?

Il ne répondit pas immédiatement, occupé à faire glisser son omelette dans un plat.

— C'est prêt ! Tu veux un verre ? Histoire de trinquer à nos amours anciennes…

Il lui servit la moitié d'un ballon de blanc avant de s'installer en face d'elle.

— Écoute, Léa, j'ai un gros souci. Nous sommes en bisbille toi et moi, mais je ne vois pas à qui d'autre m'adresser. Voilà, mon contremaître a commandé les deux lames dont nous avions un besoin crucial. On n'arrivait plus à travailler dans ces conditions, et même pour toi, ça vaut mieux, c'est ta commande que nous traitons en ce moment. Malheureusement, mon compte professionnel est dans le rouge et la banque fait la grimace. Peux-tu m'avancer la somme ?

— Tristan…, soupira-t-elle. Je ne suis pas une planche à billets, je ne fabrique pas l'argent. Mes échéances sont lourdes, je me suis endettée, tu le sais.

— Mais ce n'est pas grand-chose pour toi !

— Je n'ai pas de liquidités, je te l'ai déjà expliqué.

Il vida son verre, se resservit aussitôt, puis il revint à la charge.

— Je suis pris à la gorge, Léa. Pourtant, il ne s'agit pas d'une grosse somme, tu t'en doutes bien. Et dès que mes affaires iront mieux, je te rembourserai rubis sur l'ongle.

— Tes affaires n'iront mieux que si tu t'en occupes. Quant à me rembourser, j'ai déjà entendu la chanson et je n'y crois plus.

— Pas cette fois-ci. Puisque nous divorçons, nous ne devons plus rien mélanger, j'ai compris. Avant, oui, ça me paraissait normal de s'épauler entre mari et femme... Bref, si tu veux, je te signe une reconnaissance de dette.

— La question n'est pas là. Je peux te montrer mon dernier relevé de compte, j'ai juste de quoi assumer la vie courante.

Il était en train de boire et il reposa rageusement son verre.

— C'est faux, tu as des tas de petites cagnottes planquées !

— Ah oui ?

Fuyant son regard, il essaya de se rattraper.

— Enfin, je suppose. Les femmes en ont toujours, non ? Tu m'en avais même parlé, souviens-toi, à propos du taux d'intérêt de l'épargne Écureuil...

Penchée au-dessus de la table, Léa attendit que Tristan lève enfin les yeux vers elle.

— Tu fouilles dans mes papiers ? Tu te renseignes ? Pour m'extorquer quoi de plus ?

Elle sentait que la colère était en train de la gagner, que la dispute n'allait plus tarder à dégénérer. Oui, elle possédait bien un petit plan d'épargne, mais bloqué pour trois ans encore, ainsi qu'un compte-livret dont elle se servait pour les dépenses exceptionnelles. Lucas lui avait conseillé d'économiser dès qu'elle en avait la possibilité, afin de ne pas se trouver démunie devant un imprévu. *Si ta chaudière te lâche ou si ta toiture fatigue, ce n'est pas ton mari qui t'aidera !* Comme toujours, il avait eu raison.

Pour se donner une contenance, embarrassé de s'être trahi, Tristan se leva et alla chercher une autre bouteille. Léa en profita pour quitter la table sans avoir touché à l'omelette ni à son verre.

— Où vas-tu ? On déjeune, bordel !

— *Tu* déjeunes, *tu* te saoules. Pas moi.

— Ah, tu fuis la discussion, c'est trop facile ! Tout ça parce que je te demande un petit service ! Dès qu'on parle d'argent, tu deviens mauvaise comme la gale...

— C'est toi que l'argent rend sordide, mon pauvre, sordide et pas malin. Tu as toujours été fouiner dans mes affaires de peur que je te cache quelque chose dont tu pourrais profiter. Tu croyais que je ne m'en apercevais pas ? Plus nous devenions étrangers l'un à l'autre, plus tu voulais savoir. En revanche, les factures ne t'intéressaient jamais, ce genre de courrier, tu ne risquais pas de l'ouvrir !

— Je ne sais même pas de quoi tu parles, grommela-t-il.

Léa soupira, découragée par tant de mauvaise foi. Son regard erra sur les caisses à moitié pleines, les tiroirs et les placards ouverts, les traînées de blanc d'œuf sur le plan de travail. Il faisait sombre dans la cuisine, une tempête de neige devait se préparer.

— Combien, tes lames ?

Surpris, Tristan essaya de sourire sans y parvenir tout à fait, puis cita un chiffre.

— Je te ferai le chèque le jour où ton déménagement sera terminé.

Au lieu de s'en aller, elle patienta jusqu'à ce qu'il se décide à articuler, du bout des lèvres :

— Parfait.

À défaut de remerciement, elle avait obtenu son accord. Elle ne disposait d'aucun autre moyen de pression, mais celui-là ne ferait qu'attiser la haine de Tristan, elle en était bien consciente. Cette fois, elle quitta la cuisine et alla se réfugier dans son bureau. Connaissant son mari, il allait ruminer tout l'après-midi, partagé entre aigreur et dépit. Dans ces conditions, pouvait-elle laisser Jérémie dîner seul avec lui ? La soirée risquait d'être une litanie de griefs que leur fils aurait du mal à supporter.

« Je vais lui donner le choix de venir avec moi chez Lucas ou bien de rester ici avec son père. Dans une conversation d'homme à homme, Tristan est sans doute très différent. Il aime Jérémie, j'en suis certaine, et peut-être a-t-il besoin de parler avec lui. Après tout, il est seul dans cette histoire de séparation, moi j'ai mon frère... et Raphaël. »

Avoir dû exercer sur Tristan une sorte de chantage la mettait mal à l'aise. Sans personne autour de lui hormis ses copains de bistrot, sans aucune envie de travailler et sans argent, qu'allait-il devenir ?

« Mais pourquoi *sans argent* ? Il se salarie confortablement depuis des années, et je suis bien placée pour savoir qu'il ne dépense rien. Sauf pour boire. Est-ce vraiment ruineux de picoler ? »

Elle n'imaginait pas lui rendre la pareille en allant fouiller dans ses papiers. Si malgré ce qu'il prétendait il possédait trois sous d'économies, tant mieux pour lui, elle n'irait pas les lui contester.

Dehors, le jour s'assombrissait encore. En cas de forte neige, le car scolaire de Jérémie ferait-il sa tournée ? Elle se leva pour aller se poster près de la fenêtre et examiner le ciel. À cette heure-ci, à quoi s'occupait Raphaël ? Rivé à l'écran de son ordinateur portable ? Plongé dans un livre ? Une envie folle de l'appeler lui fit prendre son téléphone, mais elle renonça. Pas question de chuchoter, de parler à mots couverts, d'avoir peur d'être entendue. Raphaël avait la sagesse de refuser le rôle de l'amant. *Je ne serai pas celui qui ment et vous celle qui trahit, c'est un vilain vaudeville, et nous avons la vie devant nous pour jouer une tout autre pièce.* Des mots lucides, déterminés, et aussi la preuve que Raphaël ne voulait pas d'une aventure à la sauvette.

Un bruit sourd la tira de sa rêverie, puis elle entendit distinctement Tristan pester dans la galerie. Lorsqu'elle ouvrit la porte, elle le vit en train de traîner un carton plein de livres.

— Je ne récupère que les miens, tu peux vérifier ! lui lança-t-il d'un ton agressif.

Tout le long de la bibliothèque, il manquait des volumes à certains endroits. Depuis quinze ans, leurs collections se mélangeaient sur les rayonnages de chêne blond : les policiers dont il raffolait, les romans qu'elle préférait, des albums rares ayant appartenu à Martial. Léa ne jeta même pas un regard aux deux autres cartons ouverts qui encombraient le passage. Elle les contourna et gagna le vestibule, soudain pressée de s'en aller. D'ici quelques jours, elle reprendrait possession de sa maison, la réorganiserait à son idée, mais il fallait d'abord que Tristan s'en aille. Que leurs existences longtemps accolées se scindent pour retrouver leur individualité. Une séparation devenue indispensable mais pourtant douloureuse, comme toutes les choses qui s'achèvent.

En marchant vers sa voiture, Léa inspira à fond l'air glacé. Elle n'avait rien à regretter, et se laisser attendrir ne serait que céder à une fausse mélancolie. Dans son dos, à cet instant précis, elle devinait le regard de Tristan qui devait l'observer par l'une des fenêtres. Par lassitude et par dérision, elle agita la main, sans se retourner.

Raphaël s'appuya au mur du couloir, luttant pour surmonter son émotion. Jamais il n'aurait cru que l'état de santé de sa mère puisse se dégrader aussi rapidement. Même sans entretenir de vaines illusions, il s'était imaginé disposer d'un délai de deux ou trois ans, au pire quelques mois.

— Je suis navré, croyez-le, soupira le médecin. Nous nous attachons à tous nos pensionnaires et nous faisons toujours le maximum pour eux. Dans le cas de votre mère, il n'y a rien à tenter, et malheureusement elle décline très vite. Il faut vous préparer. C'est mon devoir de vous le dire, je n'aime pas tenir les familles à l'écart de la réalité, si dure soit-elle.

Hochant la tête, Raphaël tendit la main au médecin et murmura quelques mots de remerciement. Puis il se dirigea vers la sortie, s'arrêta, faillit rebrousser chemin. Mais à quoi bon ? Sa mère ne l'avait pas reconnu une heure plus tôt, et tout le temps qu'il était resté à son chevet, elle ne l'avait même pas regardé. De visite en visite, elle paraissait plus amaigrie, plus isolée dans sa démence.

Indifférent à la neige glacée qui s'était mise à tomber, il traversa le parking à pas lents. Désormais, il viendrait chaque jour, jusqu'au dernier. Même si cela ne servait à rien, il serait là, et si un souffle de lucidité traversait Hélène, elle pourrait voir son fils à côté d'elle.

« Je ne veux pas qu'elle meure seule, la nuit, qu'elle ait peur, mon Dieu... »

L'idée lui était insupportable, lui donnait envie de hurler. Pourquoi sa mère devrait-elle affronter l'ultime épreuve de sa vie sans que personne lui tienne la main, elle qui s'était tant dévouée ?

Assis dans sa voiture, il prit son portable pour appeler Céline, mais il dut attendre d'être un peu apaisé pour le faire. En quelques phrases, il la mit au courant de la situation, essayant d'atténuer le choc qu'il lui infligeait.

— Alors, c'est la fin ? demanda sa sœur d'une voix étranglée.

— Le médecin est pessimiste.

— Elle passera Noël, tu crois ?

— Je n'en sais rien.

— Oh, Raphaël, je ne peux pas faire ça aux enfants ! Je veux revoir maman, je le veux par-dessus tout, mais mes enfants ne comprendraient pas mon absence. Je viendrai le 26, avant, c'est impossible.

— Oui, bien sûr.

— Et si jamais… Bon sang, tu vas tenir le coup ?

— Oui, répéta-t-il.

— Qu'est-ce que tu fais, toi, le soir de Noël ?

— Rien de spécial. Je serai avec elle en fin d'après-midi, je lui apporterai des choses qu'elle aime manger.

Céline resta silencieuse un long moment avant de murmurer :

— Il neige, chez toi ?

— Depuis longtemps. C'est magnifique.

Elle marqua une nouvelle pause, cherchant sans doute ses mots.

— Ne t'inquiète pas, Céline, dit-il doucement. Tu as bâti ta propre famille, tu dois t'en occuper. Tes enfants sont petits, ils ont besoin de toi.

— Je sais, Ralph, mais je suis tellement triste, et nous sommes si loin les uns des autres ! Pourquoi l'as-tu emmenée là-bas ?

— Parce qu'il n'y avait pas de meilleur établissement spécialisé que celui-là. Le personnel soignant est formidable, humain, compréhensif… Au début, elle pouvait se promener dans ce parc splendide, et je crois qu'elle a apprécié d'avoir une grande chambre avec une belle vue. Il n'y avait rien de comparable dans la région parisienne.

— Tu as raison, je dis des bêtises. Tu as tout fait pour qu'elle soit bien, et je ne t'ai pas vraiment aidé. Est-ce que tu vas prévenir Laurence ?

— Non, pas maintenant. Elle n'a pas donné ou demandé de nouvelles depuis combien d'années ?

L'indifférence de leur sœur les avait chagrinés un temps, pourtant, ils avaient fini par l'oublier puisque c'était ce qu'elle semblait vouloir.

— Je l'appellerai quand ce sera fini, décida-t-il. J'ai son adresse et son téléphone au Canada, à condition qu'elle n'ait pas déménagé !

Il entendit Céline renifler, se moucher, soupirer.

— J'ai plein de monde dans la pharmacie, Ralph.

— Vas-y, je te tiendrai au courant.

— De toute façon, je prendrai mon train habituel, le 26.

— Je serai à la gare.

— Fais attention à toi, mon grand frère, et veille bien sur elle.

— Promis.

Après avoir coupé la communication, il resta un moment les yeux dans le vague, regardant sans la voir la neige qui tombait dru. Au Canada aussi, il devait neiger. Laurence n'avait donc jamais la moindre pensée pour la France, pour sa mère ? Comment était-ce possible ? Hélène avait élevé ses trois enfants avec le même amour immense, sans distinction entre eux. L'appartement des Batignolles était alors un havre de tendresse, de fantaisie et de complicité dont Laurence n'avait pas pu perdre tout à fait le souvenir. Pour sa part, Raphaël éprouvait autant de reconnaissance que de nostalgie lorsqu'il y songeait.

Il remit son téléphone dans sa poche et tourna la clef de contact. Se morfondre sur ce parking désert ne servait à rien. Demain, il reviendrait avec l'espoir qu'Hélène le reconnaisse enfin, mais d'ici là, il avait beaucoup de choses à faire. Rendre plus confortable sa petite ferme, étudier les dossiers qu'il venait de recevoir de l'ONF le matin même, trouver un cadeau pour Céline qu'il lui posterait, et un pour Léa. Ce dernier point était le plus agréable, le plus complexe, aussi. Que pouvait-il lui offrir en gage d'avenir ? Un objet, un bijou ? Quelque chose qu'elle aurait plaisir à regarder, qui serait un peu comme un talisman.

— Léa, Léa, répéta-t-il à voix basse.

Dire qu'il avait prétendu être un homme patient ! Il ne l'était, à son corps défendant, que parce que la situation l'exigeait. Et parce qu'il ne pouvait justement pas renier les valeurs et les principes inculqués par sa mère.

En suivant l'allée qui menait à la route, il regarda longtemps dans son rétroviseur la silhouette massive du bâtiment hospitalier où Hélène allait finir sa vie.

— Et voilà ! s'exclama Jérémie en se redressant.

À l'aide d'un large rouleau de Scotch, il avait fermé puis empilé la plupart des cartons. Tristan le regardait faire d'un œil morne, apparemment peu réjoui que les choses aient avancé si vite.

Jérémie récupéra sa cannette de Coca posée sur une étagère, et il la vida d'un trait.

— Tu vas l'arranger comment, le chalet ? demanda-t-il d'un ton plein d'entrain.

Il aurait donné n'importe quoi pour que son père réagisse un peu au lieu de conserver son air apathique. Assis par terre, une bouteille et un verre entre les jambes, il s'était contenté d'observer son fils sans faire mine de l'aider.

— On gèle ici, soupira-t-il.

— Tu as froid parce que tu es resté longtemps sans bouger.

Tristan haussa les épaules avant d'ajouter :

— De toute façon, je n'aime pas cette galerie.

La pièce étroite, qui traversait toute la maison, était pourtant un endroit agréable, insolite et douillet. Sans doute un ancien couloir qui avait été élargi et au bout duquel on avait ouvert une porte-fenêtre. Jérémie s'y attardait volontiers lorsqu'il cherchait un livre, ou un simple renseignement à piocher dans les encyclopédies et les atlas. Une échelle coulissant le long d'une barre de cuivre permettait d'atteindre les plus hauts rayonnages, et un fauteuil Voltaire au velours fané était placé entre deux radiateurs.

— En réalité, je crois que c'est toute la maison que je n'aime pas, grogna Tristan. Tu t'y plais toi ?

— Ben... oui, évidemment !

Difficile de ne pas se plaire dans cette grande bâtisse solide comme un roc, qui offrait toute la place voulue pour que chacun puisse s'isoler à son gré. Contrairement à ce qu'il prétendait aujourd'hui, Jérémie avait souvent entendu son père se vanter d'habiter là.

— Mais tu viendras au chalet, dis ? Tu pourras te faire une chambre à ton goût, si tu veux passer un week-end avec moi de temps en temps.

— Bien sûr, papa.

— Virginie, ça m'étonnerait.

— Pourquoi ? Elle t'aime beaucoup, elle ira te voir.

— Je n'y compte guère. D'abord, elle a sûrement mieux à faire, et puis je vais devenir le pestiféré.

Agacé par le ton plaintif de son père, Jérémie leva les yeux au ciel.

— Enfin, papa, tu sais bien que non !

Livré à lui-même, Tristan risquait surtout de boire sans aucune limite.

— Je serai là souvent, je te le promets, dit-il le plus gentiment possible.

— Tant mieux, parce que je vais me sentir bien seul..

Tristan vida le fond de son verre, considéra un moment la bouteille vide, puis s'écria avec une fureur soudaine :

— Ah, quand je pense que j'ai sacrifié quinze ans de ma vie à ta mère, quel imbécile j'ai été !

— Papa, s'il te plaît.

— Quoi ? Personne ne veut m'écouter, je suis forcément celui qui a tort, merde à la fin !

— C'est votre histoire, à maman et à toi, souffla Jérémie. Ne nous mêlez pas à ça, ni Virginie ni moi.

— C'est aussi l'histoire de ta famille, mon petit lapin, tu ne peux pas t'en dissocier. Il faudra bien qu'un jour tu comprennes pourquoi j'ai épousé ta mère, non ? Si tu veux tout savoir, elle était assez émouvante avec son gros chagrin et sa toute petite fille. J'ai cru qu'elle était douce, gentille, aimante, et je me suis retrouvé avec une mégère, voilà !

— Arrête, maintenant, protesta fermement Jérémie. Allons manger, j'ai faim.

S'il n'arrivait pas à lui faire avaler quelque chose de solide, son père allait continuer à écluser son vin blanc et à délirer toute la soirée. De quoi regretter d'avoir choisi de lui tenir compagnie plutôt qu'accompagner sa mère chez Lucas. Mais pouvait-il le laisser seul ? Chaque fois qu'il pensait à lui, il le voyait comme un homme très isolé, sans amis autres que ses copains de comptoir, méprisé par ses employés de la scierie qu'il mettait en péril, tenu à l'écart par Lucas, et à présent chassé par sa femme. Même si l'alcool était la cause de ce naufrage, le résultat serait le cœur de Jérémie.

— Tu as raison, bonhomme, soupira Tristan en essayant de se relever, il faut qu'on dîne...

Il tituba une seconde, se pencha pour ramasser la bouteille vide, tomba sur un genou. Jérémie se précipita vers lui la main tendue, prêt à l'aider, mais sa compassion avait subitement disparu.

Vers une heure du matin, Léa mit enfin la clef dans la serrure. Elle entra sans bruit, referma doucement la lourde porte. Malgré toutes ses angoisses, Lucas et Malo lui avaient fait passer une excellente soirée. Ils semblaient avoir réglé leurs problèmes personnels, ce qui rendait à Malo son humour décapant, sa joie de vivre, et ses talents de cuisinier.

En entrant dans la galerie, elle faillit buter sur les cartons empilés, ce qui l'obligea à chercher l'interrupteur à tâtons. La vue des étagères à moitié vides était un peu démoralisante, mais au moins le déménagement de Tristan avançait. Alors qu'elle se dirigeait vers sa chambre, une sensation de froid la fit s'arrêter. Quelque chose devait être ouvert, ou bien Jérémie avait fermé les radiateurs. Elle posa la main sur l'un d'eux, constata qu'il était chaud. Durant deux ou trois secondes, elle resta là sans bouger, sourcils froncés, puis elle tourna la tête vers la porte du bureau. Encore cette satanée fenêtre ? Résolument, elle s'approcha de la porte, prit une grande inspiration, puis tourna la poignée. Dans la pièce, la température était glaciale, la fenêtre grande ouverte, l'un des volets intérieurs à moitié arraché de ses gonds. Saisie, Léa alluma, s'avança et s'arrêta au milieu du tapis. Les battants avaient dû céder avec une violence inouïe pour forcer le volet de la sorte. Le vent qui ne cessait de souffler ces derniers jours n'expliquait pas tout. Cette fenêtre ne s'était *jamais* ouverte par le passé, et depuis qu'elle faisait des siennes, elle avait été vérifiée dix fois.

Une bouffée de panique submergea Léa, qui fut secouée d'un interminable frisson.

— Pourquoi ? Pourquoi ? répéta-t-elle dix fois de suite, de plus en plus fort.

Le son de sa voix lui parut hystérique et, de nouveau, elle s'obligea à respirer lentement, profondément. Céder à la peur la conduirait à prendre l'endroit en horreur.

« Martial, aide-moi, j'ai la trouille ! »

L'avoir pensé l'effraya davantage. À aucun moment, depuis sa mort, Martial n'avait été aussi présent dans son esprit. C'était comme s'il était là, avec elle, comme s'il cherchait à lui dire quelque chose.

— Non, non !

Elle se précipita vers le secrétaire, un meuble lourd qu'elle se mit à pousser de toutes ses forces. Les pieds grinçaient, rayant le sol, mais elle s'acharna et parvint à le faire glisser jusqu'à la fenêtre. Elle rabattit brutalement le volet intérieur, au risque de l'arracher, poussa encore un peu le secrétaire, et enfin tomba à genoux, hors d'haleine.

« C'est mon bureau, ma maison, ses murs me protègent. Martial est au ciel, pas ici, et je ne crois pas aux fantômes, il n'y a rien d'autre qu'une foutue fenêtre bousillée pour me rendre folle ! »

Elle reprit son souffle, se releva. Tout l'effet bénéfique de la soirée chez Lucas s'était envolé. De nouveau, elle se sentait angoissée, mal à l'aise, incapable d'aller dormir. Pourquoi avait-elle éprouvé une telle frayeur cinq minutes plus tôt ? Pourquoi s'était-elle imaginé que l'ombre de Martial pouvait planer autour d'elle ? Adolescente, elle aimait bien les films d'épouvante qu'elle regardait avec Lucas, serrée contre lui ; ensuite, ils jouaient à se faire peur dès que leurs parents étaient couchés. Comme tous les jeunes de leur âge, ils avaient même essayé de faire tourner des tables les soirs de tempête. Un coup pour oui, deux coups pour non, entre frissons et ricanements, quelqu'un finissait toujours par hurler de terreur. Des bêtises de gamins que Virginie et Jérémie avaient dû expérimenter à leur tour, cachés dans le grenier.

Il faisait un peu moins froid maintenant. Léa se détendit enfin, ouvrit son manteau qu'elle n'avait pas quitté. Cette histoire de fenêtre rebelle n'était pas inquiétante, mais *contrariante*.

— Et si ça continue, j'appelle un menuisier pour la remplacer, tout simplement. Le mois prochain, en travaillant ici avec Raphaël, je n'y penserai même plus.

Son regard se posa sur un gros fauteuil confortable qu'elle avait toujours vu dans cette pièce. Jeune mariée, elle aimait bien s'y lover pour écouter Martial parler de ses forêts, ou seulement pour le regarder remplir ses registres. De temps à autre, il levait la tête, lui souriait tendrement, s'assurait qu'elle ne s'ennuyait pas.

Ce souvenir lui parut agréable, serein. Oui, elle avait été très heureuse à cette époque-là, mais bientôt elle le serait de nouveau, après cette longue paren-thèse de presque dix-sept ans. Pas une seule fois, depuis qu'elle connaissait Raphaël, elle n'avait établi de comparaison entre lui et Martial. Peut-être allait-il devenir une autre partie de son existence, peut-être lui permettrait-il enfin de « refaire sa vie », selon l'expression populaire.

Elle alla s'asseoir dans le vieux fauteuil aux coussins moelleux. Le meilleur moyen de balayer toute appré-hension était de rester là. Si la fenêtre devait s'ouvrir encore, au moins elle saurait pourquoi et comment. Elle prit son téléphone portable, rédigea un texto pour Lucas, puis arrangea son manteau sur elle comme une couverture.

Peu avant le lever du jour, à huit heures, Lucas se gara devant la maison. Sortant la boîte à outils de sa voiture, il se dirigea vers le perron à grandes enjam-bées. Il possédait la clef de *La Battandière* depuis le jour où Martial la lui avait remise. *On ne sait jamais. Au cas où. Il peut arriver quelque chose.* Des mots qu'on dit sans y penser, mais que son beau-frère avait prononcés gravement. Quand Léa s'était remariée avec

Tristan, elle avait insisté pour qu'il conserve cette clef et s'en serve à sa guise. Eh bien, c'était le jour !

Il déverrouilla, entra, sentit une bonne odeur de café.

— Tu es dans la cuisine, ma belette ? lança-t-il d'une voix forte pour prévenir de son arrivée.

N'obtenant pas de réponse, il en déduisit que sa sœur devait être sous sa douche ou en train de s'habiller, et il partit vers la galerie. La porte du bureau était ouverte, la lumière allumée. D'un coup d'œil, il vit le secrétaire devant la fenêtre, le manteau de Léa roulé en boule au pied du gros fauteuil, un cendrier plein de mégots posé par terre. Léa ne fumait que très occasionnellement, mais la nuit avait sans doute été très longue pour elle.

Il repoussa le secrétaire à sa place, puis démonta le volet intérieur qu'il déposa sur le tapis. Il s'attaqua ensuite à la fenêtre dont la crémone était cassée, ainsi qu'il le supposait.

— On peut savoir ce que tu trafiques ?

La voix furieuse de Tristan ne lui fit même pas tourner la tête.

— Je répare, comme tu vois…

— À huit heures du matin ?

L'articulation heurtée, agressive, était révélatrice de l'alcoolique en manque.

— Il n'y a pas d'heure pour les braves, riposta Lucas, et comme Léa ne peut pas compter sur toi ni sur Jérémie pour arranger cette fenêtre, je m'en charge.

— Encore la fenêtre ? Léa en fait une obsession, c'est ridicule !

— Pas tellement si on pense que c'est elle qui paye le chauffage. Dehors, il fait moins douze, alors les courants d'air…

Il s'interrompit net, observant la poignée et la tige de métal.

— À croire que quelqu'un a bousillé ce truc, dit-il lentement.

Cette fois, il se tourna vers Tristan qu'il dévisagea.

— Tu quittes la maison quand ?

— Tu es pressé de me voir partir, hein ? Mais ça ne te regarde pas !

— Tout ce qui touche Léa me concerne, tu le sais bien. Je ne la laisserai plus passer une nuit blanche sur un fauteuil, quitte à venir m'installer ici en attendant que tu te tires. Et si c'est toi qui t'amuses à lui faire peur, tu vas le regretter, crois-moi.

— Moi ? Tu délires, ma parole ! De toute façon, vous êtes quasi cinglés, les fameux jumeaux, il vous manque une case, vous voyez le mal partout. Vous voyez aussi des fantômes, mais c'est votre affaire, pas la mienne.

— Des fantômes ? répéta Lucas. D'où te vient cette étrange idée ?

— De Martial Battandier, pardi ! hurla Tristan. Je lutte contre son ombre omniprésente depuis des lustres. Saint Martial ! Oh oui, je vais quitter cette baraque maudite ! Et sans le moindre regret !

— Bon vent, marmonna Lucas.

Il vit la silhouette de Léa se profiler derrière Tristan. Les cheveux encore mouillés, vêtue d'un col roulé blanc et d'un jean noir, elle tapa sur l'épaule de son mari en lui demandant .

— Qu'est-ce qui se passe ? Pourquoi cries-tu ?

— Parce que ton frangin débarque ici sans prévenir, assène des coups de marteau à l'aube, m'accuse de

222

n'importe quoi ! Qu'est-ce que vous voulez de moi, à la fin ? Que je parte dans la neige en pyjama pour débarrasser le plancher plus vite ? Vous ne traiteriez pas un chien comme ça !

— Arrête les violons, dit posément Lucas. Vous vous séparez, Léa et toi, ça arrive à des milliers de couples. Tu possèdes une maison, et en principe un métier, une entreprise, tu n'es pas à plaindre. Personne ne t'a poussé tout nu dans la neige, ne sois pas grotesque.

Son calme exaspéra Tristan. Il s'adressa à Léa, les traits déformés par une expression de véritable haine.

— Tu lui donnes raison, bien entendu ! Un jour, tu auras des remords, tu verras ! Est-ce qu'au moins tu te souviens que c'est Noël ? Noël, Léa, l'amour de son prochain ! Pourquoi en fais-tu un cauchemar pour moi, pour Jérémie ? Allez, laisse-moi passer, je vais me dépêcher de tasser le reste de mes affaires dans des cartons puisque je suis tellement indésirable...

Il avait changé de ton, passant brusquement au mode plaintif.

— Bon sang, s'écria Jérémie, qu'est-ce qui vous arrive ?

Mal réveillé, ébouriffé, il vint se placer à côté de son père comme s'il voulait le protéger.

— Habille-toi vite, mon grand, il faut que je m'en aille tout de suite, il paraît que je dérange. Ces deux-là m'accusent d'être le dernier des derniers, ils sont prêts à me chasser à coups de balai !

— Maman ? bredouilla Jérémie, incrédule.

Il lança un regard furieux à Lucas, puis passa son bras autour des épaules de Tristan.

— Viens, papa, on va boire un café...

— Tu crois que j'y ai droit ? ricana son père.

— Tu en fais beaucoup, non ? lança Lucas qui était en train de remonter le volet intérieur.

— Fous-lui la paix !

Jérémie semblait sur le point de se révolter, et Lucas ne répondit rien afin de ne pas jeter d'huile sur le feu. Tristan, au contraire, en profita pour insister.

— Ne parle pas comme ça à ton oncle, mon grand, tu sais bien que c'est lui l'autorité suprême de la famille, moi je ne suis que la cinquième roue du carrosse.

— Et une roue carrée ! riposta Lucas, excédé.

— Je t'ai dit de laisser mon père tranquille. Vous êtes monstrueux, à la fin...

— C'est qui, « vous » ? Tu prends ta mère pour un monstre ?

— Viens, répéta Jérémie en cherchant à entraîner son père hors de la pièce.

— Oui, allons-nous-en. De toute façon, nous sommes de trop. Ici, c'est le bureau de Martial, bientôt celui de ce cher Raphaël. Nous n'avons rien à y faire, nous autres, laissons la tantouze à ses réparations !

Le mot fit bondir Lucas qui traversa la pièce en trois pas.

— Arrête, murmura Léa.

Jérémie lui-même avait baissé la tête, soudain embarrassé.

— Eh bien quoi, Lucas ? On connaît tous tes mœurs, je n'ai pas fait de révélation. Toi et ton giton, c'est trop mignon, ça me faisait deux beaux-frères pour le prix d'un !

Personne ne vit partir le coup, mais Tristan s'écroula, se tenant la mâchoire. L'instant d'après, Jérémie repoussa brutalement Lucas, puis il se pencha vers son père qu'il aida à se relever.

— Espèce d'enculé ! vociféra Tristan. Sors de chez moi, dehors !

— Tu n'es pas chez toi, gronda Lucas.

Il mourait d'envie de se battre, de déverser un flot d'injures, et il ne parvenait à se contrôler qu'à cause de la présence de Jérémie. Pour un adolescent, le spectacle des membres de sa famille en train de se déchirer était lamentable, dramatique.

Léa, qui n'avait pas réagi jusque-là, s'interposa entre les trois hommes.

— Calmez-vous maintenant. Jérémie, emmène ton père à la cuisine, le petit déjeuner est…

— Écoute-la ! On va faire comme si rien ne s'était passé, c'est ça ? N'y compte pas, pauvre conne ! Ton frère m'a frappé, vous me le paierez tous les deux très cher, vous n'avez pas fini d'avoir des ennuis, crois-moi !

Hystérique, une main toujours crispée sur son menton, Tristan semblait sur le point de trépigner. Sans un mot, Jérémie le prit par l'épaule et le poussa dans la galerie. En passant devant sa mère, il lui lança un regard désespéré.

- Je n'aurais pas dû, soupira Lucas, pas devant ton fils. Mais il y a des années que je rêvais de lui mettre mon poing dans la figure, je n'ai pas pu m'en empêcher.

Il s'approcha de sa sœur, la prit dans ses bras.

— Et il ne te fera pas le moindre ennui, j'y veillerai. Bon sang, Léa, comment as-tu pu le supporter aussi longtemps ? Tu auras vraiment eu le meilleur et le pire dans ta vie... Avec Raphaël, ce sera de nouveau le meilleur, j'en suis sûr.

— J'espère, dit-elle tout bas.

Lucas n'ajouta rien, il n'avait pas besoin de parler, Léa savait exactement ce qu'il pensait. Au bout d'un moment, il s'écarta d'elle, désigna la fenêtre.

— Elle est réparée, et je t'ai posé une targette sur le volet intérieur. Si ça s'ouvre, ce sera du sabotage délibéré. Quant à l'aquarelle, ne la raccroche pas, je viendrai la sceller moi-même.

— Tu crois que Tristan...

— Impossible à dire. Sauf que les objets ne bougent pas tout seuls, d'accord ? Écoute, il n'y a ici aucune mauvaise onde, rien de surnaturel. Je ne connais pas de maison aussi chaleureuse que celle-ci, et si les choses avaient une âme, ces murs ne te voudraient que du bien. Mais pour te rassurer, je peux venir dormir chez toi toutes les nuits jusqu'au déménagement.

— Non, tu t'accrocherais avec Tristan ou avec Jérémie, c'est inutile. Virginie arrive cet après-midi, ça détendra l'ambiance.

— Et demain, pour le réveillon ?

— Ne changeons rien, vous venez dîner Malo et toi. À condition d'être un peu conciliants, parce que j'aimerais qu'on passe la moins mauvaise soirée possible... Comprends-moi, je me sens très mal à l'aise vis-à-vis de Tristan.

— Tu te culpabilises, c'est bête et inutile, mais c'est normal. Je te promets de faire un effort, je ne jetterai pas d'huile sur le feu.

Il récupéra sa boîte à outils, remit son blouson.

— Tu déjeunes avec Raphaël, aujourd'hui ? Si tu veux, je t'emmène à Lons et il te raccompagnera ici.

— Non, je vais prendre la Volvo, ne t'inquiète pas. J'ai encore deux ou trois trucs à acheter pour Noël, et avant de partir, je dois absolument parler un peu avec Jérémie. Mais je t'avoue que ce rendez-vous au restaurant me rend folle de joie. C'est exactement comme quand j'avais dix-sept ans, la même excitation de gamine, le cœur qui bat... Mon Dieu, je ne me reconnais plus !

— Au contraire, tu te retrouves.

— Pourtant, quand Tristan dit qu'on le traite comme un chien, quand Jérémie est au bord des larmes, c'est bien moi la responsable, que je le veuille ou non, et ça m'attriste.

Elle souriait, mais semblait aussi sur le point de pleurer. Lucas revint vers elle, mit les mains sur ses épaules.

— Pense à toi, Léa. N'essaie pas de contenter tout le monde, tu n'y arriveras pas.

La tendresse qu'il éprouvait pour elle était sans limites, il aurait donné n'importe quoi pour la voir enfin heureuse. Et même s'il comprenait ses scrupules, il était bien décidé à la pousser dans la bonne direction.

— Bon déjeuner, la belette, dit-il en se penchant vers elle.

6

Raphaël s'était promené un moment sous les arcades de la rue du Commerce, s'arrêtant devant chaque vitrine. Finalement, il était entré chez un bijoutier, et maintenant il triturait du bout des doigts le petit paquet, au fond de sa poche. Le plaisir éprouvé à choisir un cadeau pour Léa ne cessait de l'étonner. Lui qui n'aimait pas traîner dans les magasins et qui se décidait en deux minutes, s'était vu tergiverser durant plus d'une demi-heure, aidé par une vendeuse compréhensive.

Il prit la rue Lecourbe, pressé d'arriver au *Relais des Salines*. Il se faisait une fête de son déjeuner avec Léa, leur premier rendez-vous d'amoureux. Pourtant, combien de fois s'était-il attablé en face d'elle, dans le petit bistrot de Bonlieu où ils descendaient manger un steak et se réchauffer durant toutes ces journées qu'ils avaient passées à arpenter les forêts ? Comment avait-il pu la regarder aussi souvent sans être subjugué ? Aujour-d'hui, il l'était.

Bien qu'un peu en avance, il poussa la porte du restaurant. Il avait pris soin de réserver mais il demanda à changer de table, choisissant un coin isolé. Le décor se voulait semblable à un relais de diligence, avec ses anciennes mangeoires, ses box, ses grands pans de bois sur les murs et ses meubles anciens, typiques de la région. Raphaël savait qu'on pouvait y déguster d'excellents poissons des lacs, ce qui expliquait le choix de Léa.

Lorsqu'il la vit entrer, emmitouflée dans une doudoune, il reçut un coup au cœur. Cette femme était devenue pour lui *la* femme, l'idéale, l'unique. Ou bien il retombait en enfance, ou bien l'amour le rendait idiot, mais jamais il n'avait éprouvé quelque chose d'aussi intense.

Elle traversa la salle en dénouant son écharpe avec un demi-sourire vaguement inquiet.

— Je suis en retard ?

— Pas du tout ! J'étais là en avance pour avoir le plaisir de vous attendre.

— J'aime bien cet endroit. Vous connaissiez ?

— Oui.

Il s'était levé pour l'aider à s'installer, ne sachant que faire pour la mettre à l'aise.

— Une coupe de champagne ? proposa-t-il. Trinquons à Noël puisque je ne vous verrai pas demain... Et à ce propos, pouvez-vous me promettre que ce sera mon dernier réveillon sans vous ?

Elle commença par froncer les sourcils, comme si elle avait mal compris, puis se mit à rire.

— Raphaël ! Qui peut savoir ce que nous deviendrons dans les mois qui viennent ? On ne se...

S'interrompant, elle baissa la tête, se passa nerveusement la main dans les cheveux.

— On ne se connaît pas, enchaîna-t-il. C'est ce que vous vouliez dire ? Pas besoin de ça pour tomber amoureux, je vous assure. Et, bien sûr, j'essaierai de ne pas vous décevoir sur ce plan-là.

Cette fois, le rire de Léa résonna dans tout le restaurant. Elle semblait soudain plus détendue, plus heureuse, indifférente aux gens qui les entouraient. Il en profita pour sortir son cadeau et le poser devant elle, à côté de la coupe qu'on venait de leur servir.

Au lieu de se récrier, de jouer les étonnées, elle prit le petit paquet et le secoua près de son oreille.

— Est-ce que ça se mange ?

— Non. Déçue ? Ouvrez-le quand même, pendant ce temps-là je vous commande une truite.

— Avec une croûte aux morilles, d'accord.

Elle défit le ruban, déchira le papier, souleva le couvercle de l'écrin.

— Waouh ! Vous êtes fou ?

D'un geste rapide, elle mit la montre à son poignet, boucla le fermoir, puis écarta son bras pour lui montrer le résultat.

— Elle est splendide, Raphaël ! Je l'adore, je ne la quitterai plus.

— Ce n'est qu'un objet, plaida-t-il, faites-moi plutôt cette déclaration à moi.

— Je vous la ferais si je n'avais pas peur d'être ridiculement sentimentale, incurablement midinette, bref, en manque d'amour.

– Vous ne manquerez plus de rien si ça ne tient qu'à moi.

Cessant d'admirer la montre, elle posa les yeux sur lui. De grands yeux gris lumineux, d'une surprenante douceur.

— Je voudrais être plus vieille de quelques semaines. Le printemps avec vous, contre vous. Libre de vous aimer et de vous le dire. Est-ce que vous allez disparaître comme un mirage ?

— Aucune chance.

— Aucun risque ?

— Non, vraiment. Je suis heureux que cette montre vous plaise, j'ai eu un mal de chien à me décider. Vous auriez préféré autre chose ?

— Naturellement. Un serre-tête en strass ou un perroquet empaillé, mais vous ne pouviez pas deviner.

Elle parlait avec les mains, et il en saisit une au vol.

— Léa, vous êtes la femme de ma vie, je vous le jure.

Redevenant sérieuse, elle le regarda intensément.

— J'aimerais tant, murmura-t-elle.

Dans sa main, celle de Léa semblait petite, fragile, abandonnée.

— Je penserai beaucoup à vous demain soir. Vous allez me manquer. Tout ira bien, chez vous ?

— Mes enfants et mon frère seront là. Je vous appellerai avant d'aller me coucher. Et je passerai vous voir le 25, mais il va falloir que je vous trouve un cadeau, je n'avais rien prévu, pardon.

— Non, non, ce n'est pas le moment ! Moi, j'avais du temps, pas vous. Je sais que ce sont des jours difficiles pour vous.

— Plutôt, oui… Tristan doit s'en aller dans le courant de la semaine. En tout cas, avant le 31.

Parler de Tristan lui était pénible, elle dut se racler la gorge pour parvenir à ajouter :

— Il ne fait rien pour arranger les choses, et je me sens très mal dans ma peau.

— Je connais un bon moyen de se vider la tête pour se réconcilier avec le monde entier. En sortant d'ici, offrons-nous une promenade en forêt.

— Mais tout est sous la neige !

— Et vous croyez qu'il n'y a rien à voir ? Je vous montrerai mille choses, promis. Maintenant, vous devriez goûter cette truite.

Il la regarda lever les filets et manger de bon appétit. Elle n'était pas du genre à chipoter ou à bouder son plaisir, la voir savourer chaque bouchée donnait faim.

Quand son téléphone portable se mit à vibrer dans sa poche de jean, il faillit ne pas répondre, trop occupé à profiter de la présence de Léa, néanmoins il jeta un coup d'œil au numéro d'appel qui s'affichait.

— Excusez-moi juste une seconde, dit-il en se levant précipitamment.

Il s'éloigna un peu de la table et prit la communication, inquiet à l'idée que l'établissement hospitalier veuille le joindre.

— Monsieur Vilard ? Docteur Martin. Désolé de vous déranger. J'ai une mauvaise nouvelle à vous annoncer.

Un court silence fit prendre conscience à Raphaël de la gravité de ce qui allait suivre.

— Votre mère s'est paisiblement éteinte pendant son sommeil, reprit le médecin. Elle avait beaucoup décliné ces derniers jours, vous l'aviez constaté… Je n'ai pas tenté de réanimation, c'était tout à fait inutile dans ce cas. C'est son cœur qui s'est arrêté, comme en bout de course. Je suis navré.

Raphaël murmura qu'il passerait en fin d'après-midi pour les formalités, puis il remit son téléphone dans sa poche. Assommé, il attendit quelques instants avant de regagner la table où Léa venait de commander des cafés.

— Un problème ? s'enquit-elle d'un air soucieux.

— Oui, je..

Il s'était rassis, incapable de s'expliquer davantage. Pourquoi ce merveilleux rendez-vous finissait-il de la sorte ?

— Je préférerais que nous partions, dit-il en faisant signe à une serveuse.

Léa le laissa régler l'addition sans lui poser de question, puis ils quittèrent le restaurant en silence. Sur le trottoir, il la prit dans ses bras, se réfugiant brièvement contre elle.

— Ma mère vient de mourir, dit-il tout bas.

— Oh, mon Dieu… Vous devez être si triste ! Je suis consternée pour vous, et si je peux faire quoi que ce soit, n'hésitez pas.

— Je vous raccompagne à votre voiture, ensuite je file là-bas.

Il l'entraîna le long de la rue des Salines, désespéré de devoir la quitter dans ces conditions. Leur situation était déjà étrange, difficile à assumer, et le décès de sa mère venait tout bouleverser.

Arrivés devant la Volvo, ils eurent le même élan et se retrouvèrent enlacés, accrochés l'un à l'autre.

— Raphaël, chuchota Léa, je vous aime.

Il caressa d'une main ses boucles cendrées, de l'autre il lui prit le menton, lui fit lever la tête et l'embrassa. Le contact de ses lèvres, de sa langue, l'électrisa au point de lui faire tout oublier durant quelques secondes. Et lorsqu'il parvint à se détacher d'elle, il éprouva une insupportable sensation de vide.

— Appelez-moi quand vous voulez, n'importe quand, dit-elle en montant dans sa voiture.

Figé, il la regarda démarrer, manœuvrer puis s'éloigner. Un rayon de soleil déjà oblique ne suffisait pas à réchauffer l'air glacé, et il frissonna. Les mains enfoncées dans les poches de sa parka, il attendit encore un peu avant de se mettre en marche.

La matinée du 24 fut radieuse, avec un ciel sans nuage et une luminosité féerique sur la neige. Après le petit déjeuner, Virginie avait déployé des trésors d'énergie pour convaincre toute la famille de chausser les skis de fond et partir en promenade. Léa elle-même avait gentiment insisté auprès de Tristan pour qu'il les accompagne, mais il s'était défilé, prétextant les contraintes de son déménagement.

À dix heures, Jérémie, Virginie et Léa chaussèrent leurs skis et enfilèrent leurs moufles en bas du perron.

— Où allons-nous ? lança Jérémie en testant ses bâtons. Aux cascades du Hérisson ?

— Non, plutôt vers le belvédère de la Dame Blanche, suggéra Virginie, on sera seuls au monde.

— À condition de grimper jusque-là !

— Je parie que j'y arriverai avant toi.

— Je ne fais pas la course avec vous, avertit Léa. Je me promène à mon rythme.

— Il faut déjà pouvoir le suivre, ton rythme, protestèrent les jeunes gens en chœur.

Rompue aux longues marches en forêt, Léa était finalement plus endurante que ses enfants, mais ce matin, elle n'avait aucune envie de s'épuiser. La journée serait longue, la soirée aussi, et elle ne cessait de penser à Raphaël, à ce qu'il devait endurer tout seul dans sa petite ferme. Elle aurait donné n'importe quoi pour le rejoindre, le consoler, se blottir dans ses bras. Mais elle était clouée là, censée assurer un Noël à peu près normal à sa famille, et durant deux jours, elle ne pourrait pas s'échapper.

Ils s'éloignèrent de *La Battandière* l'un derrière l'autre, Léa en tête. Partir à skis ou en raquettes avait toujours été un plaisir pour elle, et Lucas avait su remplacer Martial pour l'accompagner dans ses randonnées hebdomadaires, chaque hiver. Peu sportif, Tristan n'appréciait pas ce genre de distraction et trouvait toujours une bonne raison pour ne pas y participer, mais Virginie et Jérémie se révélaient d'assez bons fondeurs malgré leur préférence pour le ski alpin.

Dès qu'ils attaquèrent la première montée, Léa commença à se réchauffer et, au fur et à mesure de l'effort, à laisser derrière elle ses soucis. Autour d'eux, le paysage était grandiose, tous les sapins enneigés scintillaient au soleil, toute l'immensité des collines et des vallées semblait leur appartenir. Ils s'engagèrent dans la forêt proche, dont Léa connaissait le moindre dénivelé, attentifs à se créer une piste dans la poudreuse. À chaque respiration, un petit nuage se formait devant eux, et ils évitaient de se parler pour ménager leur souffle. Il leur fallut une vingtaine de minutes avant d'émerger sur une plaine en pente douce qui se terminait par un lac.

—On se croirait au Canada ! s'extasia Virginie d'une voix haletante.

—Tu n'y es jamais allée, ricana Jérémie.

Au pied de la montagne qui se trouvait au-delà du lac, ils apercevaient les toits d'un petit village, et plus loin encore, une autre forêt.

—Je crois que je vais me mettre au traîneau à chiens, plaisanta Léa. Skier n'est plus de mon âge...

Les jeunes gens éclatèrent de rire, puis Jérémie reprit son sérieux pour répliquer :

—Tu es en pleine forme, maman. Et tu es aussi très jolie en ce moment.

—Méfie-toi, m'man ! Avare de compliments comme il l'est, il doit avoir quelque chose à te demander.

—Non, absolument rien. Je la trouve belle, c'est tout.

—C'est vrai que la quarantaine va t'aller super bien, approuva Virginie, tu en fais dix de moins.

Les compliments de ses enfants touchèrent Léa. Cependant, elle savait pertinemment pourquoi elle leur paraissait si épanouie, et elle en avait un peu honte devant eux. Depuis qu'elle était amoureuse, elle faisait attention à ses vêtements, à son maquillage, à sa coiffure ou à son parfum, et tout à fait malgré elle, son regard pétillait. Elle avait envie de sourire, elle se sentait légère. Mais ce besoin de plaire pouvait paraître totalement incongru dans la période actuelle, comme cette gaieté au fond d'elle-même qu'elle s'efforçait de dissimuler. Elle divorçait, elle imposait à sa famille une rupture douloureuse, elle aurait dû avoir une tête de circonstance.

Jérémie continuait à l'observer, à la fois admiratif et curieux. Il agita l'un de ses bâtons dans sa direction.

— Tu sais, maman, on te souhaite d'être heureuse. Tu y as droit.

Se forçait-il à le dire ? Il avait paru si contrarié, quelques jours plus tôt, par l'idée que sa mère puisse avoir rencontré un autre homme ! Changeait-il d'avis sous l'influence de sa sœur ? Se rendait-il compte de l'état pitoyable de Tristan ? Il s'était senti obligé de le défendre, cependant il savait bien que son père préférait la bouteille à sa famille. S'il en souffrait, ainsi que Léa le supposait, il était apte à comprendre sa souffrance à elle, sa frustration, son désir de se libérer.

— On peut en parler puisque nous sommes seuls, dit-elle en les regardant l'un après l'autre.

Elle changea de position pour se retrouver face à eux, dos au soleil, et elle enleva ses lunettes noires.

— Je ne sais pas comment vous vivez ce divorce, mais je sais que c'est forcément difficile pour vous aussi. Je saisis l'occasion de vous expliquer deux ou trois choses qui me tiennent à cœur. Vous allez le découvrir en vieillissant, une vie c'est à la fois très court et très long. Dans la mienne, jusqu'ici il y a eu de bons moments, et aussi des mauvais, c'est le lot commun... Aucun de vous deux n'ignore à quel point j'ai aimé ton père, Virginie. Mais j'étais très jeune, et avec le temps, peut-être ai-je idéalisé Martial. En épousant Tristan trop vite, j'ai commis une erreur, c'est ma faute. S'il est possible que je ne l'aie pas suffisamment aimé, en revanche, je refuse la moindre responsabilité en ce qui concerne son penchant pour l'alcool. Et ce défaut-là ne m'est plus supportable parce qu'il pourrit vraiment mon existence. En février prochain, je n'aurai *que* quarante ans, je ne peux pas envisager de passer le reste de ma vie à être malheureuse. Vous grandissez, vous allez quitter la maison un jour, pour Virginie c'est presque fait, or ça ne vous aide pas à vous construire de nous voir nous quereller et nous déchirer, Tristan et moi. J'ai choisi de trancher dans le vif, je ne le regrette pas, chacun est maître de son destin. J'espère avoir la possibilité d'aimer à nouveau, et j'espère que vous l'admettrez. Je souhaite aussi à Tristan de retrouver quelqu'un. Près d'une autre, tout pourrait encore changer pour lui, qui sait ?

Virginie la contemplait, bouche bée, tandis que Jérémie gardait la tête baissée vers ses skis.

— Eh bien, voilà qui est très clair, maman, dit enfin la jeune fille. Pour ma part, je suis d'accord sur tout.

Elle se tourna ostensiblement vers son frère qui enchaîna, un peu à contrecœur :

— Moi aussi. Tu mérites mieux que ce que t'offre papa, pas de doute là-dessus... Mais il y a une chose que je n'accepterai jamais, c'est voir Lucas le frapper. La prochaine fois, je le démolis.

— Non, répliqua Léa d'un ton catégorique, tu ne « démoliras » pas ton oncle. Pour deux raisons : d'abord, il est plus fort que toi, ensuite, c'est mon frère. Il a toujours pris ma défense, exactement comme tu prendrais la défense de Virginie devant n'importe qui.

— Lucas aime bien ce rôle-là, celui du chef de famille. Il a toujours voulu se substituer à papa, insista Jérémie.

— Navrée d'avoir à le préciser, mon grand, mais il y a longtemps que ton père a abandonné le poste.

Son fils releva la tête un peu brusquement, prêt à protester, pourtant il se tut. Au bout de quelques instants, il lâcha, à voix basse :

— Oui, peut-être...

Léa attendit encore un peu, mais personne n'ayant rien à ajouter, elle proposa de repartir.

— On se refroidit, je ne sens plus mes pieds !

Elle réajusta ses lunettes de soleil, renfila les dragonnes de ses bâtons.

— Regardez ! s'exclama Virginie. Un aigle, là...

Le rapace volait en cercle loin au-dessus d'eux, bien visible dans le ciel limpide. Ils suivirent ses évolutions un moment, puis Léa donna le signal du départ.

— Le premier au lac a gagné !

Jérémie s'élança en tête, traçant deux sillons bien nets sur la neige immaculée, et sa sœur choisit de profiter de ses traces. Léa prit une trajectoire un peu différente, parce qu'elle connaissait mieux qu'eux le relief de la vallée. La pente était douce, mais cachait des bosses et des faux plats. Dix minutes plus tard, Léa s'arrêta sur la berge, hors d'haleine, avec une cinquantaine de mètres d'avance.

— Et voilà, les jeunes !

Elle se mit à rire, égayée par la course, par la beauté du lac dont l'eau semblait bleu marine, par les cris de dépit de ses grands enfants. Tout le temps où elle avait glissé sur ses skis, elle n'avait pensé ni à Tristan, ni même à Raphaël, mais seulement à trouver le meilleur axe de descente et à respirer à pleins poumons.

— Bon sang, on devrait faire ça plus souvent, haleta Virginie. Je m'encroûte à Genève. À propos, j'irai sûrement passer deux jours aux Rousses avec Éric, en janvier, avant la reprise des cours. Mais franchement, le ski alpin sur des pistes pleines de monde, c'est beaucoup moins bien qu'ici.

— Moins crevant, aussi, fit remarquer Jérémie, parce que maintenant ça va monter, et ce sera sans télésiège, juste avec nos petits mollets !

Il se baissa et ramassa un peu de neige qu'il vint mettre dans le cou de sa mère.

— Tu voulais nous ridiculiser, hein ? On va voir qui sera le premier à apercevoir la cascade, tout là-haut.

Elle le repoussa en riant de nouveau, décidément ravie par cette matinée exceptionnelle. Avec un peu de chance, Noël ne serait pas aussi abominable qu'elle l'avait redouté.

— Tu sais, maman, chuchota Jérémie en faisant mine de remettre une de ses fixations, je n'ai rien contre Raphaël si un jour...

Cette phrase devait lui coûter, car il la laissa inachevée. Léa tendit sa main gantée et lui tapota doucement l'épaule, trop bouleversée pour lui répondre. Même si elle ne se l'était pas avoué clairement jusque-là, l'accord tacite de son fils lui était nécessaire et rendait l'avenir moins improbable.

— On contourne le lac et on grimpe à travers les sapins ! lança-t-elle gaiement.

Cette fois, ce serait plus difficile de distancer les jeunes gens, mais elle était prête à essayer.

Assis au bord du lit, Tristan contemplait la chambre. Bientôt, il dormirait ailleurs, il aurait quitté la maison.

La maison de Martial. Il prétendait la détester, pourtant il avait été flatté de l'habiter.

Il se sentait nerveux, un verre aurait été bienvenu ; toutefois, il avait déjà vidé une bouteille de champagne dans l'après-midi, et ses idées ne devaient pas s'embrouiller. Pas maintenant.

Son regard s'arrêta sur le pêle-mêle, au-dessus de la cheminée. Combien de fois avait-il détaillé cette photo de mariage depuis quelques jours ? Dans son tailleur ivoire, Léa était jolie. Si jeune, si prometteuse ! Tristan se souvenait de la hâte qu'il avait alors de s'installer avec elle, de quitter son chalet. En arrivant, il avait pris possession des lieux, semé ses affaires un peu partout comme pour marquer son territoire. Malheureusement, l'empreinte de son prédécesseur était trop profonde pour qu'il puisse l'effacer. À défaut, il avait bénéficié de la considération de ses copains de bar, de ses employés, car son mariage était une évidente progression sociale : il devenait propriétaire des forêts de Battandier. Du moins l'avait-il cru jusqu'à ce que cette garce de Léa le fasse déchanter. À la naissance de Jérémie, il avait repris espoir, mais au bout du compte...

Se désintéressant de la photo, il se leva pour achever de s'habiller. Avec un soin particulier, il avait choisi un costume bleu encre, une chemise blanche, une cravate rouge à petits motifs. Léa appréciait l'élégance les soirs de fête, elle serait sûrement en robe, elle avait même pensé à monter le chauffage.

Il s'observa dans le miroir en pied, de face, de profil. Sa veste, bien coupée, dissimulait sa bedaine. Bon sang, il avait connu suffisamment de femmes pour savoir s'y prendre, il pouvait encore plaire ! Il esquissa un sourire, rejeta ses cheveux en arrière. La démarche valait la peine d'être tentée, il n'avait rien à perdre et tout à gagner.

D'un regard circulaire, il engloba une dernière fois le décor dans lequel il vivait depuis quinze ans. Non, il n'était pas prêt à tout abandonner, à se retrouver seul comme un croûton oublié, pas prêt à supporter les mauvaises blagues qu'on lui ferait au comptoir, ses potes lui tapant dans le dos avec de grands rires. « Elle t'a foutu dehors, ta bonne femme ? Te revoilà à la case départ, on dirait ! »

Avant de quitter la chambre, il prit l'une des roses du bouquet qu'il destinait à Léa, coupa la tige et la mit à sa boutonnière. Au rez-de-chaussée, tout était silencieux, chacun devait être occupé à se préparer. Ses fleurs à la main, il alla frapper à la porte de Léa.

— Entre ! cria-t-elle gaiement, sans doute persuadée qu'il s'agissait de Virginie ou de Jérémie.

La chambre d'amis était bien arrangée, agréable, on voyait que Léa l'occupait depuis un certain temps. Debout devant une penderie, elle portait une robe de velours noir semée de fils d'argent, et était manifestement en train d'hésiter sur le choix de ses chaussures.

— Tu es superbe, apprécia-t-il en lui tendant le bouquet.

Stupéfaite, elle se retourna pour le dévisager.

— Merci…

— J'ai aussi un cadeau pour toi, je préfère te le donner maintenant.

Il sortit de sa poche le petit écrin qui contenait une broche. C'était un bijou fantaisie, qu'il n'avait pas payé cher mais qui avait le mérite de représenter un arbre.

— Elle te plaît ? J'ai cherché longtemps, et puis quand j'ai vu ce sapin... Je vais l'accrocher sur ta robe, attends.

Elle le laissa faire, toujours médusée par cette amabilité à laquelle elle ne s'attendait pas.

— Léa, faisons la paix, veux-tu ?

— Oui, bredouilla-t-elle, oui, bien sûr.

Agrafant la broche, il était tout près d'elle et sentait son parfum. Léa était encore une belle femme, il n'aurait pas à se forcer. Il fit glisser ses doigts sur la peau nue, juste au-dessus du décolleté, mais elle s'écarta aussitôt de lui.

— Tiens, dit-elle en allant prendre un petit paquet sur la commode, joyeux Noël.

Un peu contrarié de l'intermède, il déchira l'emballage en hâte, découvrit un stylo plume de la marque qu'il affectionnait et qui viendrait compléter sa collection.

— Ah, c'est très gentil, merci ! Tu connais bien mes goûts, hein ? Et tu sais, plus j'y réfléchis plus je crois qu'on a tort de foutre tout ça en l'air, notre mariage, notre famille... Tu me plais toujours, Léa, à vrai dire tu n'as jamais cessé de me plaire malgré nos disputes. Nous ne sommes pas toujours d'accord, ça arrive à tous les couples, mais on devrait se donner un délai, réessayer...

Il s'était rapproché tout en lui parlant de sa voix la plus douce. De nouveau, il posa sa main sur elle, voulut l'attirer à lui.

— Cette nuit, reviens dans notre chambre, nous dormirons l'un contre l'autre, il y a trop longtemps que je ne l'ai pas tenue dans mes bras.

— Non, Tristan.

— Juste une nuit, la dernière si tu veux, mais laisse-moi te prouver que je t'aime toujours.

— C'est faux !

Elle le regardait avec une sorte de répulsion qui le mit en rage, et lorsqu'elle voulut faire un pas vers la porte, il la saisit par le poignet.

— Pourquoi fuis-tu ? Il s'agit de toute notre vie, Léa !

— Nous n'avons plus de vie en commun depuis longtemps, ni de sentiments l'un pour l'autre, tu le sais très bien.

— Parce qu'on se fait la guerre toute la journée.

— Il y a de bonnes raisons pour ça. Tu bois, Tristan. Quand arrive le soir, tu ne tiens plus debout. Tu t'ennuies à mourir avec moi et tu me le montres. Tu me soutires de l'argent en permanence, le fric est devenu notre unique conversation. Et ne me raconte pas que je te plais ou que tu m'aimes, tu ne m'accordes jamais un regard ou un geste !

Il la tenait toujours et il se mit à la secouer.

— Tu arranges l'histoire à ta façon, comme toujours ! Tu fais tes petites affaires dans mon dos, tu me méprises, et tu voudrais que je te câline ? D'abord, pourquoi m'accuses-tu de boire ? J'aime bien vider un verre de temps en temps, et alors ? Tu es devenue complètement coincée, tu crois que c'est drôle pour moi ?

À force de tirer sur son poignet, il sentit quelque chose se casser entre ses doigts et il baissa les yeux.

— Tiens, tu as une nouvelle montre ?

— Qu'est-ce que ça peut te faire ? hurla-t-elle, furieuse.

Elle se dégagea violemment de son emprise, faisant tomber la montre qu'elle ramassa d'un geste vif.

— La prochaine fois que tu me touches, je t'assomme ! Maintenant, sors de cette chambre, va picoler à ta guise, il y a du champagne plein le frigo.

Dépité, il hésitait sur l'attitude à adopter. Sa tentative de reconquête se soldait par un échec, il avait été stupide d'y croire. Léa se tenait près de la commode, le regard fixé sur sa montre.

— Je t'en paierai une autre, lâcha-t-il.

— Avec quoi ? Va-t'en, Tristan, tu ne fais qu'envenimer les choses.

Sa voix semblait lasse à présent, dénuée d'agressivité.

— Pour Jérémie et Virginie, essayons de passer une bonne soirée, ajouta-t-elle dans un souffle.

Il n'éprouvait ni compassion ni tendresse envers elle, rien qu'une sourde colère. Après tout, leur séparation devenait inéluctable, autant en prendre son parti. Il tirerait d'elle ce qu'il pourrait, c'était sa dernière cartouche, ensuite il prendrait un nouveau départ.

Après les huîtres, ouvertes par Lucas, Léa servit la traditionnelle dinde farcie, accompagnée de marrons. Le champagne coulait à flots depuis le début du repas, et Tristan ne cessait de vider son verre en portant des toasts. Sa gaieté factice était un peu pénible, mais chacun faisait un effort pour relancer la conversation après ces interruptions intempestives.

— Remarquable, ta farce, apprécia Malo qui se régalait.

— C'est le charcutier qu'il faut féliciter, précisa Tristan avec un petit ricanement. Léa ne s'occupe plus des fourneaux depuis des lustres. À la santé du charcutier !

Les autres le laissèrent boire seul, sans relever le propos. Malo racontait l'histoire d'un monsieur qui voulait absolument offrir une voiture à sa femme pour Noël, et de la difficulté à tenir le délai de livraison.

— Je suis allé la chercher à Besançon ce matin, je l'ai garée dans une rue juste derrière la maison du client, et j'ai fait un paquet cadeau de la carte grise et des clefs avec plein de rubans autour. C'est ça qu'il a mis au pied du sapin, il était heureux comme un gamin.

— Moi, j'ai offert une broche à ma femme ! s'exclama Tristan. Vous l'avez vue ?

— Oui, ce bel arbre, c'est très original, railla Lucas.

Léa regarda son frère en fronçant les sourcils, mais Tristan, occupé à déboucher une nouvelle bouteille, ne parut pas s'offusquer de l'ironie. Il commençait à être vraiment ivre, ce qui présageait une fin de repas pénible, et Jérémie lui lançait de fréquents coups d'œil inquiets.

Quand Virginie se leva pour débarrasser, Léa la suivit à la cuisine.

— Je crois qu'on peut faire l'impasse sur le fromage et passer directement à la bûche, maman. Plus personne n'a faim.

La jeune fille rangea les assiettes dans le lave-vaisselle, puis consulta son portable qui ne la quittait pas. Le visage illuminé d'un grand sourire, elle s'exclama :

— Oh, il est trop gentil ! Regarde le texto d'Éric...

Penchée sur l'écran miniature, Léa lut une vibrante déclaration d'amour, rédigée en style télégraphique.

— Ce garçon me paraît très romantique et très amoureux. Et toi, ma grande ?

— Je commence à m'attacher pour de bon, reconnut Virginie d'un air béat.

— Alors, c'est magnifique !

Ravie pour sa fille, Léa la prit par le cou et l'embrassa. Elle comprenait d'autant mieux sa joie qu'à certains moments elle éprouvait la même. Malgré Tristan, malgré l'atmosphère lourde de la maison, et même malgré le deuil qui venait de frapper Raphaël, lorsqu'elle pensait à lui son cœur battait plus gaiement.

— Laisse-moi deux minutes pour lui répondre, ensuite j'apporte le dessert.

Durant quelques instants, Léa la regarda taper sur les touches du clavier et, prise d'une idée subite, s'éclipsa. Dans le vestibule, elle récupéra son sac au fond duquel se trouvait son propre portable. Pesant chaque mot, elle écrivit un message à Raphaël. « Toute ma tendresse va vers vous, je vous appellerai plus tard dans la nuit, je vous aime et j'ai hâte de vous le redire. »

— Tu as des coups de téléphone à passer, chérie ? Ne te gêne pas pour moi !

Titubant sur place, Tristan l'observait, une bouteille vide à la main. Elle rangea son téléphone, mit son sac sur l'épaule et se força à sourire. Elle ne voulait plus d'affrontement, d'ailleurs, d'ici peu, Tristan allait s'écrouler dans un coin.

— Virginie apporte la bûche. Besoin de rien d'autre à table ?

— Est-ce que tu vas sortir ? demanda-t-il au lieu de répondre.

Il désigna le sac puis se mit à rire, d'un rire bête de poivrot.

— Bien sûr que non. J'ai quelque chose à montrer à Lucas.

Un mensonge inutile car Tristan ne l'écoutait plus. Il passa devant elle en s'efforçant de marcher droit jusqu'à la cuisine. Elle le vit heurter le chambranle, l'entendit rire de nouveau. Sa gaieté envolée, elle se demanda combien de soirées s'étaient terminées de la même manière depuis quinze ans. Elle se retrouvait seule pour tout ranger, puis cherchait dans quelle pièce il avait bien pu s'endormir. Au début, elle lui enlevait ses chaussures, mettait une couverture sur lui, prenait soin d'éteindre la lumière. À l'inquiétude des premiers temps avait succédé le mépris, et à compter de ce moment-là, elle s'était obstinée à ne plus regarder la vérité en face. Reconnaît-on jamais l'instant décisif où un couple se défait, où l'amour s'achève ? Quel soir avait été le soir de trop ? Quelle crise de larmes la dernière ?

Lucas surgit derrière elle, la prenant par les épaules.

— Qu'est-ce que vous faites, tous ? On attend le dessert !

Il la serra contre lui d'un geste si affectueux qu'elle se sentit tout de suite moins mal. Passer de la joie à l'angoisse, de l'exaltation à l'abattement, devenait pour elle une habitude.

— Allons-y, Virginie arrive. Est-ce que tu savais qu'elle est amoureuse ?

— Je n'ai pas besoin de le savoir, ça se voit comme le nez au milieu de la figure. Si tu avais moins de soucis, tu l'aurais remarqué aussi. Elle ne prononce pas le prénom d'Éric, elle le roucoule !

Le rire de Lucas était sincère, chaleureux, rassurant. À voix basse, il ajouta :

— Toi aussi, ça se voit dans tes yeux.

Ils regagnèrent la salle à manger où Jérémie et Malo patientaient, suivis de près par Virginie qui portait triomphalement la bûche.

— Il est presque minuit, on va bientôt pouvoir ouvrir les cadeaux !

Léa regarda sa fille découper le gâteau. Sa ressemblance avec Martial s'accentuait de manière émouvante, et imaginer qu'elle ne tarderait sans doute plus à fonder une famille avait quelque chose de très réconfortant. Ainsi il y aurait d'autres Noëls, bien différents de celui-ci, avec des enfants aux yeux émerveillés qui battraient des mains devant le sapin. Un avenir normal, sans cette chape de plomb qui s'était abattue sur *La Battandière* au fil du temps.

— Je vais chercher papa pour le dessert, marmonna Jérémie en se levant.

Il revint cinq minutes plus tard, l'air déconfit, et eut un petit geste d'impuissance que tout le monde comprit. Tristan avait dû s'endormir sur un des fauteuils du salon. « Je me repose un peu », avait-il l'habitude de dire avant de sombrer dans un sommeil lourd, à peu près n'importe où dans la maison. Léa l'avait même retrouvé un jour en train de ronfler assis, la tête sur la table de la cuisine.

Pour faire diversion, Lucas proposa un toast à la santé de Jérémie, accompagné du vœu qu'il se plaise dans sa nouvelle école où, d'ici dix jours, il serait pensionnaire.

— J'ai des souvenirs formidables de pension, enchaîna Malo d'un ton enthousiaste. La mienne se trouvait dans un trou perdu, du côté de Vannes, avec d'immenses terrains de sport et d'anciens bâtiments très majestueux mais à peine chauffés ! On s'amusait comme des fous, ce qui ne nous empêchait pas de travailler. Sans les deux années passées là-bas, jamais je n'aurais eu mon bac.

Peu convaincu, Jérémie haussa les épaules en marmonnant :

— Le problème, c'est de se refaire des copains, je vais perdre tous les miens.

— Le genre d'amitié qu'on noue en pension te suit toute la vie, affirma Malo. Il y a une solidarité particulière, un état d'esprit qu'on ne peut pas oublier.

— Toi, forcément, tu aimais bien être avec des mecs, répliqua Jérémie, mais moi, je vais regretter mes copines !

Léa leva brusquement la tête et toisa son fils. Même si sa réflexion n'était pas méchante, il ne devait pas suivre l'exemple de son père, qui n'hésitait pas à tenir des propos détestables sur les homosexuels. Léa n'avait jamais réussi à déterminer la part de provocation visant exclusivement Lucas dans son attitude, mais elle ne laisserait pas Jérémie l'imiter. Il était vraiment temps que l'adolescent s'éloigne de la maison, qu'il aille se frotter à d'autres gens, qu'il s'intéresse enfin à ses études, et surtout qu'il n'ait plus son père pour unique modèle.

Malo continuait de vanter les joies de la pension, indifférent aux sarcasmes, et au bout d'un moment, son humour eut raison de la morosité de Jérémie. Ils restèrent encore longtemps à table, profitant d'une ambiance de plus en plus détendue, avant d'aller prendre leurs cadeaux sous l'arbre. Chaque année, Léa achetait un tout jeune sapin pectiné, avec ses racines et sa motte de terre, afin de le replanter vers la mi-janvier. Cette tradition lui venait de Martial, et ce serait le vingt-deuxième à trouver sa place à proximité de la maison, selon un dessin tracé d'avance.

En allant chercher une bouteille de champagne pour la dernière coupe de la soirée, Lucas jeta un coup d'œil dans le salon. Tristan ne s'y trouvait plus. Était-il monté se coucher ? Dans son état, il était peu probable qu'il ait réussi à gravir l'escalier. Pourtant, Lucas voulut en avoir le cœur net. Il monta au premier étage, longea le couloir qui conduisait à la chambre de Tristan et Léa. La porte de la salle de bains était ouverte, la lumière allumée. Sur le carrelage, Tristan gisait de tout son long. Il avait été malade, son costume était maculé, et il régnait une odeur insupportable. Devant les dégâts, Lucas décida que ni Jérémie ni Virginie ne devaient voir ce spectacle pitoyable. Il fit demi-tour, redescendit en hâte et porta à la salle à manger la bouteille de champagne qu'il n'avait pas lâchée. Puis il s'éclipsa de nouveau en prétextant qu'il allait commencer à mettre de l'ordre dans la cuisine.

— Que personne ne se dérange ! exigea-t-il. Moi, j'ai besoin d'un petit café après ce repas. Je vous en apporterai tout à l'heure.

Il fit effectivement halte à la cuisine pour y dénicher une éponge, un grand sac poubelle, de l'eau de Javel, une ventouse et de l'essuie-tout. De retour au premier, il commença par déshabiller Tristan avant de le traîner tant bien que mal jusqu'à la chambre, sans tenir compte de ses grognements. Il l'abandonna sur la moquette, mais le recouvrit avec la couette qu'il arracha du lit. Ensuite, il regagna la salle de bains et entreprit de la nettoyer. Comment pouvait-on se comporter de la sorte ? Léa s'était-elle souvent trouvée confrontée à ce genre de situation peu ragoûtante ? Exaspéré, il ouvrit la fenêtre, respira l'air glacé. Pourquoi les femmes acceptaient-elles des choses pareilles ? Pour préserver leurs enfants ? Par peur de se retrouver seules ? En ce qui le concernait, même très amoureux, il n'aurait jamais supporté un alcoolique.

« C'est dégradant pour tout le monde. Je ne veux pas que Léa subisse ça un jour de plus ! »

— Lucas ? Tu fais quoi, là ?

Sa sœur venait d'arriver, effarée de le découvrir dans cette salle de bains avec la fenêtre grande ouverte, un sac poubelle plein de vêtements à ses pieds et une éponge à la main.

— Tristan y est allé plus fort que d'habitude, ce soir. Il a été malade.

— Oh non…

— Je suppose que ce n'est pas la première fois ?

Ignorant la question, elle baissa la tête en murmurant

— Et tu as…

— Oui. Il valait mieux que ce soit moi plutôt que toi. Moi plutôt que Jérémie. Tout est en ordre, maintenant.

Il referma la fenêtre, mit un lien autour du sac.

— À mon avis, son costume est foutu, tant pis pour lui. Allez, viens, j'ai gagné ma coupe et mon café ! D'ailleurs, j'ai décidé de dormir ici.

— Ne te crois pas obligé.

— On a trop mangé et trop bu, Léa, je n'ai aucune envie de conduire dans ces conditions. De toute façon, le garage est fermé demain.

Il jugea inutile d'ajouter qu'il avait également décidé de rester toute la journée. Le déménagement de Tristan devenait sa priorité, son obsession, il fallait en finir.

Lorsqu'ils reprirent place autour de la table dévastée, Virginie, Jérémie et Malo étaient lancés dans une discussion très animée sur la musique. Lucas considéra Malo un moment, amusé de le voir si jeune et si gai. Discrètement, il sortit un paquet de cigarettes de sa poche, en alluma une.

— Tu ne m'en offres pas ? réclama Léa.

— Tu t'es vraiment mise à fumer ?

— Non. Une par-ci par-là, quand ça va très mal ou quand ça va très bien. Et toi, tu ne voulais pas arrêter ?

Lucas secoua la tête, sourire aux lèvres.

— Pas pour le moment. Un jour, oui, à mon heure.

Il chercha le regard de Malo, le trouva, et son sourire s'accentua. En cadeau de Noël, le jeune homme lui avait fait la surprise d'un somptueux briquet en or qui avait dû engloutir ses économies.

— C'est quoi, cette marque sur ton poignet ? demanda-t-il en prenant la main de sa sœur.

Elle portait le bracelet qu'il venait de lui offrir, mais qui ne dissimulait pas une longue égratignure.

— Petite altercation avec Tristan avant le dîner. Tu sais ce qu'il s'était mis en tête ? Une réconciliation sur l'oreiller ! On efface tout et on recommence… Je l'ai mal pris, forcément. J'avais une montre dont le fermoir s'est cassé dans le feu de l'action. Je la ferai réparer cette semaine, j'y tiens beaucoup. C'est Raphaël qui me l'a offerte, hier.

— Comment va-t-il ?

Ils avaient inutilement baissé la voix, les trois autres parlant très fort et ne s'intéressant pas à eux.

— Il est tout seul ce soir à ruminer son deuil, ça me fait de la peine pour lui.

— Ne t'inquiète pas trop. Raphaël est quelqu'un de solide, il peut assumer. Si tu veux aller le voir demain, j'occuperai les jeunes.

Pour ça, il avait une activité toute trouvée : transporter les cartons au chalet. Il s'abstint de le dire à Léa afin de ne pas ajouter à ses soucis, mais s'il le fallait, il conduirait lui-même Tristan hors de cette maison. L'espace d'un instant, il songea à Martial de façon intense. Le jour de son enterrement, il avait fait à sa mémoire la promesse solennelle de veiller sur Léa, sur Virginie, sur *La Battandière* et sur les forêts. Avait-il failli ? Dès le début, il s'était rendu compte de l'incapacité de Tristan à prendre le relais, mais jamais il ne s'était immiscé dans la vie privée de sa sœur. Néanmoins, il était resté vigilant et il continuerait à l'être. Raphaël allait devoir faire ses preuves avant que Lucas ne lui accorde toute sa confiance, même si, d'emblée, cet homme-là lui était sympathique.

— Je vais me coucher, lui chuchota Léa à l'oreille.

Elle s'éclipsa discrètement, sans doute pressée de téléphoner. Avec un petit soupir de satisfaction, Lucas sortit son briquet et alluma une autre cigarette, se jurant que ce serait la dernière de la soirée.

Ils s'étaient retrouvés en lisière de forêt, à l'entrée d'un chemin de débardage, pour accomplir cette promenade qu'ils n'avaient pas pu faire l'avant-veille. Toujours un peu intimidés l'un par l'autre, ils avaient commencé par s'étreindre brièvement, sans un mot, avant de se mettre en route la main dans la main.

Raphaël réglait son pas sur celui de Léa, si heureux d'être avec elle qu'il en oubliait sa nuit d'insomnie solitaire.

— Où sont passés les animaux ? lui demanda Léa. Je m'étonne toujours de les voir réapparaître au printemps, alors que les bois semblent complètement déserts l'hiver.

— Pas déserts du tout. Observez les traces sur la neige, vous verrez au moins celles des chevreuils. Et parfois celles du lynx qui les suit !

— Il y en a vraiment ?

— Des lynx ? Quelques-uns. Ils viennent du Jura suisse où ils ont été réintroduits il y a une bonne trentaine d'années. Ils ne se laissent quasiment pas approcher, mais ils sont bien là. Tout comme les petits loirs qui hibernent dans des cavités pendant des mois, ainsi que les muscardins, les martres... Ils vous manquent ?

— Leur activité ajoute plein de petits bruits dans la forêt, alors qu'avec cette couche de neige, il n'y a plus que le silence. J'ai l'impression d'avoir du coton dans les oreilles !

— Servez-vous de vos yeux, vous découvrirez des merveilles.

Ils bifurquèrent vers un sentier escarpé, à peine discernable mais dont ils connaissaient l'existence. À leur passage, une branche craqua et s'effondra sous le poids du gel.

— Et les oiseaux ? demanda Léa en levant la tête. Ils sont partis vers d'autres climats ?

— Pas les grives, en tout cas, je viens d'en apercevoir une !

Entre les cimes des sapins, le ciel paraissait sombre, plombé, porteur de nouveaux flocons.

— Martial conservait un ou deux grands arbres morts par hectare pour servir d'abri aux rongeurs. Il appelait ça les HLM ! Je n'y ai jamais touché.

— Les cavernicoles, oui, je les ai tous repérés sur vos parcelles. Ils sont indispensables, mais certains d'entre eux sont aujourd'hui trop abîmés, il faudra les renouveler. C'est prévu dans vos travaux de printemps.

Lâchant sa main, il la prit par les épaules pour être encore plus près d'elle.

— La semaine prochaine, nous irons vérifier les semis, voir comment ils résistent au gel. Heureusement, la neige est plutôt une protection pour eux.

— J'ai toujours peur que la forêt souffre. Les hivers sont si longs et si rudes !

— Les végétaux s'y sont adaptés depuis longtemps, quelle que soit l'altitude. Mais il faut savoir connaître les limites de la résistance de chaque espèce, à chaque étage. C'est tout l'art de la plantation en montagne.

Il s'arrêta près d'un hêtre, nettoya délicatement un rameau.

— Vous voyez ce minuscule bourgeon ? Il s'est formé à la fin de l'été, puis a profité de l'automne pour fabriquer de véritables écailles autour de lui, très coriaces, qui le protégeront du gel comme de la sécheresse jusqu'au printemps.

Il se tourna vers elle, la regarda en fronçant les sourcils.

— À propos, vous n'avez pas froid ?

— Un peu.

Il éclata de rire et entreprit de lui frotter vigoureusement le dos.

— Vous êtes le forestier le plus frileux de tout le Jura ! On rebrousse chemin ?

Ils mirent une bonne demi-heure pour regagner les voitures, puis décidèrent de se suivre jusqu'à la petite ferme de Raphaël. Il voulait absolument préparer du chocolat pour réchauffer Léa, et surtout il ne supportait pas l'idée de la quitter si vite.

Une fois installés devant la cheminée, une tasse fumante à la main, ils échangèrent un très long regard.

— Vous devez être triste pour votre mère, dit enfin Léa dans un souffle.

— Pas quand vous êtes là.

— Où a lieu l'enterrement ?

— Eh bien… J'ai hésité longtemps, je ne savais pas trop quoi faire. D'abord j'ai pensé la ramener à Paris, au cimetière des Batignolles ou à celui de Montmartre parce qu'elle avait toujours vécu dans ce quartier, mais

258

finalement j'ai choisi de la laisser ici, pas trop loin de moi. Je... je ne pense pas quitter la région. En fait, ça dépendra de vous, bien sûr. De nous.

Il l'énonçait très simplement, comme une évidence, et Léa éprouva un immense soulagement. Ainsi, elle ne s'était pas fait d'illusions, n'avait pas pris ses désirs pour la réalité. Raphaël envisageait son avenir en fonction d'elle, il devait être un peu fou lui aussi, c'était merveilleux.

— Je sais, ajouta-t-il avec un petit sourire en coin, on ne se connaît pas, vous et moi.

Tendant la main vers elle, il lui caressa le bras d'un geste timide.

— Joli bracelet, apprécia-t-il.

— Un cadeau de mon frère.

Elle releva son autre manche et désigna la montre.

— Mais c'est celui-ci que je préfère.

Le matin même, Lucas avait réussi à réparer le fermoir pour qu'elle puisse la porter. Elle eut envie de rire tant elle se trouvait ridiculement gamine, mais après toutes ces années sombres, elle estimait qu'elle y avait droit.

— Ma sœur arrive après-demain, reprit-il, elle passera vingt-quatre heures avec moi. Et sans doute devrai-je aller quelques jours à Paris, en janvier, pour signer des papiers chez le notaire, vider l'appartement des Batignolles avant de le mettre en vente. Je ne peux pas laisser Céline s'occuper de tout, elle a son travail, ses enfants...

Une ombre de chagrin passa sur son visage, puis s'effaça peu à peu.

— Une page se tourne, une autre s'ouvre, conclut-il d'une voix douce. Et je suis très impatient de la lire.

Se penchant vers lui, Léa demanda très sérieusement :

— Raphaël, êtes-vous vraiment aussi bien que vous en avez l'air ?

— Bien ? répéta-t-il, surpris. Drôle de question !

— Vous avez des défauts, j'imagine ? Avouez-les moi maintenant avant que je tombe de haut.

— D'accord. Je suis solitaire et contemplatif comme un ours, perfectionniste comme un prof, trop entier, et je serais même capable de jalousie envers vous si d'autres hommes vous tournent autour.

— Rien de plus ?

— Difficile d'être juge et partie. Sans doute ai-je des travers que je ne veux pas voir et que vous découvrirez à l'usage, horrifiée.

Il lui adressa un clin d'œil puis quitta son fauteuil et vint s'asseoir à ses pieds, dos aux flammes.

— Nous traversons une période étrange, n'est-ce pas ? Je ne me sens pas libre d'agir normalement, et vous non plus. Vous divorcez, j'enterre ma mère, comment pourrions-nous avoir le cœur léger ? Tout ce que je voudrais dire ou faire avec vous me paraît incongru, déplacé. Il va falloir laisser passer un peu de temps.

— J'ai tout mon temps.

Appuyant son menton sur un genou de Léa, il la scruta de façon intense durant quelques instants.

— Je n'ai jamais éprouvé ça pour personne, dit-il à mi-voix. Je ne comprends même pas ce qui m'arrive. Tout ce que je comprends est que ça m'arrive à moi, et pour tout l'or du monde, je ne céderais pas ma place. Être amoureux est un cadeau inestimable, ça change les couleurs de la vie.

D'un élan qu'elle n'essaya même pas de contrôler, Léa enfouit ses doigts dans les cheveux de Raphaël. Elle l'attira vers elle et l'embrassa avec une telle fougue qu'ils finirent collés l'un à l'autre, éperdus de désir et à bout de souffle.

— Ce n'est toujours pas l'heure ni l'endroit, n'est-ce pas ? chuchota Léa d'une voix altérée.

— Impossible de vous répondre, je ne sais plus où je suis !

Il s'efforçait de sourire, trop troublé pour y parvenir vraiment.

— Je vais rentrer, soupira-t-elle.

— Mon Dieu, que je déteste cette phrase...

À regret, il se releva, s'éloigna d'elle.

— Quand reviendrez-vous ?

— Demain, si vous voulez.

— Bien sûr que je le veux !

Incapable de se retenir, il la reprit dans ses bras, la garda contre lui un moment. Leur besoin de se toucher devenait impérieux, presque douloureux, pourtant ils arrivèrent à se séparer. Ensuite, Léa partit très vite, comme si elle s'enfuyait, alors qu'elle aurait donné n'importe quoi pour rester. Mais elle ne pouvait pas laisser Lucas régler tous les problèmes à sa place, elle ne pouvait pas laisser ses enfants affronter sans elle les jours à venir.

Au réveil, Tristan avait dû prendre de l'aspirine et du café avant de comprendre ce qui s'était passé la veille au soir. La découverte de son costume dans un sac poubelle l'ayant éclairé, il s'était senti assez piteux pour accepter les arguments de Lucas et, durant tout l'après-midi, avait assisté au ballet des voitures. Jérémie, Malo et Lucas chargeaient des cartons, des lampes et des valises, partaient au chalet puis revenaient et recommençaient. Impuissant, Tristan se contentait de les laisser faire, conscient que rien ne pourrait plus différer son déménagement. Il quittait *La Battandière* sans pouvoir partir la tête haute ni maudire personne, et son amertume tournait carrément à l'aigreur.

Au chalet, Virginie vidait les cartons, branchait les lampes, faisait le lit, accrochait les vêtements, rangeait la vaisselle. Léa avait préparé une réserve d'épicerie conséquente, ainsi que les trois caisses de vin blanc qui restaient de la précédente commande de Tristan chez un petit producteur.

En quelques heures, le chalet prit une allure assez pimpante, et lorsque Tristan arriva enfin au volant du break, il découvrit avec dépit qu'il n'avait pas grand-chose à critiquer. Après tout, il s'agissait de sa maison, bien restaurée et entretenue par Raphaël durant les mois précédents, bien isolée désormais grâce au double vitrage, indéniablement confortable.

Jérémie l'aida à placer quelques gravures, puis lui proposa d'aller dîner au restaurant.

— Non, tout sera fermé, c'est le jour de Noël, rappela Tristan d'un ton maussade. Mais reste avec moi, je me sentirai moins seul.

Cette solitude, qu'il n'avait pas envisagée concrètement jusque-là, lui parut soudain synonyme de liberté. S'il perdait certains avantages matériels, il gagnait le droit de boire sans se cacher et de faire ce que bon lui semblerait. Ne plus entendre : « Tiens, tu n'es pas à la scierie ? » le soulageait d'avance. Certes, il allait bien falloir qu'il y retourne, surtout maintenant qu'il avait pu changer les lames défectueuses. Ses employés étaient censés reprendre le travail le 2 janvier, et il y avait quelques commandes à traiter. Après... ce serait le saut dans l'inconnu ! Il n'avait pas non plus réfléchi sérieuse-ment au fait que s'il perdait la clientèle de Léa, il coule-rait pour de bon, sans plus aucun recours. Il devait se renseigner au plus vite sur la possibilité de bénéficier d'allocations de chômage. Quant à la scierie, il pourrait toujours vendre le terrain et les bâtiments. Mais pas tout de suite, pour l'instant il avait tout intérêt à jouer de sa situation financière précaire, d'après son avocat.

Infatigables, Malo et Lucas repliaient les cartons vides et les descendaient à la cave. Un peu gêné par toute cette activité à laquelle il n'avait pris aucune part, Tristan se décida de mauvaise grâce à aborder Lucas.

— C'est toi qui t'es occupé de moi, hier soir ? Je crois que j'ai fêté dignement Noël ! Un peu trop, peut-être.

— « Dignement » n'est pas le mot que j'aurais choisi, répliqua Lucas.

Ils se toisèrent avec leur hostilité coutumière.

— Bon, j'ai abusé, d'accord, concéda Tristan. Mais avoue que vous m'en faites voir de toutes les couleurs.

— Ah oui ?

— Faisons une comparaison. Trouverais-tu suppor-table d'être foutu hors de chez toi par Malo ?

— Mais enfin, mon vieux, tu n'étais pas chez toi à *La Battandière* ! C'est ici, chez toi. Un superbe chalet qui n'a rien de pitoyable.

Tristan haussa les épaules, agacé par l'évidence.

— Tout de même, maugréa-t-il, tu as eu tort de t'en mêler. Tu n'as rien arrangé entre Léa et moi, à être toujours là.

— Je ne fais que la défendre. Franchement, Tristan, tu t'es conduit comme un con. Et c'est l'alcool qui vous a séparés, pas moi.

— Oh, bon sang, que vous êtes puritains ! Boire un coup de trop de temps à autre n'est pas un drame.

— Tu bois du matin au soir et tous les jours. Mais la question n'est pas là. Un divorce, ça signifie qu'on ne s'entend plus, qu'on ne s'aime plus, quelles qu'en soient les raisons. Vous n'êtes pas les seuls à qui ça arrive, la terre ne va pas s'arrêter de tourner.

Lucas jeta un regard circulaire sur ce qui avait été les bureaux de l'entreprise et qui venait de retrouver en quelques heures son ancien usage de salle de séjour. Virginie s'était vraiment bien débrouillée, elle avait même rangé les livres sur les étagères.

— Bon, on ne peut rien faire de plus pour toi, on va s'en aller.

Ce serait l'instant difficile, Lucas le savait. Il se tourna vers Jérémie qui était en train de les observer, à l'autre bout de la pièce.

— Tu restes avec ton père, ce soir ?

Le visage fermé de l'adolescent n'annonçait rien de bon.

— Je dîne et je dors ici, évidemment ! lança-t-il d'un ton agressif.

— Très bien, répondit posément Lucas. Je crois que vous avez tout ce qu'il vous faut, Virginie a rangé les provisions dans la cuisine du carnotzet.

— J'ai aussi mis le frigo en route et ouvert les radiateurs, précisa la jeune fille.

Elle se tenait près de la porte, prête à partir, apparemment très mal à l'aise.

— Alors, c'est magnifique ! explosa Jérémie. Au revoir tout le monde, et bonne soirée !

Il adressa un regard assassin à sa sœur qui baissa la tête. Malo profita du silence pour sortir le premier, suivi de Virginie. Navré pour son neveu, Lucas se sentit obligé d'ajouter quelque chose.

— Si vous avez besoin de quoi que ce soit, appelez Virginie, elle fera un saut ici.

Dans un souci d'apaisement, il tendit la main à Tristan.

— Rien ne nous oblige a nous fâcher.

Ignorant son effort, Tristan leva les yeux au ciel.

— Ben voyons, on va tous rester copains ! À cause de toi, je n'ai même pas pu dire adieu à ma femme.

Il profitait manifestement du soutien de Jérémie pour refaire des histoires, mais Lucas évita le piège.

— Pourquoi adieu ? Vous allez vous revoir, que je sache. Et ton idée n'est pas bête, vous devriez rester amis. Puisque vous n'aurez plus de raisons de vous quereller, les choses s'apaiseront, j'en suis sûr.

Il se tourna vers Jérémie qui, les bras croisés, ne fit pas un pas vers lui.

— À bientôt, conclut-il en traversant la pièce.

Après son départ, Tristan esquissa une grimace de dégoût.

— Quel sale type, quel hypocrite…

Comme ces mots ne provoquaient aucun écho chez son fils, il insista, d'un ton plaintif :

— Il n'est pas pour rien dans notre divorce, crois-moi ! Et si ta mère ne buvait pas ses paroles, elle ne…

— Papa, l'interrompit l'adolescent, je t'en supplie, ne parle pas de maman. Elle a fait ce qu'elle a pu. Ne me demandez jamais de prendre parti.

Déçu, Tristan hocha la tête.

— C'est juste que Lucas m'a exaspéré. Descendons dîner, tu dois avoir faim. J'espère que nous aurons droit à autre chose que des pâtes ! Demain, j'irai faire un ravitaillement, il va bien falloir que je pense à moi, maintenant.

Ils descendirent au carnotzet où Virginie avait laissé les spots allumés. L'éclairage était gai, la cuisine rutilante, et la grande table que Tristan connaissait depuis son enfance trônait au milieu de la pièce, flanquée de ses chaises au dossier percé d'un cœur.

— Il y a un bocal de foie gras, annonça Jérémie. Et maman a pensé à mettre une salade, du pain, du morbier, des madeleines…

Appuyé au plan de travail, il faisait l'inventaire des provisions en retrouvant un peu de gaieté.

— Je m'occupe du couvert, proposa-t-il.

Jérémie avait vu sa sœur ranger la vaisselle, celle que son père préférait, et il se débrouilla pour installer rapidement une jolie mise de table. Le malaise qui l'avait poursuivi tout l'après-midi était en train de se dissiper. Décidé à tenir jusqu'au bout son rôle de fils et de soutien, il s'était senti en porte-à-faux devant les efforts déployés par chacun, Lucas compris. D'un côté il en voulait terriblement à son oncle d'avoir imposé un déménagement express et non négociable, de l'autre il comprenait bien que son père ne serait jamais parti de son plein gré. Il l'avait vu traîner les pieds, refuser de faire des cartons, laisser les autres se charger de tout à sa place, mais comment lui en tenir rigueur ? La situation était odieuse pour lui, et il était seul contre le reste de la famille. D'accord, il buvait à outrance et personne n'avait envie de continuer à subir son comportement d'ivrogne, Jérémie le premier, cependant il avait été littéralement chassé de la maison. Pour faire plus vite de la place à un autre homme ? Cette idée hérissait Jérémie, le révoltait, et pourtant, il estimait que sa mère avait le droit de retrouver une vie normale. Déchiré entre des intérêts si divergents, il refusait de donner tort ou raison à qui que ce soit, se contentant d'espérer que ces abominables vacances ne seraient bientôt plus qu'un mauvais souvenir. Une fois en pension, il prendrait du recul, réfléchirait à tout ça, partagerait équitablement ses week-ends entre son père et sa mère.

— Je te sers un verre ?

Trop absorbé dans ses pensées, il n'avait pas vu Tristan déboucher une bouteille. La première de la soirée. Il refusa d'un ton abrupt et sortit un Perrier du frigo.

— Vas-y mollo, trouva-t-il le courage de dire.

En réponse, il n'obtint qu'un petit ricanement familier.

Debout au milieu de la pièce, Léa tenait son pyjama sous le bras et sa trousse de toilette à la main. Elle avait changé les draps, aéré, passé l'aspirateur, pourtant, elle n'avait aucune envie de dormir là.

Ce qui avait été sa chambre avec Martial, puis avec Tristan, lui faisait presque horreur. Depuis des mois qu'elle s'était habituée à dormir de plus en plus souvent au rez-de-chaussée, elle y avait fait son nid, elle s'y sentait chez elle. Non, décidément, elle ne voulait pas réinvestir cet endroit, elle en ferait une belle chambre d'amis avec sa salle de bains privée, ce serait parfait.

Soulagée par sa décision, elle descendit en sifflotant. Virginie dormait à poings fermés, épuisée par sa journée, Lucas et Malo étaient rentrés à Lons : la maison lui appartenait ! Elle éprouva un sentiment d'allégresse à cette idée. Pour la première fois depuis bien longtemps, elle se sentait vraiment chez elle, délivrée de toute contrainte, libre d'aller et venir à sa guise, de chanter à tue-tête si elle en avait envie, sans craindre de se heurter à Tristan. Un Tristan endormi, ou de mauvaise humeur, dissimulant hâtivement un verre, toujours prêt à se plaindre et à réclamer de l'argent.

Dans la galerie, elle ouvrit la porte du bureau, la porte de la chambre ainsi que celle de la salle de bains. À l'époque de Martial, aucune porte n'était jamais fermée.

Elle revint vers le bureau, alla s'asseoir dans le vieux fauteuil où elle avait si mal dormi quelques nuits plus tôt. Toutes ses craintes s'étaient dissipées, elle ne ressentait plus aucune frayeur à se tenir là. D'ici peu, quand Virginie repartirait à Genève et que Jérémie intégrerait sa pension, elle serait absolument seule dans cette grande maison, elle pourrait donc se retrouver *elle-même* car elle avait parfois l'impression de s'être perdue quelque part, de ne plus très bien savoir qui elle était.

Elle laissa ses pensées dériver vers Tristan, vers leur rupture enfin consommée. Saurait-il, lui aussi, repartir du bon pied ? Aurait-il le courage de démarrer une nouvelle vie, de se remettre au travail ? Maintenant qu'il n'était plus là, Léa se sentait capable d'un peu d'indulgence envers lui. Elle se prit à espérer que, tout comme elle, il était en train de reprendre possession des lieux, chez lui, et d'y faire des projets. En tout cas, il ne souffrait pas de leur séparation, pas sur un plan sentimental du moins, de ça elle était certaine. Si elle l'avait blessé, c'était dans son orgueil.

« Je ne lui veux pas de mal. J'essaierai de continuer à l'aider, au début. Lui laisser des commandes pour la scierie, par exemple. Lui téléphoner souvent, voir de quoi il a besoin. »

Peut-être leur serait-il possible d'établir de bons rapports ? Et puis Jérémie ne devait pas être coincé entre le marteau et l'enclume, il faudrait le préserver avant tout.

Réprimant un bâillement, elle se leva. Avant de sortir, elle s'arrêta une seconde près du bureau, ouvrit le sous-main où elle avait rangé la photo de Martial. Lorsqu'elle souleva le buvard, elle reçut un véritable choc et retint sa respiration. Puis elle expira à fond, lentement, la tête pleine de questions qui se télescopaient. Enfin, elle saisit entre ses doigts quelques-uns des morceaux de la photo déchirée. Un œil par-ci, un bout de lèvre par-là, le visage de Martial était difficile à reconstituer, et elle y renonça aussitôt. Hormis Tristan, personne ne pouvait s'en être pris à ce cliché. Ce qui signifiait qu'il était entré ici, avait encore fouillé dans ses affaires, et qu'il avait décidé cette fois de laisser une trace de son passage. Imaginait-il que Léa regardait sous le buvard chaque jour, idolâtrant le visage de Martial, et qu'elle se désespérerait devant la photo détruite ? La haïssait-il à ce point ? Était-ce un geste de pure méchanceté, une revanche qu'il croyait prendre ? Écœurée, elle jeta dans la corbeille tous les morceaux jusqu'au dernier. Elle n'avait pas besoin de photo pour se souvenir de Martial, du moindre de ses traits, du bleu de ses yeux. D'ailleurs, Virginie possédait la même couleur intense. Chaque fois qu'elle voyait sa fille, Léa voyait Martial, au fond elle ne désirait rien de plus.

— Tu t'es trompé sur toute la ligne, mon pauvre Tristan ! Et si c'est toi qui t'amusais à m'effrayer avec la fenêtre, l'aquarelle, toutes ces bêtises… Eh bien, je n'ai pas peur, je ne suis pas triste, c'est raté.

Elle l'avait dit à voix haute, comme pour mieux s'en persuader, mais c'était vrai. Une réalité dont elle prit conscience avec un puissant sentiment d'apaisement. Elle avait finalement réussi le pari difficile de remettre de l'ordre dans sa vie, quel que soit le prix à payer. Martial ne la hantait plus, Tristan ne la culpabilisait pas, au bout du compte elle était plus forte qu'elle ne l'avait cru.

Sans un regard en arrière, elle sortit, éteignit, laissa la porte ouverte.

7

Céline descendit du 4 × 4, à peine réchauffée. Elle avait eu froid dans l'église, froid au cimetière, mais surtout, un froid intérieur l'avait envahie dès son arrivée au funérarium. Dire adieu à sa mère, assister à la fermeture du cercueil et à la pose des scellés s'était révélé une véritable épreuve. Cependant, elle n'aurait jamais accepté que son frère soit seul pour le faire.

Partie de Paris très tôt le matin, elle manquait de sommeil, et ses petites bottes de ville s'étaient détrempées dans la neige. En découvrant la fermette isolée où vivait Raphaël, elle faillit se remettre à pleurer, pourtant, dès qu'elle fut installée devant la cheminée, dans l'un des deux gros fauteuils club, elle se sentit un peu mieux.

— Alors, c'est ton nouveau domaine ? demanda-t-elle, tandis qu'il s'affairait dans la cuisine attenante.

— J'ai un bail de location d'un an, je verrai après. Tu trouves ça trop petit ?

— Pour un homme seul, je suppose que non. En tout cas, ça ne manque pas de charme, et tu l'as bien arrangé.

Elle savait qu'il aimait s'occuper des lieux où il habitait. Grâce à quelques objets bien choisis, il rendait vite un endroit accueillant, chaleureux. Elle en eut la confirmation en le voyant revenir porteur d'un plateau de cuir fauve sur lequel fumaient deux grandes tasses aux dessins naïfs. Il avait pensé à ajouter une boîte de marrons glacés dont elle raffolait.

— Mes bottes sont fichues, constata-t-elle en les enlevant pour les mettre à sécher.

Elle but une gorgée de café brûlant, le trouva délicieux.

— Toi qui passes tout ton temps dehors, tu es aussi un homme d'intérieur, c'est marrant… Mais ici, tu ne pourras mettre aucun des meubles de maman, tu es trop à l'étroit. Qu'est-ce qu'on va en faire ? Tout vendre ?

— Garde ce qui te plaît, je prendrai quelques souvenirs et on liquidera le reste. Je suppose que le notaire fera un inventaire détaillé, avec une estimation.

Il n'eut pas besoin d'en dire davantage, la pensée de leur sœur s'imposa aussitôt à eux. Comme prévu, Raphaël l'avait appelée pour lui annoncer le décès de leur mère, mais elle ne s'était pas émue outre mesure. Prétextant la distance, elle avait renoncé à faire le voyage pour l'enterrement.

— C'est loin le Canada, d'accord, soupira Céline, mais tu verras qu'elle prendra vite un avion pour venir toucher sa part d'héritage une fois que nous aurons réglé la succession !

Raphaël esquissa un geste d'impuissance. Il ne comprenait pas l'indifférence manifestée par Laurence tout au long de la maladie de leur mère. Lorsqu'ils étaient jeunes tous les trois, il avait cru bien la connaître, pourtant, c'était quasiment une étrangère qui lui avait répondu au téléphone.

— Sa vie est ailleurs, se contenta-t-il de dire pour ne pas attiser la rage de Céline.

— Eh bien, aujourd'hui, elle aurait dû être là et pas ailleurs ! Je pense que si tu n'as pas la décence d'enterrer tes parents, tu ne vaux pas grand-chose.

— Tu as raison, mais ça ne sert à rien de s'énerver contre Laurence.

— Nous étions seuls au monde, tout à l'heure, dans ce cimetière !

— Même à trois, nous aurions été tout aussi seuls.

Un médecin de la clinique s'était déplacé, ainsi qu'une infirmière, et Raphaël les avait remerciés de leur présence. Néanmoins, à eux quatre, ils n'avaient pas réussi à occuper un banc entier de l'église. Au chagrin s'était ajouté un terrible sentiment d'inutilité. Hélène Vilard avait élevé ses trois enfants de son mieux, elle avait formé des générations d'élèves, s'était dévouée dans bon nombre d'associations bénévoles, et au bout de toute cette vie consacrée aux autres, il n'y avait eu quasiment personne pour l'accompagner à sa tombe.

— Ce soir, je t'emmène dîner dans un bon restaurant, décida-t-il, ça nous changera les idées.

Il recula les bottes de sa sœur qui se trouvaient trop près du feu, puis ajouta une bûche.

— Où en es-tu de ton travail, Ralph ? Si mes souvenirs sont bons, ton contrat s'arrête au printemps ?

— Oui.

— Est-ce que tu reviendras à Paris à ce moment-là ?

Son ton plein d'espoir montrait à quel point son frère lui manquait.

— Je ne crois pas, ma puce, dit-il doucement.

— Oh... Tu as autre chose en vue ? Une mission pour l'ONF, cette fois ?

— Disons qu'un événement vient d'arriver dans ma vie, qui change tout pour moi. J'espère vraiment rester ici, Céline.

— Ici, dans cette petite maison ?

— Celle-ci ou une autre, ça n'a pas d'importance. Je suis tombé amoureux. Vraiment tombé, tu sais, comme Alice dans le terrier du lapin.

Céline le dévisagea avant de se mettre à rire.

— Tu as l'air, oui ! Au moins l'air d'être au pays des merveilles. Comment s'appelle-t-elle ?

— Léa.

— Mais, ce n'est pas...

— Si. Elle est en train de divorcer. Je t'expliquerai ça pendant le dîner. Tu veux encore un peu de café ?

Elle accepta, et il fila dans la cuisine. Avoir parlé de Léa, prononcé son prénom effaçait en partie la tristesse de cette journée. Même s'il n'était pas sûr de pouvoir faire comprendre à sa sœur dans quelle situation il se trouvait, il mourait d'envie de tout lui raconter.

Lorsqu'il revint avec leurs deux tasses pleines, il la trouva plongée dans la contemplation des flammes.

— J'ai eu une idée, Ralph, dit-elle en levant les yeux sur lui.

— À quel propos ?

— Sur le fait qu'on risque de ne plus se voir du tout. Tant qu'il y avait maman, j'avais une bonne raison de descendre ici et de passer un tout petit moment avec toi, seulement maintenant... Alors, je me disais que, une fois l'appartement vendu, ma part ne sera pas suffisante pour acheter à Paris, mais en revanche, je l'investirais bien dans quelque chose par ici. Si on achetait une maison en copropriété, toi et moi ? Ou bien j'achète un truc toute seule, et tu t'en occupes en mon absence. Bref, je viendrais y passer les vacances avec mon mari et les enfants, ils pourraient faire du ski, se balader en forêt, nager dans les lacs... Qu'en penses-tu ?

Il réfléchit à sa proposition quelques instants, puis finit par hocher la tête.

—Pourquoi pas ? Je serais heureux de mieux connaître mes neveux, mon beau-frère, et surtout de profiter davantage de toi. Ton idée me plaît bien, ma puce, parce que tu me manques aussi.

Quel que soit son avenir avec Léa, il n'avait pas la moindre intention de s'installer à *La Battandière*, dans la place toute chaude de Tristan. Continuer de louer sa fermette pendant un an lui avait paru une bonne solution, mais acheter avec sa sœur était beaucoup plus réjouissant.

Très contents l'un de l'autre, ils se mirent à évoquer diverses possibilités avec un enthousiasme grandissant.

Tristan se tortillait sur son siège, effaré par la somme que l'avocat venait de lui demander, à titre de provision.

—Ma situation financière est très délicate en ce moment, avoua-t-il du bout des lèvres. Ma femme a un compte en banque bien garni, mais pas moi !

—Ne vous inquiétez pas, le juge en tiendra compte dans le règlement du divorce. En attendant, vous allez me détailler vos moyens d'existence et me faire la liste de vos biens propres. J'aimerais aussi connaître les raisons qui ont poussé votre épouse à vouloir la séparation. Fait-elle état de griefs précis ?

Impossible de citer l'alcool, qui d'ailleurs n'était sans doute qu'un prétexte pour Léa, mais que pouvait-il avancer d'autre ?

— Sait-on jamais pourquoi on est trahi ? murmura-t-il en baissant les yeux vers son alliance.

Il espérait avoir ému l'avocat, toutefois celui-ci arqua les sourcils, comme s'il venait d'entendre une sottise trop grandiloquente pour lui.

— L'idéal serait que *vous* ayez quelque chose de concret à lui reprocher. Je ne sais pas, moi… un amant ?

Tristan n'hésita qu'une seconde avant de répliquer :

— Peut-être. Elle emploie un ingénieur des Eaux et Forêts avec qui elle passe tout son temps et qui lui fait les yeux doux, mais je n'ai pas de preuves, uniquement des doutes. De sérieux doutes !

— Je préférerais une certitude. L'adultère reste un bon argument.

Au mot « adultère », Tristan substitua dans sa tête ceux de « mari cocu », beaucoup plus blessants. L'était-il ? Léa avait-elle eu l'occasion et l'envie de le tromper ? Il ne l'imaginait pas folâtrant dans les bois, s'allongeant sur les feuilles mortes puis se déshabillant sous la pluie, mais après tout, une chambre d'hôtel avait pu faire l'affaire. Ou même le chalet, lorsqu'elle prétendait y travailler. Dans son propre lit, puisque Tristan y dormait désormais, s'était-elle moquée de lui dans les bras d'un autre ? Cette idée lui parut si odieuse, si humiliante, qu'une vague de colère le fit se redresser. Quel idiot il faisait ! Pourtant, il avait effectivement eu des soupçons, au point de lancer quelques hameçons auxquels Raphaël n'avait pas mordu. Pourquoi n'avait-il pas insisté ?

— … et si vous voulez bien m'établir un chèque, nous allons prendre rendez-vous pour le mois prochain, quand j'aurai étudié tous les documents nécessaires.

La voix de l'avocat lui parut lointaine. Il avait une terrible soif et il dut faire un effort pour se concentrer. Un chèque ? Il serait sans provision, à moins qu'il n'arrive à convaincre son banquier. Tant pis, il verrait demain, plus tard ; pour l'instant, il voulait boire quelque chose.

À peine sorti du cabinet, il poussa la porte du premier bar venu, descendit deux ballons de blanc coup sur coup, en commanda un troisième qu'il avala moins vite, à petites gorgées. Il se sentait déjà mieux. Que pouvait bien faire Léa en ce moment ? La fête avec cet abruti aux yeux verts ? S'il les surprenait ensemble, ses chances d'obtenir un divorce aux torts exclusifs de Léa augmenteraient considérablement. Il essaya de se rappeler l'endroit où Raphaël habitait. Une espèce de gîte rural à la sortie de Bonlieu, sûrement facile à trouver car il suffirait de repérer le 4 × 4 Mercedes, aussi discret qu'un char d'assaut !

Il récupéra son break et prit la route, tout réjoui par son initiative. Pourquoi n'y avait-il pas pensé plus tôt, au lieu de s'acharner à effrayer Léa ? Certes, elle avait eu peur, tellement peur qu'elle s'était crue obligée de passer toute une nuit à monter la garde pour apercevoir un improbable fantôme. Il en riait encore. Dommage que son abruti de frère soit arrivé en renfort, sinon la farce aurait pu se prolonger jusqu'à ce que Léa vienne enfin se réfugier près de son mari. Une occasion de se réconcilier qu'elle avait manquée. Car, au fond, voilà ce qu'il aurait voulu, que pour une fois elle ait besoin de lui.

Léa embellissait, il le constatait depuis quelque temps, même s'il faisait semblant de ne pas la voir. Parfois, il éprouvait du désir pour elle, parfois un reste de tendresse, le plus souvent de la colère. Elle possédait l'art de le contrarier, elle donnait d'assommantes leçons de morale, mais ils avaient connu de bons moments depuis leur mariage, et il aurait volontiers continué à lui faire l'amour s'il n'avait pas eu si sommeil le soir. Dans la journée, elle n'était jamais là ! Toujours à arpenter ses bois avec ce type, à se plonger dans ses prévisions de coupes, à estimer, à cuber, toujours sollicitée par ses bûcherons, ses débardeurs, bref occupée à se donner de l'importance. Elle se prenait pour un chef d'exploitation, un véritable forestier, et s'était mise à regarder le monde de haut. Comment désirer une femme dans ces conditions ?

Il traversa Bonlieu, s'engagea sur le chemin des lacs et ne tarda pas à découvrir la petite fermette isolée. Il y avait de la lumière aux fenêtres, la silhouette massive du 4 × 4, mais aucune autre voiture en vue. Léa dissimulait-elle sa Volvo derrière la maison ? De toute façon, maintenant qu'il était venu jusque-là, il voulait en avoir le cœur net. Il se gara sur le bord de la route, une centaine de mètres plus loin, puis descendit et revint vers la maison. S'il trouvait vraiment Léa dans le lit de Raphaël, quelle attitude adopter ?

Il s'approcha en réfléchissant à ce qu'il devait faire. Ses pas ne faisaient aucun bruit sur la neige, et lorsqu'il fut assez près, il constata que la grille était ouverte. Après une dernière hésitation, il s'engagea dans le petit jardin. Protégé par la Mercedes, il risqua un regard vers l'une des fenêtres, distingua les flammes d'un feu de bois. Très romantique, vraiment ! Avec prudence, il avança encore, vint carrément se poster près de la porte vitrée. Il aperçut Raphaël qui lui tournait le dos et qui tenait Léa dans ses bras, étroitement serrée contre lui.

Le spectacle rendit Tristan fou de rage. Sans même savoir ce qu'il faisait, il saisit la poignée, ouvrit brusquement la porte. Léa poussa un cri de frayeur et s'écarta aussitôt de Raphaël, prise en flagrant délit.

Sauf que ce n'était pas Léa, mais une femme inconnue. Abasourdi, Tristan se figea sur le seuil, incapable de prononcer une parole.

— Qu'est-ce qui vous prend d'entrer chez moi comme ça ? lui lança Raphaël d'une voix furieuse.

Trop mal à l'aise pour réagir, Tristan restait la main appuyée sur la porte grande ouverte.

— Fermez donc, on gèle. Vous avez un problème ?

Raphaël s'était repris, s'adressant à lui plus posément, mais son expression demeurait hostile. Il fit les présentations de mauvaise grâce, et la femme qui était sa sœur eut un petit signe de tête très sec.

— Désolé, bredouilla Tristan.

Qu'allait-il bien pouvoir inventer pour justifier cette ridicule intrusion ?

— En fait, je cherchais Léa, je pensais la trouver ici.

La vérité paraissait un moindre mal. Après tout, Léa aurait pu travailler avec Raphaël, il n'était jamais que sept heures du soir.

— Elle doit être chez elle, je suppose, répondit Raphaël du bout des lèvres.

Tristan se souvint qu'il n'avait pas sonné ni même frappé au carreau. Son arrivée brutale était trop significative pour que Raphaël se trompe sur ses intentions.

D'ailleurs, il ne lui proposait pas de s'asseoir et ne lui offrait rien à boire.

— Bien, je vous laisse, articula-t-il avec toute la dignité qu'il put rassembler.

— Je vous raccompagne.

Ils sortirent ensemble, ce qui permit évidemment à Raphaël de constater que le break était garé très loin de chez lui.

— Que cherchiez-vous exactement, Tristan ?

Dans la pénombre, c'était plus facile d'avoir du courage. D'une voix qu'il espérait ferme, Tristan répondit par une autre question :

— Est-ce que vous couchez avec ma femme ?

Raphaël s'arrêta net.

— Non.

Ils se voyaient à peine, ayant laissé les lumières de la petite maison derrière eux.

— Et je dois vous croire ?

— Croyez ce que vous voulez. Je ne vous dis pas que je n'en ai pas envie, je dis seulement que je ne l'ai pas fait. Vous êtes venu pour nous surprendre ? Vous n'aviez aucune chance.

Il fit volte-face, sans doute pressé de rentrer chez lui et d'échapper à la confrontation, mais Tristan lui posa une main sur le bras, au jugé.

— Minute ! Vous louchez sur Léa, j'ai bien entendu ? Vous l'avez draguée, hein ? C'est à cause de vous que tout s'est détraqué dans mon couple. Et vous me balancez ça en pleine figure, tranquillement !

De nouveau, il se sentait dans son bon droit. Enfin, il n'était plus celui qui doit baisser la tête, à qui on fait honte, et il jubilait de ce retournement de situation.

— Alors, vous attendiez mon départ ? Eh bien, la place est libre, mon vieux, courez à *La Battandière*, ne vous gênez pas pour moi, prenez ma femme !

— Je ne prends rien, et elle n'est pas votre propriété. Vous pensiez qu'elle vous appartenait ? Il semble que vous avez tout mis en œuvre pour la perdre bien avant que je n'arrive chez vous.

Haussant les épaules, Tristan s'éloigna de quelques pas tandis que Raphaël restait immobile sur le bord de la route. Perdre Léa ? Oui, indiscutablement, il l'avait perdue, et avec elle une vie confortable qui lui manquait déjà.

— Bonsoir ! cria-t-il par-dessus son épaule, pour la satisfaction d'avoir le dernier mot.

Le redoux était arrivé par surprise, pendant la nuit. La neige s'amollissait, fondait, des flaques se formaient. Dès le lever du jour, Léa était partie faire un tour dans les bois, seule. Des gouttes d'eau pendues au bout des branches lui tombaient dans le cou, la faisant rire et frissonner. À son approche, de petits animaux détalaient, ceux dont elle s'était inquiétée quelques jours plus tôt et qui surgissaient de leurs cachettes pour aller se ravitailler. Intacts, les arbres émergeaient lentement de leur gangue de glace, mais l'hiver ne faisait que commencer, il y aurait d'autres tempêtes de neige, de prochains assauts du froid qui les figeraient de nouveau.

Les mains dans les poches, selon sa mauvaise habitude, Léa avait savouré pas à pas sa promenade solitaire.

Elle se sentait redevenue elle-même et ne s'en lassait pas. Pour une fois, elle ne songeait pas à Martial en arpentant la forêt, elle pensait aux arbres qui l'entouraient comme à *ses* arbres, porteurs de *son* avenir. Dans quelques mois, avec l'arrivée des petites gentianes bleues, le printemps s'annoncerait, et cette année serait vraiment celle du renouveau.

À la fin de sa promenade, lorsqu'elle arriva en vue de la maison, elle découvrit une voiture inconnue, immatriculée en Suisse, garée devant le perron. Comment avait-elle pu oublier qu'Éric venait chercher Virginie ce matin ? Elle se dépêcha de franchir les derniers mètres, pressée de rencontrer le jeune homme qui avait su séduire sa fille.

Elle les trouva dans la cuisine en train de dévorer un solide petit déjeuner. Virginie avait sorti le grand jeu avec une nappe damassée, la vaisselle des jours de fête, toutes les confitures de la maison présentées dans un panier, et un feu ronflant dans la cheminée.

Manifestement intimidé, Éric se leva pour serrer la main de Léa.

— Ravi de vous connaître enfin, Virginie m'a beaucoup parlé de vous.

— Et réciproquement ! affirma Léa en souriant. Allez-vous avoir assez de neige pour skier ?

— Il y en a encore beaucoup en haut de la station, à mille six cents mètres. De toute façon, la météo annonce le retour du froid pour demain soir.

— On se méfiera des avalanches, promis ! lança Virginie avec un clin d'œil.

Elle se tourna vers Éric, lui adressa un sourire éblouissant.

— J'adore les pistes de la Dôle, s'extasia-t-elle. Je les préfère de loin à celles du Noirmont.

— Il faut déjà être un skieur chevronné pour s'y risquer.

— Chevronné ? Ah ah ! Je parie que je te bats à la descente !

Ils se parlaient les yeux dans les yeux, heureux comme des gamins à l'idée de leur escapade.

— Où descendez-vous ? s'enquit Léa.

— Mes parents ont un petit appartement aux Rousses, expliqua Éric. Comme ils n'y vont plus beaucoup, ils sont très contents que nous en profitions. Si Virginie est conquise, on pourra y retourner en février.

Devinant que le garçon resterait debout tant qu'elle ne s'assiérait pas, Léa prit place à table. D'un coup d'œil discret, elle le détailla, amusée de constater qu'il était, lui aussi, un beau brun aux yeux verts. Mais elle préférait ceux de Raphaël, plus lumineux, plus...

— Café, maman ?

Virginie l'observait, avec une expression ironique mais tendre. Devinait-elle ce qui trottait dans la tête de sa mère ? S'amusait-elle de partager cet état amoureux qui rend les femmes si enjouées et si jolies ?

Ils discutèrent encore un moment, puis Éric annonça qu'il était temps de partir s'ils voulaient être à la station assez tôt pour pouvoir skier tout l'après-midi. Léa les accompagna dehors et les aida à charger la voiture.

— Passe de bonnes vacances, mais sois prudente, dit-elle à sa fille en l'étreignant.

Éric demanda la permission de l'embrasser avant de lui promettre qu'il veillerait sur Virginie et la ramènerait en pleine forme. C'était vraiment un jeune homme charmant, gai, poli, que demander de plus ? Pourtant, Léa eut le cœur serré de les voir côte à côte, image d'un jeune couple pressé de s'en aller. Ils étaient bien assortis, lui plus grand qu'elle, viril et protecteur, elle si féminine, épanouie, ravissante. Sa toute petite fille… Le bébé minuscule que Martial tenait dans ses bras d'un air extasié. La gamine qui courait en socquettes dans les bois.

« Tant d'années qui sont passées si vite ! Si ternes, aussi… J'en ai des choses à rattraper, qui m'ont filé entre les doigts comme du sable. »

Léa agitait toujours la main, mais la voiture avait disparu derrière les sapins. au bout du chemin. Elle revint vers la maison à pas lents, entreprit de ranger la cuisine. L'instant de mélancolie était passé, et elle se mit à songer au plaisir qu'allait éprouver Virginie en filant le long des pistes. Jérémie, de son côté, s'était fait déposer la veille à Lons par son père, et il resterait deux jours chez un copain. Louer des films, boire de la bière, passer des heures sur Internet était pour lui un programme idéal de vacances.

Dans la cheminée, il ne restait plus que des braises, que Léa couvrit de cendres avant de rajuster le pare-feu. Elle devait déjeuner chez Lucas, mais d'abord, elle avait quelque chose d'important à faire.

— Je m'en occupe ! affirma Tristan, péremptoire.

Mais le contremaître conservait son air sceptique, ce qui l'agaça prodigieusement.

— Nous aurons toutes les commandes voulues, je vous le certifie.

Ils furent interrompus par le bruit d'un billon arrivant au contact de la lame. Les copeaux se mirent à fuser en gerbes, dans une odeur de bois chaud et de résine. Tristan esquissa un geste signifiant qu'il n'entendait plus rien, et il en profita pour s'éloigner. Avant de franchir le lourd rideau de plastique, il jeta un dernier regard au chariot qui revenait sur ses rails. Bon gré, mal gré, la scierie faisait partie de son existence depuis toujours. Enfant, il venait traîner là, fasciné par la transformation des troncs d'arbres en séries de planches plates, lisses. Son père éclatait de fierté chaque fois qu'il pouvait moderniser sa modeste entreprise. L'achat de la petite scie circulaire pendulaire, qui permettait d'enlever les nœuds ou autres défauts du bois, avait été un événement. À l'époque, les écorces et délignures servaient au chauffage du séchoir et de l'atelier, tandis que la sciure partait dans les boucheries ou les abattoirs. Tout fonctionnait simplement, logiquement, le travail ne manquait jamais, il n'était pas nécessaire de se battre comme un diable pour en trouver.

Surpris d'être envahi par cette absurde nostalgie, Tristan haussa les épaules et sortit. D'accord, il allait essayer de se remuer un peu. Il connaissait des gens dans la région, il faudrait qu'il se décide à faire passer le mot : à cause de son divorce, il avait sacrément besoin de boulot. Après tout, licencier, fermer puis vendre serait un échec cuisant.

Alors qu'il regagnait le chalet, la Volvo noire vint freiner juste devant lui.

—Bonjour Tristan ! lança Léa en descendant de voiture. Je viens t'apporter ton courrier. Tu n'as pas encore fait le changement d'adresse ?

Pimpante, elle semblait de bonne humeur, à moins qu'elle ne joue la comédie. Était-elle au courant de sa visite chez Raphaël ? En avaient-ils ri ensemble ? Ou alors, elle s'était déplacée pour lui jeter à la tête les morceaux de la photo rageusement déchirée.

—Veux-tu entrer ? proposa-t-il sans aucun enthousiasme.

—Volontiers. Je suis curieuse de découvrir les transformations !

Il la précéda dans le chalet dont il lui fit les honneurs.

—Comme tu vois, c'est redevenu un séjour. Mais je me tiens beaucoup dans le carnotzet, qui a toujours été la pièce la plus sympa. Et au moins, de ses fenêtres, j'ai un autre paysage que la scierie ! Pour ne rien te cacher, elle devient un peu mon cauchemar...

Léa était en train de regarder autour d'elle d'un air admiratif, cependant, elle tiqua sur la dernière phrase.

—Tu as pris une décision à ce sujet ?

—Le mieux serait de me déclarer en faillite, tu sais bien.

—Tu vas le faire ?

—J'hésite encore. Je crois que je vais me donner un dernier délai.

Elle parut réfléchir, eut un sourire un peu forcé.

—Écoute, il y a deux ou trois petits exploitants auxquels j'ai pensé, que tu devrais contacter. Si tu leur fais des tarifs vraiment raisonnables, à mon avis ils choisiront la proximité. Il y a aussi des artisans qui ne veulent pas avoir affaire aux scieries industrielles, avec qui tu pourrais t'entendre. Essaye, tu n'as rien à perdre ! Tiens, je t'ai noté les noms et les numéros de téléphone là-dessus.

— Madame est trop bonne, ronchonna-t-il malgré lui.

Comme elle ne réagissait pas, ne se mettait pas en colère, il regretta sa réflexion. Embarrassé, il prit la feuille qu'elle lui tendait et la fourra dans la poche de son pantalon.

— Et toi, tu vas rester ma cliente ?

— Je te donnerai des choses à faire, oui, en tout cas jusqu'au printemps. Après...

Elle s'interrompit, sans doute pour ne pas entrer dans les détails. Depuis près d'un an qu'elle tentait de réorganiser la gestion de ses forêts, elle ne parlait plus que de coûts, de rentabilité. La scierie n'avait jamais été dans ses priorités, même pas dans son programme.

— Oh, j'allais oublier ! s'exclama-t-elle. Virginie a fait un quatre-quarts ce matin pour son ami Éric, mais ils y ont à peine touché. Je sais que tu l'adores, je te l'ai apporté.

De son sac, elle sortit un paquet enveloppé d'une feuille d'aluminium.

— Voilà, je vais te laisser maintenant.

Leurs regards se croisèrent, et Tristan éprouva quelque chose qui ressemblait à du regret. Décidément, il était d'humeur mélancolique ce matin !

— C'est gentil d'être passée, dit-il en se raclant la gorge.

Alors qu'elle se détournait, il ajouta précipitamment :

— Tu ne m'as pas raconté comment il est, cet Éric ?

— Très bien. Séduisant, sympathique et amoureux. Je crois que Virginie a eu la main heureuse, mais j'attends de mieux le connaître. Elle viendra sûrement te le présenter un de ces week-ends.

— Si elle a le temps !

Son agressivité se réveillait, il se sentait nerveux, il avait soif.

— Elle viendra, Tristan. Elle t'aime beaucoup.

Léa s'approcha de lui, l'embrassa sur la joue. Partagé entre l'impatience de la voir partir pour pouvoir aller se servir un verre, et l'envie qu'elle reste encore cinq minutes à bavarder, il se contenta de la suivre jusqu'à la porte.

— Et toi, tu reviendras ?

— Bien sûr.

— On m'a tellement relégué, ici, que j'ai peur de ne plus voir personne !

— Ne dis pas de bêtises, tu es plus proche du village que moi.

Pourquoi avait-elle toujours réponse à tout ? Quoi qu'il puisse dire ou faire, elle refuserait de le plaindre, ne s'attendrirait pas. Quelques années plus tôt, il arrivait à l'apitoyer, à la faire céder quand il avait besoin de quelque chose, mais ce temps-là était bien fini.

— Ai-je le droit d'aller à *La Battandière* ? demanda-t-il d'un ton de défi, pour la provoquer. Quand je te ramènerai Jérémie, je pourrai entrer ou je devrai rester dehors ?

L'expression aimable de Léa disparut enfin. Il avait réussi à l'assombrir et il en éprouva une sourde satisfaction.

— Ma porte ne t'est pas fermée, affirma-t-elle. Il n'y a aucun problème.

— Elle ne l'est pas non plus à Raphaël.

— Il n'est pas chez moi.

— Ah oui, il loue cette bicoque ridicule pour se donner bonne conscience ! Il t'a parlé de ma visite, j'imagine ?

— Évidemment.

Elle attendait qu'il poursuive, avec un air résigné d'avance, presque las, qui avait le don de l'exaspérer.

— Il prétend que vous ne couchez pas ensemble.

— C'est vrai.

— Mais il précise tout de même qu'il en a envie ! On croit rêver quand on entend des choses pareilles... Et toi, ça te plairait ? Allez, tu peux bien me le dire, tu ne m'as rien épargné ces temps-ci, n'hésite surtout pas. D'ailleurs, je suis sûr que c'est pour pouvoir me tromper en toute impunité que tu m'as flanqué dehors !

— Bon, ça suffit comme ça, trancha-t-elle d'un ton abrupt. Dans le rôle du jaloux, tu n'es pas crédible.

Le regard de Léa le vrillait, le transperçait, et il n'eut pas la force de le soutenir.

— Tu ne m'aimes pas, Tristan, tu ne t'en souviens plus ?

Elle sortit sans se presser, et pour un peu, il l'aurait poursuivie en l'injuriant. Comment avait-il pu avoir une once de regret, quelques minutes plus tôt ? Cette femme était vraiment une garce, calculatrice, indifférente, odieuse !

Il dévala l'escalier du carnotzet et se précipita vers le frigo. La vue de la douzaine de bouteilles qu'il avait mises à rafraîchir l'apaisa.

— Qu'elle aille se faire pendre, marmonna-t-il.

Finalement, elle s'était bien gardée de lui parler de la photo. Peut-être ne l'avait-elle pas encore trouvée ? La surprise serait pour plus tard, tant mieux ! Avoir laissé derrière lui cette ultime marque de rage et de mépris lui procurait une certaine satisfaction, car son geste signifiait clairement : « J'en ai soupé de Martial Battandier, voilà ce que j'en fais ! »

Le bruit du bouchon glissant hors du goulot lui parut prometteur, comme un avant-goût de bien-être. Il allait boire un verre ou deux, ensuite il jetterait un coup d'œil à la feuille de papier que Léa lui avait donnée.

— Tu parles d'un cadeau ! Il m'aurait suffi d'ouvrir l'annuaire…

Mais ce n'était pas tout à fait exact, il le savait bien.

Lucas surveillait attentivement la manœuvre de la dépanneuse. Le câble d'acier se tendit, puis la voiture s'engagea lentement dans les glissières de tôle posées sur le bitume.

— C'est bon, vas-y ! cria-t-il à son mécano.

Tournant au ralenti, le treuil se mit à tracter la voiture qui fut montée en douceur jusqu'à la plate-forme.

— Tu y es, arrête !

— Je suis tellement, tellement désolé, répéta encore une fois Malo.

Bras ballants, tête basse, il se tenait derrière Lucas et n'avait rien dit d'autre depuis dix minutes. Le mécano descendit de la cabine pour aller récupérer les triangles de signalisation disposés sur la route.

— Tellement, tellement désolé…

— Oh, change de disque, tu veux ? protesta Lucas.

Il fit signe au mécano de partir, alluma une cigarette, suivit des yeux la dépanneuse qui s'éloignait. Enfin, il se tourna vers Malo.

— Il n'y a rien de dramatique, c'est juste une aile cabossée, un pare-chocs à changer. Je fais confiance à nos gars, dans quelques jours cette voiture sortira comme neuve de l'atelier.

— Sauf qu'on ne peut pas la livrer demain, ça va créer toute une histoire avec le client !

— Tu t'en débrouilleras.

Malo hocha la tête avant de s'éloigner le long de la route. Il s'arrêta à quelques mètres, désigna d'un doigt vengeur le tas de neige ramollie.

— Regarde ! Je ne pouvais vraiment pas imaginer qu'il y avait encore de la glace sous la gadoue. Tu vois les traces, là ?

— Tu me les as déjà montrées.

— J'ai la prétention de savoir conduire, Bon Dieu !

— Tu sais conduire.

— Mais j'ai planté la bagnole ! Je ne parviens même pas à me rappeler comment ça s'est passé. Quand je l'ai sentie patiner, je n'ai rien pu faire, j'ai glissé en crabe jusqu'à ce foutu poteau, et boum, je suis rentré dedans.

Au lieu d'examiner le bas-côté, Lucas leva la tête.

— À cause des arbres, expliqua-t-il, cette partie de la chaussée n'est jamais au soleil. Il doit y avoir du verglas six mois de l'année à cet endroit.

— Et alors ? Je pourrais même rouler sur une flaque d'huile sans perdre le contrôle. Je te jure que je ne comprends pas ce qui m'est arrivé.

— Par bonheur, il ne t'est rien arrivé. Casse toutes les voitures que tu veux mais ne te casse pas, toi.

— Comment ça, « toutes » les voitures ? C'est bien la première fois que je...

Il s'arrêta, réalisant ce que Lucas venait de dire.

— Je n'ai pas une seule égratignure. Tu te faisais du souci ?

— Oui.

— Vraiment ?

Lucas le dévisagea, ébaucha un sourire.

— À ton avis, Malo ?

— Je n'ai pas d'avis. Tu ne dis jamais rien, je ne sais pas ce que tu penses.

— Parfait. Continue à douter, c'est mieux que de s'endormir dans des certitudes.

— Est-ce que je dois prendre ça comme une déclaration ?

— Je suppose que oui, admit Lucas tandis que son sourire s'élargissait.

— Oh... Dans ce cas, je ne suis plus du tout désolé !

— Pourtant, ta carrière de convoyeur est terminée, j'irai chercher mes voitures moi-même.

Montrant le tas de neige, il ajouta :

— En ce qui me concerne, je n'aurais jamais pris le risque de passer là-dessus. Mais une fois dans le pétrin, je te rappelle que c'est le regard qui dirige la trajectoire. Je suis sûr que tu fixais le poteau au lieu de l'échappatoire, n'est-ce pas ? Erreur de jeunesse, mon petit Malo !

Toujours souriant, il partit vers sa Honda garée un peu plus loin, et Malo se lança à sa poursuite.

— Eh, attends-moi ! Je ne rentre pas à pied !

— Non, le rassura Lucas. Fais-moi plutôt voir si tu conduis aussi bien que tu le prétends.

Il lui jeta les clefs et gagna le côté passager. Par-dessus le toit de la voiture, ils se regardèrent quelques instants, jusqu'à ce que Malo se sente littéralement submergé de tendresse.

Le 4 × 4 était arrêté loin de tout sentier praticable, sur une pente assez raide, bien dissimulé parmi les sapins. Au-dessus de la forêt, le ciel gris ardoise avait commencé à lâcher ses premiers flocons, annoncia-teurs d'une véritable tempête de neige.

Dès l'instant où les mains de Raphaël, en passant sous ses vêtements, s'étaient posées sur sa peau, Léa avait compris qu'elle ne résisterait pas. Peut-être même l'avait-elle espéré, redouté, provoqué. Lorsqu'ils s'étaient garés là, il ne s'agissait que d'être hors de vue pour s'embras-ser librement, pour se blottir l'un contre l'autre, mais le désir était arrivé avec la force d'une vague déferlante et avait emporté toutes leurs résolutions.

La neige obstruait déjà le pare-brise, mais dans la pénombre de l'habitacle Léa contemplait avidement Raphaël. Son visage, ses épaules, son torse nu auquel elle s'accrochait. Malgré la soufflerie du chauffage et le bruit sourd du moteur, elle percevait leurs respirations mêlées, rauques, haletantes.

Elle bougea un peu, allant à sa rencontre, sans se soucier de l'inconfort de leur position. Elle était prête à faire l'amour la tête en bas tant elle avait envie de lui. Pourtant, il se déroba.

— Laisse-moi te regarder encore, chuchota-t-il.

Il ne semblait pas pouvoir se rassasier de la toucher, de l'entendre gémir tout bas, de la sentir frémir. Mais ce fut lui qui se mordit violemment les lèvres quand elle glissa une main sur son ventre, l'effleurant d'abord, puis le caressant avec plus d'insistance.

— Non, Léa, arrête.

— Alors, viens.

L'obscurité grandissait, elle ne voyait plus que ses yeux. Elle le lâcha, enroula ses jambes autour de lui, le prit par les hanches.

— Je t'aime, murmura-t-elle à l'instant où ils se rejoignirent enfin.

Il s'obligea à aller lentement, attentif au plaisir de Léa, au rythme de sa respiration, capable de différer encore malgré l'intensité de son propre désir.

— Maintenant, souffla-t-elle.

Ses doigts s'enfoncèrent dans le dos de Raphaël, sa bouche s'écrasa contre son épaule.

Les flocons tourbillonnaient au-dehors, s'amonce-laient sur la voiture, tandis qu'à l'intérieur la buée ruisselait sur le pare-brise. Léa laissa échapper un très long soupir lorsque Raphaël se détacha d'elle.

— J'ai l'impression d'être dans une Cocotte-Minute...

— Il fait trop chaud, acquiesça-t-il en tendant la main vers la manette du chauffage.

Elle voulut ouvrir un peu la vitre et un petit paquet de neige tomba sur elle. Le rire qui la secoua alors fut si libérateur qu'elle se sentit carrément euphorique.

— Je suis bonne pour huit jours de courbatures ! Seigneur, quel âge faut-il avoir pour faire ça dans une voiture ?

À force de contorsions, il avait réussi à regagner son siège. Il alluma le plafonnier, puis se mit à fouiller parmi les vêtements entassés par terre, tout chiffonnés. Elle le regardait faire, sans aucune envie de bouger.

— Tu vas avoir froid, mon amour.

Il lui tendit son soutien-gorge, son col roulé.

— Tu es beau, vu d'ici, apprécia-t-elle.

— Tu es très belle, vue de n'importe où.

Avant qu'elle ne se rhabille, il se pencha pour lui déposer un baiser entre les seins.

— Est-ce que... Eh bien, j'espère ne pas avoir été trop nul, mais l'hôtel n'était pas franchement confortable. En tout cas, on ne pourra plus dire qu'on ne se connaît pas !

— Et ça change quelque chose pour toi ?

— Oui. Avant, j'étais éperdument amoureux, maintenant, je le suis bien davantage. Mûr pour l'asile, à mon avis.

L'état d'allégresse de Léa ne se dissipait pas, elle aurait voulu rester dans cette voiture pour toujours. Voilà bien des années qu'elle ne s'était plus sentie aussi femme et satisfaite de l'être.

— Raphaël... Existe-t-il un diminutif de Raphaël ?

— Céline dit « Ralph ».

Évoquer sa sœur dut lui rappeler qu'il partait pour Paris le surlendemain, car il se rembrunit.

— Tu es sûre que je peux te laisser quelques jours, Léa ? Tristan ne te fera pas d'ennuis ? Te savoir seule chez toi me désespère.

— Pourquoi ? Ma maison est une forteresse, comme dirait Lucas. D'ailleurs, au premier souci je l'appellerai, ne t'inquiète pas.

Elle boucla la ceinture de son jean, enfila ses bottes.

— Peut-être ne pourra-t-on jamais s'en aller d'ici, murmura-t-elle d'un ton rêveur.

— J'adorerais ça ! Malheureusement, cette voiture peut s'arracher de n'importe quel endroit, tu vas voir.

En effet, il n'eut aucun mal à manœuvrer entre les arbres, puis à regagner le sentier de débardage qui se trouvait à une centaine de mètres.

— Dîne avec moi, dit-il tout bas, très vite. Trouvons un restaurant, je ne veux pas te quitter maintenant. S'il te plaît...

Elle n'en avait aucune envie non plus et elle lui fut reconnaissante de l'avoir proposé.

— Je connais un petit bistrot perdu où nous nous retrouvons de temps en temps avec Lucas. On peut y aller, on mangera une fondue. Je suis morte de faim !

La joie était toujours là, au plus profond d'elle-même, comme installée. Tandis qu'ils descendaient vers la route, elle se mit à observer les grands épicéas que la neige commençait à recouvrir, silhouettes absolument fantomatiques dans la lumière des phares.

— Tu regardes tes trésors ? demanda-t-il en posant une main sur son genou.

Le mot la fit sourire. Ils se trouvaient bien sur l'une de ses parcelles, au milieu des arbres plantés par Martial vingt-cinq ans plus tôt, avant même qu'elle le rencontre.

— Ce sera mon coin de forêt préféré, désormais, affirma-t-elle. Et si j'arrive à reconnaître le sapin sous lequel nous étions tout à l'heure, je ne l'abattrai jamais.

—Je te le montrerai. Tu n'auras qu'à le marquer d'une manière spéciale.

Elle se tourna vers lui, heureuse qu'il ait répondu sérieusement au lieu de rire. Sans doute était-il vraiment capable d'identifier chaque arbre, de lui donner un âge et un état de santé. Un jour prochain, elle y parviendrait aussi, elle se l'était promis.

La main de Raphaël changea de place et vint caresser doucement sa joue.

— Tu m'as offert un moment magique, Léa.

Plusieurs fois de suite, il répéta son prénom d'un air extasié.

Le premier lundi de janvier, ce fut Virginie qui conduisit Jérémie jusqu'à sa pension. Rentrée des Rousses la veille, elle avait tout de suite compris que son frère préférerait sa compagnie. Il était fatigué de partager son temps le plus équitablement possible entre son père et sa mère, il avait l'impression d'être pris entre deux feux dévastateurs pour lui.

— Maman resplendit, elle a du mal à cacher son bonheur. Je ne sais pas si c'est le départ de papa qui la réjouit à ce point ou si elle s'éclate avec Raphaël, mais ça m'exaspère, je n'y peux rien. Quant à papa, je ne te raconte pas les soirées « entre hommes » ! Il boit comme un trou, il est hargneux… Bon sang, je finis par être content que ce soit la rentrée !

Ils stationnaient devant les grilles de l'établissement scolaire, observant distraitement l'agitation qui régnait dans la cour.

— J'espère que tu vas te plaire ici, déclara Virginie d'un ton rassurant. Si tu te sens mal, tu m'appelles.

Il hocha la tête, l'air buté.

— Tu le feras ? insista-t-elle. Tu peux compter sur moi, petit frère, je serai toujours là pour toi.

— Comme maman et Lucas ? ironisa-t-il.

— Je trouve leur relation plutôt chouette. Pas toi ?

— Je n'en sais plus rien. Lucas m'énerve souvent, mais après tout, c'est normal qu'il protège sa jumelle.

Des groupes étaient en train de se former parmi les élèves dont ils percevaient les cris et les rires.

— Je ne vais plus penser à la famille pendant quelques jours, ce sera bien.

— Trouve-toi des copains et essaye aussi de travailler. C'est important, je ne dis pas ça en l'air. Après ton bac, tu pourras faire ce que tu veux, entreprendre des études où bon te semble.

— Des études ? Encore ?

— Franchement, c'est génial. Le studio à Genève, quatre mois de vacances, un programme qui me passionne et un supermétier au bout. Tu imagines un peu ?

Il lui lança un coup d'œil inquisiteur, puis s'amusa à lui ébouriffer les cheveux.

— Tu oublies le principal, non ? Mademoiselle est amoureuse de son Éric, rencontré sur les bancs de l'Institut d'architecture ! C'est surtout ça que tu trouves génial, non ?

Le bruit strident d'une sonnerie couvrit la réponse outrée de Virginie. Sortant précipitamment de la voiture, Jérémie prit son gros sac de voyage dans le coffre.

Il se pencha à la portière pour sourire une dernière fois à sa sœur, puis se dirigea vers les grilles d'un pas résolu.

Avant de démarrer, Virginie attendit qu'il ait disparu dans l'un des bâtiments.

— Courage, petit frère…, dit-elle entre ses dents.

La pendule du tableau de bord indiquait huit heures, il faisait encore nuit malgré une vague lueur à l'est. La route de Genève, par le col de la Faucille, allait lui demander un effort de concentration, mais elle adorait conduire, neige ou pas. Elle se souvint avec reconnaissance de toutes les leçons que Lucas lui avait données, lui transmettant en même temps son amour des voitures. Jérémie allait-il prendre en grippe cet oncle parfois trop présent ? Lui avoir refusé le scooter, puis la manière dont il s'était dressé contre Tristan avaient dû le hérisser, pourtant, jusqu'ici, Lucas avait été le vrai pilier de la famille. Virginie avait beau être attachée à Tristan, elle le jugeait tel qu'il était, faible, égoïste et paresseux. Incapable de soutenir qui que ce soit ou de mener quelque chose à bien. N'en déplaise à Jérémie, leur mère avait eu raison de briser enfin ses chaînes. Tant d'années d'indifférence, de désillusions, et de morosité quotidienne auraient pu l'éteindre à jamais, alors que soudain elle revivait, une lueur guerrière au fond des yeux. Virginie aimait la voir dans cet état parce que, ainsi, il ne lui serait pas difficile, pas douloureux de la quitter un jour. Il était encore un peu tôt pour en parler, mais Virginie désirait aller faire ses preuves à l'étranger dès qu'elle obtiendrait son diplôme. Éric avait exactement la même ambition, ils s'étaient bien trouvés !

Laissant son imagination vagabonder, elle gardait les yeux rivés sur la route et négociait ses virages avec une parfaite maîtrise. Le soleil était en train de se lever sur le paysage enneigé, teintant le ciel de rose et d'or. Une nouvelle année commençait, qui s'annonçait différente des autres à tous égards.

— Vive le changement ! se mit-elle à chanter à tue-tête.

Puis elle baissa un peu sa vitre pour respirer l'air pur et glacé. À flanc de montagne, les sapins étaient comme des soldats en rangs serrés, lancés à l'assaut des sommets. La descente sur Gex s'amorçait, encore une vingtaine de kilomètres et elle arriverait à la frontière. Elle ralentit un peu pour regarder encore de part et d'autre de la route. Même si, dans quelques mois, elle partait très loin, et peut-être pour longtemps, elle reviendrait forcément ici. Forcément ! Elle était la fille de Martial Battandier, ses racines étaient profondément plantées dans la terre du Jura et ne pourraient jamais s'en arracher. Avec le bois que toute une lignée de forestiers avait fait pousser, elle construirait un jour des maisons fantastiques, révolutionnaires. Elle avait mille projets aussi radieux que cette éblouissante matinée d'hiver

Raphaël ne tenait plus en place. Déjà, au changement, en gare de Bourg-en-Bresse, il avait arpenté le quai durant plus d'une demi-heure sans songer à s'asseoir un instant.

Son séjour à Paris s'était prolongé au-delà de la date prévue, le temps d'obtenir un rendez-vous au ministère. Enfermé dans l'appartement des Batignolles, il avait passé plus d'une semaine à trier les affaires personnelles d'Hélène, ses papiers, sa correspondance, ses souvenirs. Dans des chemises cartonnées, il avait retrouvé des dessins d'enfants maladroitement signés Laurence, Céline et Raphaël. Dans un classeur, des courriers de parents d'élèves en témoignage de leur reconnaissance. Dans une boîte métallique, tout ce qui concernait sa carrière de professeur, depuis l'École normale jusqu'à la retraite. En revanche, rien sur leur père. Strictement rien, ni lettre ni photo, comme si cet homme n'avait jamais existé.

Dès qu'elle pouvait s'échapper de sa pharmacie, Céline le rejoignait pour l'aider. Ensemble, ils dressaient la liste des meubles à vendre, des objets et des vêtements à donner, des démarches à entreprendre. S'affairer leur faisait oublier qu'ils étaient en train d'effacer toute l'existence de leur mère, mais au détour d'une pièce, ils tombaient en arrêt devant un bibelot ou un tableau, se rappelaient une anecdote qui les faisait sourire, puis soudain se taisaient, au bord des larmes. La poussière s'était déposée partout, l'appartement entier avait une allure de désolation et d'abandon, pénible à supporter.

Après inventaire, un commissaire-priseur avait tout emporté pour la salle des ventes. Raphaël s'était contenté de conserver un coupe-papier en argent avec lequel Hélène ouvrait toujours son courrier, ainsi qu'une petite boîte en cuir où elle rangeait ses timbres. Céline avait pris une broche et le nécessaire à couture. Ils ne voulaient rien d'autre, le passé pouvait disparaître.

— Mesdames, messieurs, nous arrivons en gare de Lons-le-Saunier, deux minutes d'arrêt.

Raphaël empoigna son sac et alla se poster devant l'une des portes. Il se sentait fébrile, aussi anxieux qu'un gamin à son premier rendez-vous. En principe, Léa serait là, elle avait promis de venir le chercher. Pourtant, il ne pouvait pas s'empêcher de douter. Malgré les nombreux coups de téléphone échangés, ces dix jours de séparation avaient donné quelque chose d'irréel à leur histoire, comme si elle n'avait existé qu'en rêve.

Le train freina dans un affreux grincement de roues, puis s'arrêta enfin. Sur ce quai, c'était toujours Raphaël qui attendait Céline, mais aujourd'hui, il était le voyageur de retour chez lui.

Chez lui ? Il s'étonna de l'avoir pensé mais n'eut pas le temps de s'appesantir sur cette idée, car il venait d'apercevoir Léa. Elle portait une veste matelassée rouge cerise qu'il ne connaissait pas, un jean noir, des bottes. Repoussant d'une main ses boucles blond cendré qu'un vent glacial faisait voler, elle le cherchait du regard. Au lieu de se précipiter vers elle, il profita du spectacle quelques instants encore, émerveillé de la trouver si belle. Puis, ses yeux clairs se posèrent enfin sur lui, et tout de suite, elle eut un sourire rayonnant.

Il se décida à marcher à sa rencontre, laissa tomber son sac pour la prendre dans ses bras. Mais ils ne s'étreignirent qu'une seconde avant de s'embrasser pudiquement sur les joues. Bien qu'il n'y ait pas grand monde dans la gare, n'importe qui pouvait les observer, bavarder, leur créer des tas d'ennuis.

— C'est un supplice, dit-il en s'écartant d'elle.

Il l'entendit rire mais il ne voulait plus la regarder, il avait trop envie de la toucher.

— On déjeune avec Lucas et Malo, annonça-t-elle. Tu as faim ?

— Avec Lucas ? répéta-t-il, incrédule.

Il aurait voulu rester seul avec elle pour lui expliquer à quel point elle lui avait manqué, toutefois, il ne manifesta aucune déception. Être près d'elle était déjà un immense bonheur, le tête-à-tête viendrait, tôt ou tard.

— Nous allons au restaurant, reprit-elle. Lucas prétend que c'est à son tour de t'inviter, mais je crois surtout qu'il veut te tester un peu, approfondir son jugement sur toi.

De nouveau elle riait, et il comprit qu'elle se moquait gentiment de lui.

— Je suis prêt à passer l'examen. De toute façon, j'aime bien ton frère. Tu sais pourquoi ? Parce qu'il a les mêmes yeux que les tiens, voilà.

— Il sera flatté d'apprendre que c'est son unique qualité !

Cessant de plaisanter, elle lui jeta un coup d'œil inquisiteur avant de demander :

— Lucas est un peu mon... cerbère. Est-ce que ça t'ennuie ?

— Au contraire, ça me rassure.

— Tu ne trouves pas qu'il tient trop de place dans ma vie ?

— Tant qu'il m'en laisse une !

Ils prirent la voiture de Léa pour gagner *Le Bistrot des Marronniers*, rue de Vallière, où ils avaient rendez-vous. L'atmosphère y était bruyante, joyeuse et enfumée. Du fond de la salle, Lucas leva le bras pour leur faire signe.

— On vous a gardé deux places face à face pour que vous soyez sages, dit-il en les accueillant. Raphaël, je finissais par croire que tu ne reviendrais jamais de Paris ! Tu as pu régler tes affaires ?

— À peu près, oui. Je n'avais pas envie de m'attarder, mais j'avais plein de démarches à faire. Maintenant, ça y est, l'appartement est en vente, et j'ai obtenu la mission que je voulais.

— Quelle mission ? s'étonna Léa.

— Un travail pour l'ONF. En fait, je rempile.

Elle le dévisagea d'un air stupéfait.

— Tu ne peux pas travailler pour les Eaux et Forêts, tu travailles déjà pour moi !

— Non, désolé, je démissionne.

Malo s'esclaffa, et Léa le fusilla du regard.

— Excuse-moi, chérie, murmura le jeune homme, mais tu verrais ta tête…

Avant qu'elle ne se formalise, Raphaël s'empressa d'expliquer :

— Il s'agit d'une mission de surveillance et de recensement dans la forêt de la Haute-Joux. Je ne pouvais pas rêver plus près de chez toi, j'ai signé pour un an.

— Mais…

— Attends, Léa. Tu n'imaginais pas continuer à m'employer ? Je ne veux pas compliquer ton divorce, et d'autre part, je ne me vois pas encaisser tes chèques de fin de mois. Il va falloir que tu acceptes ma rupture de contrat, sauf si tu veux me traîner devant les tribunaux.

— Je ferai tout pour l'en empêcher, affirma Lucas qui paraissait beaucoup s'amuser.

Léa hésitait, sceptique, puis elle planta son regard dans celui de Raphaël.

— À l'avenir, je serai toute seule dans les bois ?

— Bien sûr que non.

Elle le scruta encore deux ou trois secondes avant de retrouver le sourire.

— Tu prendras sur ton temps libre pour me dispenser un enseignement gratuit ?

— C'est ça.

— Dans ces conditions, je te rends volontiers ta liberté !

— Professionnelle seulement. Pour le reste, tu gardes tout.

— Si on vous dérange, intervint Lucas, on peut faire deux tables.

— C'est vrai qu'on finirait par se sentir en surnombre, renchérit Malo. Vous avez une façon de vous dévorer des yeux qui n'est pas spécialement discrète. Dans deux heures, tout Lons va en parler.

Léa lui fit une horrible grimace avant de se mettre à rire, tandis que Raphaël se tournait vers Lucas pour s'adresser directement à lui.

— Ton copain agent immobilier, celui qui m'a déniché ma location, est-ce qu'il s'occupe aussi de ventes ?

— Oh oui ! Dans ce métier-là, ils seraient même prêts à te négocier une portion de route nationale ou une église classée. Tu veux acheter quelque chose ?

— Une maison, avec ma sœur.

Il avait déjà fait part de son projet à Léa par téléphone, et il savait qu'elle l'approuvait. Lucas siffla entre ses dents.

— Tu ne rapportes que de bonnes nouvelles, on dirait ! En somme, tu es là pour un bout de temps !

— J'espère bien.

Lucas alluma une cigarette, mais n'en fuma que deux bouffées avant de l'éteindre. Ensuite, il fouilla dans sa poche de jean et sortit un trousseau de clefs qu'il fit glisser vers sa sœur.

— On a plein de boulot au garage, cet après-midi. On ne rentrera pas avant sept heures. Si ça vous tente d'aller boire un café chez nous, on vous confie l'appartement.

Le clin d'œil complice qu'il adressa à sa sœur ne laissait aucun doute sur sa proposition. Toutefois, elle n'eut pas le temps de le remercier, il était déjà parti régler l'addition.

— Il a dit « chez nous », fit remarquer Malo à Léa. Il se bonifie, non ?

— Comme tous les excellents crus. Et nous étions une cuvée spéciale, lui et moi !

— Très spéciale, en effet, répliqua gaiement le jeune homme en se levant.

Raphaël les regarda sortir puis reporta son attention sur Léa.

— Ton frère est quelqu'un d'étonnant.

Il marqua une pause, occupé à la contempler.

— Je suis content d'être rentré, d'être là en face de toi. Je n'ai pensé qu'à ça, au moment où nous serions ensemble.

Durant quelques instants, ils continuèrent à se scruter.

— J'ai une folle envie d'aller boire ce café, avoua-t-il enfin d'une voix rauque.

— Moi aussi.

Avec un sourire qui en disait long, elle ramassa les clefs de Lucas.

Il n'y avait plus de neige dans la plaine, elle ne tenait qu'à partir de six cents mètres d'altitude, chapeautant de blanc les montagnes.

Au retour de Lons-le-Saunier, Raphaël et Léa avaient dépassé Bonlieu et, avant le pic de l'Aigle, s'étaient engagés sur les petites routes en direction de la forêt de la Haute-Joux et de la forêt du Prince. Ils voulaient prendre la nuit de vitesse pour jeter un coup d'œil au massif, dans le soleil couchant.

La tête appuyée au carreau, absorbée par la splendeur du paysage, Léa écoutait Raphaël lui expliquer en quoi consisterait son travail de l'année à venir aux Eaux et Forêts.

— Par exemple, collecter les graines et les expédier à la sécherie de la Joux. Entreprendre dès le printemps les chantiers de dégagement. Borner, drainer, marquer, surveiller l'équilibre de l'écosystème, contrôler la justesse des coupes…

— Tout ce que je fais chez moi, en quelque sorte !

— Avec quelques nuances. D'abord, je vais disposer de tous les moyens voulus puisqu'il s'agit de forêts domaniales. On est davantage dans la préservation que dans l'exploitation. En revanche, il faut assurer l'accueil du public. Visites guidées, découverte de sentiers botaniques, circuits de randonnées :

l'ONF fait un énorme effort d'information et d'éducation des promeneurs.

— Je ne t'imagine pas en chef scout, persifla-t-elle.

— Pourquoi ? Je peux être très patient.

— Oui, je sais. Très patient et très passionné.

Il venait de le lui prouver durant les deux heures passées chez Lucas. Derrière les rideaux tirés, ils s'étaient aimés sans crainte d'être surpris, en prenant tout leur temps. Léa n'en revenait pas du plaisir qu'elle éprouvait dans les bras de Raphaël, elle avait l'impression qu'elle n'en serait jamais rassasiée.

— Nous ne serons pas toujours obligés de nous cacher, soupira-t-elle.

— J'aime bien me cacher avec toi dans les bois !

— Moi, je préférerais que nous puissions rentrer tous les deux chez toi ou chez moi, nous faire un bon dîner devant une flambée, et aller nous coucher ensemble.

— Rien ne s'y oppose si tu le désires vraiment, Léa. C'est juste une précaution, mais on peut passer outre.

— Pas maintenant. Tristan a pris un avocat tout seul de son côté, alors que nous devions en choisir un en commun pour aller plus vite et sans heurts. Je crois qu'il veut que ça traîne, avec un maximum d'ennuis ! En conséquence, j'ai demandé qu'un juge prononce très vite la séparation de corps.

— À partir de là, tu peux faire ce que tu veux ?

— De ma vie privée, oui !

— Et ça va prendre combien de temps ?

Il n'avait pas pu s'empêcher de le demander sur le ton de l'urgence, ce qui la fit sourire.

— Pas beaucoup, d'après mon avocat.

— Tu en as pris un aussi ?

— Bien obligée. Mais je ne souhaite pas attaquer Tristan. Juste me défendre de ses prétentions exorbitantes. J'aimerais tellement que tout ça se termine sans haine… Malheureusement, les avocats vont se charger de nous dresser l'un contre l'autre. C'est normal, ils sont payés à l'heure !

Raphaël lui prit la main d'un geste tendre, mais resta silencieux. Quand il était question de Tristan, il s'abstenait de tout commentaire, et Léa lui en fut reconnaissante. Elle n'avait pas envie de penser à son divorce pour l'instant, de peur de gâcher cette journée. Le soleil avait déjà disparu derrière un sommet, dans moins d'une heure il ferait nuit.

— On entre dans la forêt ? proposa-t-elle.

Il prit le premier chemin qu'il trouva sur sa droite, mais fut contraint de s'arrêter deux cents mètres plus loin, devant une barrière.

— Allez, on s'offre une incursion rapide dans ton futur territoire, d'accord ? Je veux voir à quoi ça ressemble et savoir si tu vas te plaire davantage ici que sur mes toutes petites parcelles !

Elle l'entendit éclater de rire tandis qu'elle descendait.

— Tu possèdes des bois magnifiques, rappela-t-il en la rejoignant. Tu as eu raison de te donner du mal, et il va falloir continuer. Je ferai absolument tout ce que je peux pour te faciliter la tâche, compte sur moi.

Ce n'était pas un vain mot, ni une promesse en l'air, elle le comprit à la gravité soudaine de sa voix.

— J'ai encore beaucoup de choses à apprendre, n'est-ce pas ?

— Pas beaucoup, mais des choses, oui. Il faut que tu intègres des données techniques. Pour l'instant, tu travailles encore à l'instinct, au feeling. Mais tu as eu la sagesse d'appeler à l'aide à temps. Quand tu m'as embauché, tu arrivais quasiment au bout de l'héritage de Martial. S'il n'avait pas si bien planifié ses forêts, tu n'aurais pas pu tenir jusque-là. C'était vraiment un homme de métier... À ce propos, je voulais te dire que si tu as besoin, ou seulement envie de parler de lui, ça ne me posera jamais aucun problème.

Elle se mit en marche, d'abord sans répondre, puis elle finit par murmurer :

— Martial... Oh, mon Dieu, depuis combien de temps n'ai-je pas pensé à Martial parce que je pensais à toi ? Tu sais, depuis sa mort, il a été pour moi comme une icône, un flambeau dans la nuit, mais je ne parlais pas de lui, non, je faisais même attention à ne pas le citer. Je crois que je ne voulais pas partager son souvenir pour qu'il reste en moi, à moi. Je ne supportais pas que Tristan prononce son nom avec un petit air goguenard. « Saint Martial », le caricaturait-il, et je détestais sa dérision, son aigreur... Mais je ne veux pas accabler Tristan. Il se croyait confronté à une image intouchable qui le rabaissait, et il ne savait pas lutter autrement qu'en buvant de plus en plus. J'ai failli croire que c'était ma faute. Sans Lucas, à qui je pouvais tout raconter, je me serais morfondue dans la culpabilité. Heureusement, il m'a ouvert les yeux, il m'a rappelé que Tristan avait déjà une réputation de sacré buveur bien avant notre mariage, et que ce n'était pas l'ombre de Martial qui le faisait boire !

Les confidences venaient si facilement qu'elle s'interrompit, embarrassée de s'être autant livrée.

— Et puis ? demanda-t-il au bout de quelques instants.

Elle s'arrêta près d'un mélèze dont elle examina distraitement le tronc.

— Eh bien... Le point de non-retour a été atteint un jour où j'étais en forêt avec Tristan. Il a dû dire une bêtise de trop, à propos des coupes. Comme il avait toujours besoin d'argent, il aurait bien tout ratiboisé. Il n'y connaissait pas grand-chose, je m'en rendais compte. Pourtant, il était là à pérorer, et d'un coup, je me suis sentie perdue, seule au monde. Au point de me demander s'il ne valait pas mieux vendre. Mais l'idée m'a immédiatement révoltée, j'ai pensé à Martial, et je me suis décidée à passer une annonce. Après, tu es arrivé.

Le souvenir des premiers jours avec Raphaël lui rendit le sourire. Il l'avait littéralement immergée dans les bois, saoulée de termes techniques, traînée durant des après-midi entiers le long de sentiers escarpés. À ce moment-là, elle ne voyait en lui qu'un ingénieur des Eaux et Forêts qu'elle payait très cher, elle l'écoutait mais ne le regardait pas. Ensemble, ils avaient ouvert des chemins de débardage, des couloirs de cloisonnement, ils avaient entrepris le défrichage, l'ébranchage, embauché des bûcherons, bref, ils avaient travaillé côte à côte sans se douter de ce qui les attendait.

311

Renversant la tête en arrière, elle examina les houppiers qui se rejoignaient harmonieusement vingt-cinq mètres plus haut, et cachaient le ciel.

— Elle est belle, ta forêt, elle semble en ordre...

— Je vais m'y plaire, affirma-t-il. Mais tu sais, j'aurais accepté n'importe quoi pour rester ici. Je ne m'imagine plus ailleurs.

— Alors, tu es là pour toujours ?

— Tant que tu voudras de moi.

Elle frissonna, et il la rejoignit aussitôt, se mit à lui frotter le dos. Puis il la prit dans ses bras, la serra très fort contre lui.

— La première fois que j'ai fait ce geste avec toi, j'ai eu peur. Mais tu m'y avais incité en prétendant que personne ne faisait jamais rien pour te réchauffer.

— Et tout ce que tu as trouvé à dire c'est « Léa », je m'en souviens très bien.

— Ensuite, tu m'as demandé si je croyais qu'il allait se remettre à neiger.

— Et tu m'as répondu que ça t'était complètement égal.

— Je venais de tomber amoureux, il aurait bien pu y avoir un tremblement de terre que je m'en serais à peine aperçu !

Il l'embrassa dans le cou, la serra davantage.

— Léa, chuchota-t-il.

L'obscurité envahissait la forêt autour d'eux. Un écureuil fila le long d'une branche, une chauve-souris frôla sans bruit les cheveux de Raphaël. La tête sur son épaule, Léa ferma les yeux en soupirant :

— Je n'ai plus froid, maintenant.

Ce qui l'avait enfin quittée était ce froid au fond d'elle-même dont elle avait cru ne jamais pouvoir se débarrasser. Elle eut une dernière pensée pour Martial, très douce, puis elle s'abandonna au bonheur absolu que lui procurait l'étreinte de Raphaël.

Tous mes plus sincères remerciements à Patrick Fouquier pour ses renseignements et sa documentation qui m'ont aidée à comprendre le métier de forestier.

Composé par Nord Compo
à Villeneuve-d'Ascq

Cet ouvrage a été imprimé par la
SOCIÉTÉ NOUVELLE FIRMIN-DIDOT
Mesnil-sur-l'Estrée
pour le compte des Éditions Belfond
en mars 2007

Imprimé en France
Dépôt légal : mars 2007
N° d'édition : 4340 – N° d'impression : 84239